MW00626654

MYRNA Y. LÓPEZ-PEÑA

DIOS *y* YO SOMOS MAYORÍA

Frente a las pequeñas zorras de la agenda homosexual.

Dios y yo somos mayoría

Publicado por:
Christian Editing
Miami, Florida, 33196
ChristianEditing.com

Cubierta y diseño interior: Adilson Proc

Todas las referencias bíblicas fueron tomadas de la Biblia Reina-Valera, revisión de 1960, a menos que se indique otra fuente.

ISBN 978-0-9833950-5-8

Impreso en Colombia.

Categoría: Vida cristiana.

DEDICATORIA

A mi esposo Michael, al varón de lejos, varón del consejo de Dios, por su paciente y amorosa compañía en este caminar por fe y no por vista. Gracias, amor mío.

A la memoria de mi pastor Carmelo Terranova, quien se fue a las mansiones celestiales en diciembre de 1999, no sin antes dejarme el título de este libro y confirmar una vez más el mandato de Dios para escribirlo.

A Anita y Myrnita, mis esquinas labradas, como Dios ha llamado a mis hijas. Cuando el artífice labra, duele. Mas han de ser preciosas, porque así lo ha dicho Dios.

A mis amaditos nietos Sofía Victoria, Julián Michael, Iris y Demi, porque ellos, y toda la niñez en esta generación, son el eje de esta batalla, que por amor a ellos nuestro Rey de reyes me ha inducido a escribir este libro.

¡Al santo nombre de Dios sea la gloria!

"Goteará como la lluvia mi enseñanza; destilará como el rocío mi razonamiento..." Deuteronomio 32:2.

AGRADECIMIENTO

Gracias le doy a la Hna. Rosa I. Pérez, y a dos hombres de Dios por haber confiado en esta sierva, por su visión, y por ayudarme a crecer en la fe: el Dr. José Martínez-Villamil y el Mons. Fernando B. Felices Sánchez. Aprendí con ellos que en medio de un mundo envuelto en la corrupción moral, intelectual y económica tú serás la diferencia. Gracias a la cobertura espiritual de mis amados pastores Freida y Mack McCullough.

Advertencia

Algunos de los nombres de personas aquí mencionadas han sido cambiados por tratarse de personas privadas y que no se les ha solicitado permiso para usar sus respectivos nombres. A otros, por ser figuras públicas o con nombres destacados en eventos que fueron publicados por la prensa o por la historia y que pasaron a ser asuntos de conocimiento general, se les menciona por sus nombres. Las vivencias que expongo de mi caminar con Dios son mis testimonios reales y muy personales, y en modo alguno pretendo con ello hacer una doctrina o que sea la doctrina de alguna denominación particular. Solo es el recuento de la multiforme sabiduría y manera de cómo Dios, sin lugar a dudas, se ha manifestado de manera hermosa e interesante en mi vida. Extrañas maneras, pero así han sido. Mucho me falta por aprender de su inagotable, majestuosa y amorosa presencia. No que lo haya alcanzado ya, ni que sea perfecta, sino que prosigo, para ver si logro asir aquello para lo cual fui asida por Cristo Jesús (Filipenses 3:12).

Índice

Prólogo

Pocas veces encuentras un libro que integra el nivel espiritual y el conocimiento humano. Un libro que te adentra en la dimensión espiritual de los sucesos históricos de un país. Un libro que les revela, con gran sinceridad, por qué los cristianos aún no han podido ganar en una lucha a la que Dios les ha llamado para vencer.

Si quieres saber, fuera de líneas partidistas, "cómo es que se bate el cobre" en el control de la compuerta que abre o encubre la corrupción moral en el gobierno, y como se viene corrompiendo el nivel intelectual desde la academia, llegaste a las letras que te impactarán.

Este libro presenta la verdadera historia que le dará al lector los conocimientos para vencer los obstáculos que nos han colocado tanto desde el interior de la lucha como del exterior, para tratar de impedir una enmienda constitucional que frene al Estado en su empeño de alterar la base familiar natural única, que es el matrimonio entre un hombre y una mujer.

También te darás cuenta con los hechos relatados por Myrna cómo impera un espíritu legislativo que busca legalizar a través del sistema de educación la actividad sexual, y propagar un trastorno sicológico, moral, físico y espiritual en la inocencia de nuestra niñez.

Porque el objetivo de la agenda por destrozar la institución del matrimonio y la familia no es la privacidad de los adultos. El verdadero botín de guerra son nuestros niños. Los niños huérfanos y maltratados han sido los primeros en caer, desprotegidos ante un sistema opresor y deformador.

La verdadera religión es atender a los huérfanos, a los niños. El maligno quiere impedir que lleguen a Jesús. Los huérfanos esperan por ti. Este libro despertará tu espíritu de lucha. Ese que has tenido dormido por mucho tiempo. Una lucha por la niñez, por quienes serán los actores de nuestra próxima generación. A nosotros nos corresponde asegurar que ellos sobrevivan a la debacle moral, espiritual e ideológica de estos tiempos.

Si mi esposo y yo hubiésemos sabido lo que nos deparaba aquella tímida e inofensiva participación en un taller en el verano de 2006, y una convocatoria a líderes cristianos en febrero de 2007, honestamente, no hubiésemos dado un paso adelante. Pero no podemos vivir de espaldas a una grave realidad, a un peligro inminente. Fuimos injertados en una larga y fascinante historia que, sin saber, impactaría y enriquecería para siempre nuestras vidas, la de nuestro país y la de todos aquellos que recorran junto a Myrna las páginas de este libro.

Estas páginas recogen los tiempos que Myrna nunca antes imaginó. Narra varios eventos que serían las piezas de un gran rompecabezas, diseñado para un propósito y un bien mayor, para un futuro que marcará la vida de muchos en diferentes puntos del planeta con un mensaje para los últimos tiempos.

También encontrarás los relatos íntimos de una líder llamada por Dios a una función y misión particular. Un liderazgo en total sujeción al llamado, ceñido con firmeza, humildad y obediencia.

Myrna es madre de muchos ministerios, descubriendo y sellando llamados y propósitos separados desde antes de la fundación del mundo y dando sentido de pertenencia a muchos en la guerra cultural.

Historias de prejuicios dentro del seno eclesiástico, la lucha por el poder, el protagonismo, la desidia, la falta de unidad. Aun así, veremos a Myrna luchando frente a retos, puertas cerradas, el humanismo secular, haciendo veredas donde hace mucho tiempo no se transitaba (la historia de un pueblo) y poniendo de manifiesto las consecuencias de hacer o no hacer nada ante los retos que se presentan hoy.

Esta es la historia de "una extraña obra", del despertar espiritual, intelectual y social de un pueblo, de una nación; el llamado a una reforma intelectual retomando los principios del reino de Dios y su justicia.

En este recorrido junto a Myrna he aprendido y comprendido que el rango de distinción de los líderes es la sujeción, la medalla de honor el servicio.

El ministerio cristiano es un llamado ceñido de firmeza, humildad y obediencia a Dios, y con lo que el maestro Jesús enseñó, que las coronas se sujetan con espinas.

Lcda. Ivette M. Montes-Lebrón

Presidenta de la Alianza de Juristas Cristianos
Puerto Rico

INTRODUCCIÓN

Estamos en la segunda década del siglo 21, y es el tiempo de Dios para movernos en el llamado a reconquistar a los cristianos que ejercen alguna profesión o vocación remunerada. Este libro es una invitación de Dios para que los profesionales y los estudiantes cristianos usen sus conocimientos, experiencias y recursos para buscar la excelencia del pensamiento humano. Es una invitación a cuestionar seriamente lo que llaman conocimiento, lo que se dice ser intelectual en este tiempo. Aunque les hablo de mis experiencias ocurridas en Puerto Rico y algunas en otras partes de Estado Unidos, no es menos cierto que las situaciones y conceptos aquí presentados son de alguna manera válida aplicación a la realidad intelectual de otros países de Occidente, en particular de Hispanoamérica y Estados Unidos.

Les presento una colección de experiencias donde Dios me ha revelado su sabiduría para desempeñarme como profesional y para intercalarme en esta lucha, alertando al pueblo acerca del pensamiento que el enemigo está usando para destruir la naturaleza humana. Este libro es un llamado a rescatar el pensamiento intelectual, no desde una perspectiva filosófica sofisticada, sino compartiéndoles algunas de mis maravillosas experiencias con Dios. Dentro de esas experiencias, les relato cómo Él me ha mostrado en situaciones específicas las sutilezas "intelectuales" que se usan en el mundo académico con la intención de eliminar el pensamiento cristiano de la esfera intelectual, y por consiguiente de todas las esferas de la convivencia en nuestras naciones, para ser suplantado por un sistema predicado en la política *gayola* (del término *gay*, homosexual).

Lamentablemente esas sutilezas también se practican en centros docentes cristianos, tal vez por error e inadvertencia; también vienen educando a los estudiantes en contra de los principios cristianos. Y aun muchos líderes de iglesias de sana doctrina, como algunas editoras de literatura cristiana, se han conformado o han asimilado al lenguaje destructivo de la agenda homosexual.

No es ninguna novedad que existe un ataque claro, expreso y frontal contra la fe cristiana. De eso nos sabemos defender, lo sabemos discernir; pero hay otros estilos soslayados, casi imperceptibles, que se van filtrando como parte de nuestra vida diaria. Son las pequeñas zorras que hacen perder la viña, como dice el libro bíblico Cantares, y no nos damos cuenta. Les presento algunos ejemplos de esas pequeñas zorras que se han ido colando en el lenguaje diario de los cristianos.

Este libro es un testimonio de cómo Dios se ha servido, dirigiendo mis pensamientos y mi desarrollo intelectual. A veces Dios me deja saber por dónde me lleva a expresar, hacer o presenciar algún evento o situación. Otras veces me percato de su dirección durante o al final del proceso para lo que Dios me estaba usando como vaso. Ya sea de una manera u otra, cada experiencia me lleva siempre a descubrir que Él es quien me ha dado la inteligencia y su revelación. El resultado de lo que he logrado también es su regalo para mi vida, y mayormente es un regalo para bendecir a otros.

Durante mi formación de abogada y en el ejercicio de mi práctica, Dios me ha hecho participe de grandes retos y hermosas vivencias. Ahora Él desea usarlos a través de este libro, para despertar el corazón de los cristianos a que retomen el pensamiento intelectual en sus respetivas disciplinas profesionales; y es también una voz de alerta para los estudiantes universitarios. Este libro será asimismo una bendición aun para personas que no se desempeñan como profesionales. Es un mensaje para los padres, las madres, pastores y para todo creyente.

Mi historia no es lo importante, sino lo que Dios ha hecho y sigue haciendo en mi vida para que pueda ser su testigo de las experiencias en las que Él me ha permitido participar. Mi historia es una de tantas vidas reconstruidas por el anhelo de Dios. Es también la experiencia de una mujer, hija de obreros, que vivió una niñez muy lastimada. Es la vivencia de una madre sola, trabajadora; de una vencedora de la adversidad en que nos aprisiona el pecado y que el enemigo trata de usar para hacernos creer que ya no hay esperanza, que la vida no tiene sentido, que no hay Dios.

Dios tenía un propósito conmigo desde antes de yo nacer, y ha de cumplirse. Por su obstinado amor, Él me levantó de mis despojos humano. Me hizo su hija. Dios me hace sentir amada, mimada, consentida. ¡Yo soy de mi amado y mi amado es mío! , como dice el libro de Cantares.

Estoy más que segura de que *Dios y yo somos mayoría* es una de las multiformes maneras en que Dios les hablará en lo más íntimo de sus pensamientos y emociones. El objetivo de este libro es ilustrarles a que se atrevan a cuestionar toda la propaganda de las tinieblas, que se presenta con fachada de sabiduría. Cuando desmenuzamos la propaganda *gayola* descubrimos que es pura ignorancia. Tal propaganda ideológica ha hecho su entrada en los niveles de poder que nos gobiernan como pueblo. La repulsión hacia la verdad es tal que corrompen la Palabra de Dios, corrompen los procedimientos, corrompen las estadísticas, manipulan el pensamiento humano y el lenguaje con tácticas y propagandas viciadas. Muchas de esas artimañas, mediante un juego de palabras con el lenguaje, así como ideologías falsas, también se han infiltrado en las iglesias. Hay que escudriñarlas, identificarlas, combatirlas y derrotarlas con la verdad.

El libro comprende cuatro partes y catorce capítulos. En la primera parte les hablo del llamado que Dios me ha hecho. En el Capítulo 1 y por ser parte esencial de mi testimonio, les relato cómo surgió el título de este libro. El Capítulo 2 es una breve síntesis de mi vida, resumida en el número de años que me llevó superar cada atraso en las metas de mi vida como consecuencia de mis pecados y pésimas decisiones fuera de la voluntad y el tiempo de Dios. El Capítulo 3 incluye experiencias en el salón de clases con la presencia de Dios, un ejercicio de silogismo que trato de explicar de manera sencilla, de modo que los lectores que no sean abogados puedan comprender el mensaje precioso que Dios me dio durante una clase. Les cuento algunas situaciones reales, de cuando algunos profesores someten a los estudiantes al cinismo y al atropello por ser creyentes. Les testifico cómo Dios me preparó para la reválida de abogada y para qué lo hizo, pues todo regalo que Dios nos da tiene un significado y un propósito. El Capítulo 4, "Un llamado a retomar nuestro lugar en el pensamiento intelectual", destaca el propósito central de este libro. Dios desea usarnos para motivar o inspirar a los profesionales y a los estudiantes a repensar de una manera integrada sus pensamientos, sus ideologías y la visión de sus vidas profesionales, ocupacionales y personales.

En la Segunda Parte, titulada "Un resumen de la obra realizada hasta el presente", digo hasta el presente porque ya cumplí mis sesenta años y Dios me está preparando para nuevos derroteros. Al comienzo del año 2008, Dios me dijo por voz de la profeta Hna. Rosa I. Pérez y con relación a nuestra mudanza hacia Georgia: "Te vas porque yo soy quien te mando". Así que estoy más que segura que vamos guiados por la gracia de Dios. Ya para el mes de noviembre de 2008 el Señor me reiteró su Palabra. Una mañana, días antes de salir de Puerto Rico para iniciar un nuevo rumbo y sin saber a ciencia cierta qué nos esperaba en Georgia, oraba porque había llegado el momento; era una mezcla de alegría y de expectación ante lo desconocido, a la vez de nostalgia y dolor al dejar mi país, mis amigos, seres queridos, mi práctica como profesional y mi casa. Después de terminar de orar, como era mi costumbre sintonicé Radio Redentor, mientras hacía la tarea de recoger mis cosas. Ya había guardado prácticamente todo, por lo que no tenía una libreta a la mano. En aquella hora predicaba una pastora de nombre Clara García, de una iglesia de Bayamón. Cuando escuché aquel mensaje directo del cielo, no era aquella mujer poderosa de Dios quien hablaba, era un telegrama directo del cielo para mí. Mis queridos lectores, ustedes mismos podrán apreciar que fue un mensaje directo del cielo. Pude anotarlo en un pedacito de cartón, que fue lo que encontré de inmediato para escribirlo, y así lo conservo en el pedacito de cartón:

> *"Levántate a alcanzar el propósito de Dios. Los fuertes y los de fortaleza son personas distintas. Los de fortaleza viajan bajo la fortaleza, el amparo y la provisión de Dios. Los fuertes van en sus propias fuerzas, no se atreven a confiar en Dios. Pero tú eres de los de fortaleza. Hoy vuelves a empezar..."*
>
> *Pastora Clara García*

Este libro es parte de la nueva etapa del propósito de Dios para mi vida.

Un día llegué muy cansada al culto de mi iglesia *Word In Season Ministries*, en Georgia. Antes que comenzara la predicación yo estaba pensando lo siguiente: *Padre, no ves que ya estoy poniéndome vieja, y tú me has traído a Georgia, prácticamente a comenzar de nuevo. Aun no sé exactamente en qué nos vas a desarrollar, y todavía no domino el idioma inglés.*

Minutos después escucho la predicación a mi pastor Mack McCullough decir: "Haz como Caleb, que le dijo a Josué: '...hoy soy de edad de 85 años. Todavía estoy tan fuerte como el día que Moisés me envió; cual era mi fuerza entonces, tal es ahora mi fuerza para la guerra, y para salir y para entrar'" (Josué 14:10-11). Me eché a reír. Me gozo porque de veras Dios sabe todo lo que pienso y siento, y su contestación es un diálogo continuo y preciso a mi vida, en cada momento. Aunque les confieso que cuando Él guarda silencio me desconcierto, me desespero. Porque no me gusta esperar. En esta parte, y en casi todo el libro, les narro un poco de mis vivencias con Dios, porque dentro de ellas es que Dios va hilando el conocimiento que me ha revelado.

El Capítulo 5 del libro es la trayectoria profesional de cómo llegué a ocupar un cargo de Procuradora, que para entonces también le llamaban Fiscal de Familia, en el Departamento de Justicia. El cargo de Procuradora fue la plataforma de adiestramiento para Dios lanzarme a defender los valores de la familia y a luchar por rescatar a nuestros niños de la agenda *gayola*. En los Capítulos 6 y 7 les comparto algunas experiencias en las organizaciones donde Dios nos ha usado para despertar al pueblo de Puerto Rico frente a un borrador de los libros de Derecho de Familia y de la Persona, para un nuevo Código Civil con una filosofía *gayola*. De cómo Dios nos alertó de la agenda detrás de lo que estaba escrito y por qué el liderato cristiano sigue dando vueltas como una noria, sin poder vencer en una lucha que tenemos ganada.

En el Capítulo 8 les resumo experiencias de la ardua lucha intelectual y espiritual que tuvimos que confrontar y que seguiremos batallando en la defensa del matrimonio, los valores de la familia y la batalla por nuestros hijos, ante la amenaza de una educación homosexual.

En la Tercera Parte comparto lo que Dios le ha placido revelarme. Es solo una muestra de cómo viene operando la agenda para erradicar el pensamiento intelectual cristiano. Les presento por qué debemos ejercer una activa fiscalización intelectual para discernir las corrientes intelectuales erróneas que pretenden imponernos de una manera subliminal, para alterar lo más profundo de nuestras vidas; hasta las palabras que usamos. No solo en el plano intelectual, sino su efecto dañino en el plano sicológico y espiritual. Trato de presentarlo de manera práctica, sin mucha sofisticación lingüística y conceptual y sin dejar por ello de ser profundo, aunque en la discusión de algunos capítulos anteriores ya les he ido presentando varios ejemplos que experimenté sobre la falsa intelectualidad que nos dejamos pasar a diario sin cuestionar.

El Capítulo 9 les demuestra otros ejemplos de cómo algunas leyes traen datos falsos y mitos para implosionar los pilares de la democracia occidental y legalizar la persecución de los cristianos. EL Capítulo 10 es apenas una muestra de las sutilezas con las que el pensamiento cristiano se viene deformando. Les comparto una experiencia que les pondrá al tanto de cómo, aun en las propias universidades "cristianas", se construye el pensamiento y el sentimiento anticristiano en los estudiantes; no con temas obvios, directos y patentes como la teoría de la evolución, sino sutilmente, de forma indirecta, bien diseñado y calculado para que en la formación intelectual quede grabado en el subconsciente de los nuevos profesionales.

El Capítulo 11 presenta el problema del uso del lenguaje con palabras aparentemente inocentes como: *pareja*, *homofobia* y *género*. El español es un lenguaje preciso, con el uso de palabras que clasifican el sexo femenino y masculino. Les exhorto a erradicar en nuestras expresiones la jerga *gayola*, para combatirla. Aunque no entro a discutir sofisticaciones de la lingüística, sí les explico como el concepto "pareja" ha sido un arma poderosa de los *gayolas* para destruir la institución del matrimonio entre un hombre y una mujer. Cómo aterrorizan con decir homofobia, y cómo están destruyendo la identidad sexual de todos con la palabra *género*. Les revelo cómo nació ese concepto y sus mortales consecuencias.

La Cuarta Parte, denominada "Una cita con la historia", es la frase que vengo repitiendo durante lo escrito para ir preparando el camino hacia el desenlace de cómo Dios revela la inteligencia espiritual que opera detrás de los asuntos terrenales. Les narro cómo Dios me lleva a redescubrir en el plano espiritual unos sucesos históricos que aceleraron marcadamente el deterioro moral y espiritual que sufre hoy Puerto Rico. También cómo Dios me usó para rescatar unas menores y cómo Él me reveló un caso de secuestro. Termino con la historia más reciente sobre el plan de ataque espiritual masivo contra los niños, para entronizar la agenda *gayola* con su nuevo dios, a quien elevan como ícono[1]. Tal como lo dice el Manifiesto Homosexual: "*Our only gods are handsome young men*". En todo el libro les voy indicando cómo ese Manifiesto Homosexual se viene cumpliendo.

El Capítulo 12 trata de algo muy particular de la historia boricua, pero no deja de ser un espejo espiritual para que cada lector analice el efecto de la cosmovisión de sus gobernantes y sus conductas, y sus consecuencias en la vida espiritual y material de sus respectivas naciones. Se explica cómo aquellos sucesos históricos le abrieron las puertas al enemigo de las almas y se infiltró la ideología *gayola* en el derecho boricua.

El Capítulo 13 aborda otro momento histórico en el que Dios me insertó y me dirigió en mi función de Fiscal de Familia para encontrar a una niña secuestrada. Solo atiendo el aspecto espiritual con que Dios me llevó a descubrirla. No entro en muchos detalles del caso, por tratarse de información confidencial. Trabajar con niños es aprender a ver el corazón de Dios, su amor por estas criaturas. Recuerdo la impactante respuesta que aquella niña me dio durante la Navidad de 1997; cuando hablábamos de su triste realidad, me preguntó: "Entonces, ¿yo no soy la única niña perdida?" Aquella linda e ingenua conclusión de una criatura inocente es una gran verdad. Muchos seres que se consideran personas "de bien", con grandes títulos, con exitosas carreras o negocios, o de grandes famas internacionales, están igualmente perdidos, como lo están los adictos, las prostitutas, delincuentes, o lo que usualmente llamamos personas "malas". Sin embargo, la realidad es que esas "buenas personas" mientras sigan secuestrados por el enemigo de las almas están muertas en vida, lejos de su verdadero Padre Celestial. Perdidos.

El Capítulo 14 es la revelación de Dios sobre otra modalidad de secuestro de almas de la niñez. Nos lleva a descubrir toda una simbología satánica detrás del manto de la fundación benéfica del cantante Ricky Martin. Todo magistralmente disfrazado de una bondadosa causa contra el terrible mal que viven los miles de niños maltratados y esclavos sexuales. La aparente piadosa gesta es cual altar de un pacto vudú para que el "ícono" de la agenda *gayola* pueda abrirse acceso a altas figuras del poder político y económico en muchos países. Los niños sufridos y los incautos benefactores son el objeto de ofrenda, bajo el vudú, a cambio de que el llamado ícono plante la bandera *gayola* en altos niveles de influencia.

Ante la aparente abrumadora expansión de la agenda *gayola* en varias partes del mundo, Dios nos hace el llamado a retomar el lugar que nos corresponde, a retomar el pensamiento intelectual, a corregir las actitudes que nos desunen como pueblo cristiano y nos han impedido combatir con inteligencia espiritual. ¡Es el reto!

Parece que son más y más cada día las naciones que han sucumbido ante este nuevo régimen dictatorial; una ideología que corrompe la naturaleza de la especie humana. Como en los tiempos de Noé, "toda carne había corrompido su camino sobre la tierra" (Génesis 6:12). Pienso que esa misma sensación la tuvo Noé. Noé pensaría: "Padre, se ha expandido la corrupción en el pensamiento intelectual. Ellos son más que yo. Son millones contra uno". ¿Acaso Noé estaba solo? Noé y Dios fueron mayoría. Noé junto a Dios prevaleció sobre aquella desenfrenada multitud.

La Palabra nos da varios ejemplos de cómo Dios puede usar a una persona para cambiar las circunstancias destructivas y el pensamiento incorrecto de los pueblos. José es otro de esos ejemplos. Todos los hermanos de José, o sea once contra uno, se levantaron a destruirle; y termina el discurso final de José diciéndoles: "Vosotros pensasteis mal contra mí, mas Dios lo encaminó a bien, para hacer lo que vemos hoy, para mantener en vida a mucho pueblo" (Génesis 50:20). José cambió aquel pensamiento de odio y de resentimiento entre hermanos, cambió una economía nacional desesperante en una vida de amor, de perdón y de abundancia, aun en medio de la escasez. En otras palabras, José con Dios fueron mayoría.

Primera Parte

Mi profesión para Cristo

Capítulo 1

Dios y yo somos mayoría

En 1974, recién convertida yo, una hermana que se llama Jossie Cordero (no sé si vive en la tierra todavía o si ya se mudó a las mansiones celestiales) me describió la visión que Dios le mostraba sobre mi persona. Ella vio que en mi mano entregaban una pluma antigua, dorada, y que escribía un libro. Aunque me sentí maravillada, lo cierto fue que no le presté gran atención a aquella conversación. Era la primera vez que alguien me hablaba de visiones. Yo no estaba acostumbrada a ese tipo de expresiones, tales como "visiones", "profecías", "Dios me muestra", "el Señor me dice", "Dios me habló", "Dios me dijo", etc. Luego y en repetidas ocasiones a lo largo de muchos años varias personas me repetían lo mismo: "debes escribir un libro".

Desde el 2005, Dios me ha llevado a una ardua e insospechada batalla, la cual cambió el curso de mi vida y encauzó mi carrera por donde a Él le place, para bendecir a otros y ministrar a los profesionales cristianos. He estado brindado conferencias y visitando casi todos los pueblos de Puerto Rico, dando la voz de alerta de lo que se proponían imponer con varias legislaciones y un borrador para un nuevo Código de Familia, impulsado por ideólogos de la agenda *gayola* (agenda *gay* u agenda homosexual).

En febrero de 2010, el Lcdo. Faro me invitó para que compartiera una charla con un grupo de jóvenes profesionales cristianos. El Lcdo. Faro es uno de nuestros aliados. Él es un guerrero de la fe, a quien Dios le ha llamado sin lugar a dudas a preparar la próxima generación de profesionales cristianos en Puerto Rico. Y de esa charla nació finalmente el bosquejo para el contenido de este libro y otro que viene más adelante. El 6 de febrero de 2010, tuvimos una reunión en la ciudad de Ponce con un grupo de veinticuatro excelentes jóvenes cristianos profesionales. Entre ellos había ingenieros, maestros, psiquiatras, periodistas, economistas, estudiantes de Derecho, de Estadísticas, de Geografía, etc. Todos ávidos de poner sus coronas a los pies de Cristo.

El tema que Dios me dio para aquella charla fue: "Retomando el pensamiento intelectual del país". Y me dijo que la primera parte de la charla girara en torno a mi testimonio. Sobre cómo mi amado Dios se ha servido de la profesión de abogada que Él me regaló, y cómo Dios se ha manifestado en mi carrera en tremendas y gratas aventuras espirituales, traducidas en hechos y eventos intelectuales extraordinarios. La segunda parte de la charla fue una presentación sobre cómo el pensamiento del creyente está siendo destruido.

Si bien aquellos jóvenes fueron ricamente bendecidos por la manifestación de Dios en aquella sencilla tertulia, yo salí de allí más que bendecida y segura de que ahora sí había llegado el momento de escribir. De manera que podamos alcanzar y animar a los cristianos en esta guerra cultural. Que más que cultural es espiritual. Debemos retomar el pensamiento intelectual y resistir hasta que El Rey de reyes venga. Dice la Palabra que "los entendidos resplandecerán como el resplandor del firmamento; y los que enseñan la justicia a la multitud, como las estrellas a perpetua eternidad" (Daniel 12:3). Debemos enseñar la justicia. Mas, ¿qué es la justicia? La justicia es lo que el Rey ha decretado, lo que Dios ha ordenado. Sus principios. Debemos buscar la justicia en todo lo que hacemos y decimos.

Debemos procurar la justicia en todas las esferas de nuestro quehacer diario como personas, como familia, como profesionales, como pueblo, como nación. Podemos buscar la justicia e impartir la justicia solo cuando tenemos claro nuestra identidad. Por eso nuestra identidad es el blanco de ataque por el enemigo de las almas. Y en los últimos tiempos se ha enfocado en destruir nuestra identidad sexual. ¿Quiénes somos? ¿Cuál es el propósito de nuestra vida? Dios nos da la respuesta a esas preguntas: Somos "linaje escogido, real sacerdocio, nación santa, pueblo adquirido por Dios, para que anunciéis las virtudes de aquel que os llamó de las tinieblas a su luz admirable" (1 Pedro 2:9).

Fueron muchas las veces y por muchos años que mis amistades más allegadas me decían que escribiera un libro sobre las experiencias que me ha tocado vivir. Muchas de ellas son tan extrañas, o fuera de lo usual, que tres de mis más antiguas e íntimas amigas, mis amaditas hermanas Elba Luz Deliz Medina, Consuelo Quesada y Ramonita Santaella, y yo, hacemos bromas sobre ello. Como me han sucedido tantas cosas, cuando surge algo nuevo ya no decimos "esto es para escribir un libro". Si no, "esto es para contarlo en el próximo tomo". Pero hablando más en serio, en el 2008 Dios me volvió a hablar del libro por voz de la evangelista internacional Rosa Pérez. Mujer extraordinaria de Dios. Definitivamente esto ya era algo que no debía eludir más.

El título *Dios y yo somos mayoría* nace de una conversación con mi amado pastor Carmelo Terranova, allá por fines de la década de los ochenta. Cada vez que me reunía con él a buscar su consejo, a buscar dirección para mi penosa vida en aquel entonces, una y otra vez Terranova me repetía con su tono argentino y su usual "*querida, escríbete un libro, contá tu testimonio*". Por eso comparto la dedicación de este libro al pastor Carmelo Terranova. Yo fui muy privilegiada de recibir la amorosa y profunda enseñanza de los Terranova en nuestra iglesia, La Catedral de La Esperanza, de la Alianza Cristiana y Misionera de San Juan, Puerto Rico. Me hubiera gustado que Terranova revisara este libro y tuviera sus comentarios escritos, constatando estas experiencias. Pero así son las cosas en el mover de Dios; ya él se fue. Sin embargo, debo admitir que Terranova lo vio primero antes de que yo lo redactara. Lo vio en el nivel profundo y espiritual con el Padre Celestial.

Desde la primera vez que Terranova me dijo "tienes que escribir un libro", también me dijo "llámale *Dios y Myrna*", para que contara las tantas vivencias que he tenido con Dios. En este libro solo recuento vivencias relacionadas con retomar el pensamiento intelectual de nuestros países. En el título he sustituido mi nombre por el pronombre "yo", de manera que cualquier lector pueda identificarse en mi lugar, pero con sus propias vivencias, con sus propios cuestionamientos.

Al título que me dio Terranova le añadí la frase "somos mayoría", en reconocimiento al respaldo y la gracia que Dios me dio en el 2007 y 2008, cuando nadie conocía a esta menudita mujer, en un país machista, politizado y profundamente dividido por los colores partidistas, sembrado de líderes y caudillos políticos, religiosos y comunitarios. Como dicen en mi pueblo Humacao, "tenemos muchos caciques y pocos indios". Sin embargo, nuestro pueblo languidece en la corrupción política, la droga, los asesinatos, la violencia doméstica, la delincuencia juvenil, el desenfreno sexual, el temor a salir a las calles, en la pornografía y el alcohol. A la misma vez, es un país de mucho avance tecnológico, de muchos profesionales en diversos campos, y es un archipiélago de una belleza natural majestosa. No obstante, languidece por falta de conocimiento. Porque ha ignorado que el principio de la sabiduría es el temor a Jehová. "Mi pueblo fue destruido por falta de entendimiento" (Oseas 4:6). ¿Cómo es posible decir esto en un país donde hay alrededor de 10,000 iglesias, donde se emiten cientos de programas radiales diarios en emisoras cristianas, donde tenemos varios canales de televisión cristianas, en apenas un área de 100 millas por 35 millas, que comprende la isla más grande del archipiélago de Puerto Rico? Nos sobran las ciencias, los medios de comunicaciones, las artes, las tecnologías, así como las competentes y muy renombradas universidades. Mas hemos excluido a Dios, y en consecuencia nuestro pueblo va en decadencia moral y socio-económica. ¿Dónde está la influencia de cada creyente en medio de la sociedad en que vivimos?

La frase "somos mayoría" también es un reconocimiento a la confrontación que hemos tenido con la prensa *gayola*[2], que trata de ridiculizarnos y de suprimir en vano nuestras expresiones y actividades encaminadas a frenar la agenda con la cual el enemigo pretende abolir la familia y exterminar o someter a la Iglesia[3] bajo la opresiva ideología *gayola*. La faena de la multimillonaria industria de los medios masivos de prensa, radio y televisión llegó al extremo de decir que éramos unos cientos de personas, cuando el 11 de junio del 2007 hicimos una marcha de más de 20,000 ciudadanos, en un lunes, día de trabajo. La gloria es para Dios. Los canales de televisión apenas mostraron una insignificante toma de aquel magno evento. Aun así, no les quedó más remedio a uno de los rotativos que darnos una primera plana, pero llena de comentarios que menospreciaban nuestro mensaje a la vez que exaltaban la agenda *gayola*.

Dios me dio la gracia, junto al modesto equipo de trabajo de la Alianza de Juristas Cristianos (AJC), para motivar a otros. De esos esfuerzos nació CCEDFA (Coalición Ciudadana en Defensa de la Familia). Dios nos ayudó a cruzar las divisiones políticas y divisiones doctrinales junto a miles de hombres y mujeres valientes que se han puesto en la brecha para rescatar a nuestros niños, a nuestras familias, a nuestro Puerto Rico.

Seguimos cumpliendo nuestra misión, o mejor dicho nuestra "extraña operación", como dice el libro de Isaías 28:21: "Porque Jehová se levantará... para hacer su extraña operación". En el Nuevo Testamento también se repite ese concepto de "operación". La Palabra dice que hay diversidad de dones, de ministerios y de "operaciones", pero Dios es el que hace todas las cosas en todos (1 Cor. 12:4-6). Enfatizo la palabra "operación" porque debo admitir que mi llamado no es un ministerio usual, sino "una extraña operación".

Nunca olvido una oración que hizo el pastor Terranova por mí, que hoy explica esta "operación extraña". En aquel momento me pareció rarísima. Durante 1985, yo estaba recién llegada a su iglesia. Estaba muy triste, más que triste deprimida, enferma. Apenas pesaba noventa y seis libras. A causa de un accidente laboral, entonces usaba ganchos en mi espalda para poder sostener mi cuerpo. Tenía nervios pillados en las cuatro extremidades, y la prognosis era de un daño irreversible, crónico. Por si fuera poco, también estaba desempleada. No era fácil como mujer sola estar desempleada para atender el sustento de mi anciana abuela, mi madre y mis dos hijas, pagar la hipoteca y la educación de mis niñas, un auto y todos los demás gastos de una familia de cinco mujeres.

El pastor Terranova no oró por ninguna de aquellas situaciones que me estaban consumiendo. Impuso su mano sobre mi cabeza, y dijo: "Dios, te pido que levantes a esta mujer, úsala con poder, pero no con un ministerio común, sino algo distinto, algo especial para tu gloria". Los años han pasado y verdaderamente Dios ha usado mi vida de una manera poco común, en esta extraña operación, como a Dios le ha placido hacer. Para mí ser testigo de cómo Él obra es una aventura exquisita, cada vez única. Me gozo, me río, me hace llorar y, porque no decirlo, me duele, me hace indignarme y hasta rabiar. Después le pido perdón y me muero de la pena. Me falta mucho todavía por aprender de la mansedumbre de Jesús: "Aprended de mí que soy manso y humilde de corazón..." (Mt. 11:29)

Decía un viejo amigo mío que tratar de entender a Dios es como tratar de meter una papa dentro de una cajita de fósforos. Pero yo a veces me obstino en tratar de entenderlo, escudriñarlo, mas solo alcanzo a amarlo. Porque su amor me derrite. Me engríe. Y es que Dios es un desafío a la imaginación, al conocimiento, a las circunstancias; para Él no hay nada imposible. Sencillamente ¡DIOS ES!

Dios me ha metido en esas lides extrañas en defensa de la familia y de los pilares de la democracia, como lo es la libertad de expresión y de culto. En muchos momentos me sentía sola por la incomprensión de algunos líderes religiosos, por el cansancio de mis colaboradores, por mi propio agotamiento, y abrumada por las mañas politiqueras del sistema y los grandes intereses de "la prensa imperial" (como le ha llamado a la prensa un famoso politólogo en Puerto Rico, el Lcdo. Luis Dávila). Durante esas luchas pro familia, retomaba fuerzas en la certeza de que Dios está conmigo cual poderoso gigante. Y con o sin gente alrededor seguí hacia adelante, en esta carrera de mi soberana vocación en Cristo Jesús, creyendo firmemente que más son los que están con nosotros que los que están con ellos (2 Reyes 6:16). Por eso, queridos lectores, les repito: "Dios y yo somos mayoría".

Las pequeñas zorras a que se refiere el subtítulo que me sugirió la editorial para el libro son algunas palabras *gayolas* como "pareja", "homofobia", "género", así como datos falsos que políticos manipuladores han introducido para impulsar algunas legislaciones a favor de los *gayolas*, y de cómo hasta en el propio Tribunal Supremo lograron alterar citas para infiltrar el concepto de "género".

Después de mi Señor Jesús, mi esposo Michael ha sido para mí la persona más cercana y esencial para que yo pudiera seguir esta intensa agenda, que ha ocupado esta etapa de mi vida. Al principio Michael no tenía la más leve idea, ni yo tampoco, de todo lo que encerraba el llamado que Dios me ha dado. Si yo he parido AJC y CCEDFA, Él ha sido el dulce Padre que ha estado apoyándome en estos partos.

Cuando estábamos comenzando con AJC, el sábado de cada reunión nos levantábamos bien temprano. Michael limpiaba la marquesina[4], ponía las mesas, los manteles, las sillas, hacía el café, compraba los jugos, el hielo y demás detalles. Recibíamos a los colegas, y luego discretamente se retiraba. Igualmente me ayudaba a limpiar todo cuando terminaban las reuniones.

Las veces en que nadie llegaba a las reuniones convocadas, yo decía: "Señor, la mesa está servida y nadie llegó". Al principio esto me hacía llorar, y Michael me abrazaba y me consolaba. Me decía, una y otra vez: "No te desanimes, tú haces lo que Dios te mandó hacer".

Michael ha sido mi escolta, mi chofer, mi secretario, mi traductor, mi técnico de audiovisuales, de computadora, el "sargento de armas" y trabajador de todo lo que hubiera que hacer en las actividades de AJC y

CCEDFA. Dulce, paciente a mi lado, como el varón del consejo de Dios para mí. Ahora Michael y yo estamos fuera de la isla. De vez en cuando viajamos de Georgia a Puerto Rico. Nos mantenemos en comunicación con nuestros hermanos y los aliados de AJC y CCEDFA que siguen en Puerto Rico cual gedeones que se han atrevido contra toda adversidad a proclamar en sus propias vidas: "Dios y yo somos mayoría".

Capítulo 2

Un breve resumen numérico de mi vida

Una cálida tarde en la ciudad de Ponce comencé la tertulia con los profesionales y con el Lcdo. Faro y su esposa, compartiéndoles algunos sucesos de mi testimonio personal y cómo llegué a ser abogada. Este breve resumen que brindo a continuación fue la introducción que ofrecí en aquella gloriosa tertulia. No solo es un reconocimiento a la obra redentora de Jesús en mi vida, sino también una voz de alerta a mis jóvenes amigos, para que cuiden sus más íntimas decisiones. Somos seres integrados. La esfera moral en la vida personal, espiritual y la vida profesional caminan juntas, o se detienen una a la otra. O si no la esfera material del ser aprisiona y destruye nuestro ser interior, nuestra alma.

Cristo rehízo mi vida y ha llevado mi carrera profesional por senda inesperadas. Contarles mi vida sería muy extenso y tampoco es el tema central de este libro, pero quiero compartirles un breve resumen del tiempo que me ha tomado en rehacer mi vida, y cómo Dios ha sido fiel restaurando mi vida, de manera que hoy pueda invitarles a retomar el pensamiento intelectual de sus respectivas áreas del saber o de sus trabajos. Mas debemos recuperar primero nuestra vida personal.

Este breve resumen numérico del tiempo de mi vida me permite ilustrarles rápidamente el tiempo que me he tomado en llegar al propósito de Dios. Mis pecados y desobediencias sólo atrasaron el propósito y las bendiciones de Dios para mi vida. Así como al pueblo de Israel, que por su desobediencia le tomó cuarenta años llegar a la tierra prometida, o sea, un año por cada uno de los cuarenta días que les tomó en reconocer la tierra (Núm. 14:34). De manera análoga, yo también atrasé las bendiciones que eran para mí desde el principio.

Me tomó once años rendirme de veras a Dios. Aunque hice profesión de fe a fines del año 1973, no fue hasta 1984 en que apenas comencé a alinearme a sus propósitos. Y digo "comencé a alinearme" pues seguía desobediente en muchas áreas de mi vida. Mis pésimas determinaciones emocionales o sentimentales solo sirvieron para retrasar el máximo desarrollo de mis capacidades, que no es otra cosa que el plan de Dios para mi vida. No solo afecté mi vida, sino también mi descendencia. Caminando fuera de la voluntad de Dios no escogí un buen esposo. Luego de mis fracasos, opté por quedarme sola con mis dos preciosa hijas. Crecieron sin el calor de un padre. Pasaron escasez y muchas privaciones. Tuve que estudiar y trabajar al mismo tiempo para poder sacarlas adelante. El poco tiempo y los escasos recursos para compartir momentos de solaz y alegría nos hirió a las tres. No fue nada fácil para ellas, ni para mí.

Me tomó dieciséis años llegar a ser abogada; no porque fuera tan larga la carrera, sino por el drástico giro que tomó mi vida. Había sido aceptada en la Escuela de Derecho en 1971. En medio de aquella alegría, mi madre se enfermó y mi padre optó por abandonarnos. Ellos se divorciaron. Mami fue una mujer que dependió toda la vida de su esposo; apenas tenía un cuarto grado. Por lo que yo quedé al frente de la lucha para que mi madre se pudiera restablecer, no solo de su salud física, sino también de aquel rudo golpe que la sumió en una depresión profunda. En consecuencia, me vi obligada a afrontar las responsabilidades económicas y abandonar mi anhelo de estudiar Leyes. Al no tener la dirección de Dios en mi vida, tanto mis metas sentimentales de mi noviazgo con Michael como mis metas profesionales se esfumaron.

Sin embargo, como fruto de buscar el rostro de Dios, cuando de veras me rendí a Él, Dios restableció también el anhelo de mi corazón, y en 1987 al fin pude comenzar a estudiar Leyes.

Me tomó veinticinco años casarme con el amor de mi vida. Estoy casada con Michael González, el noviecito de mi juventud. Teníamos fecha para casarnos en febrero de 1972, cuando estábamos en el umbral de la vida comenzando nuestros veinte años de edad. Aquel hermoso sueño fue roto. Tomamos rumbos distantes y diferentes. Nos reencontramos en 1996 y nos casamos en 1997, casi terminando nuestros cuarenta años de edad y listos para entrar en la tercera juventud.

Realmente le he dado mucho trabajo a Dios. He sido una oveja muy difícil. Por eso me tomó otros once años para estar lista a realizar la visión y comenzar a ser partícipe de esta encomienda divina de exhortar a otros a retomar el pensamiento intelectual. Primero tenía que morir a mí misma, rendirme sin reservas y permitirle a Dios que restaurara mi vida. Debía permitir que el Espíritu Santo me ayudara a recuperar mi propio intelecto, rendirme toda al Gran Yo Soy, al Rey de reyes, a mi Jesús hermoso, al amado Redentor. Les he presentado este breve recuento en la esperanza de que los jóvenes que están emprendiendo sus estudios vean cuán costoso es el precio de no andar con Dios en su desarrollo profesional y personal.

Capítulo 3

De estudiante a abogada

Dios me ha conducido por tantas valiosas experiencias durante mi formación como profesional que no terminaría de contarlas. Sin embargo, debo compartir algunas vivencias académicas que de alguna manera sufren o padecen muchos estudiantes cristianos, como la burla, el desafío de la fe y hasta el razonamiento que pretende distorsionar los principios de Dios y que ha apartado a muchos de la fe. Les comparto además cómo inicié mi carrera de abogada. Dios ha usado aquellas dolorosas experiencias para bendecir a otros y para hacerme crecer en su búsqueda.

Un ejercicio de silogismo: Dios es

Luego de completar el cursillo introductorio que era requisito para entrar en la Facultad de Derecho de la Universidad Interamericana de Puerto Rico, me parecía un sueño haber comenzado por fin mi carrera de abogada. Después de tantos años –desde que mi vida se truncó en 1971– por fin había comenzado mi primer semestre en agosto de 1987. Ya era una mujer de 36 años, y estaba más que consiente de todo el tiempo perdido que debía recuperar. Además, la situación económica de mi hogar no me permitía darme el lujo de desviarme en bobadas estudiantiles. Tenía que llegar a la meta de graduarme cuanto antes, por lo que me hice el firme propósito de aprovechar mi tiempo y evitar vanas discusiones y actividades que pudieran afectar mis propósitos.

Se nos había advertido en el cursillo introductorio cuán importante era mantener una buena relación con los profesores, pues la carrera de abogados es una que depende mucho de las relaciones y referencias buenas o malas del profesorado y de los colegas. En "Radio Pasillos" (así le decían a los chismes o habladurías de pasillo) los demás estudiantes nos advertían que caerle mal a un profesor era buscarse un problema ("un pinche") con todo el profesorado. A esto le llamaban darle "bola negra" a un estudiante. O sea, era una acción concertada de la Facultad para sacar de la carrera al estudiante. Así era la subcultura de los temores que les iban sembrando a los nuevos estudiantes. Si era cierto o no, no lo sé; pero me hice de la idea de ser prudente, trabajadora y evitar fricciones. Ser respetuosa y lo más "tolerante" posible.

Comencé el curso de Análisis e Investigaciones Jurídicas, diseñado para aprender técnicas de investigación y para desarrollar una mente jurídica, analítica y racional. El estudiante debe aprender a elaborar pensamientos jurídicos y a expresarse con fundamentos válidos en el desempeño de la abogacía.

En el primer día de clases el profesor del curso entró al salón y se nos presentó. Era muy joven. Sumamente brillante, con un doctorado de la Universidad de Harvard y una hoja profesional admirable a esa edad. Alto, delgado y muy elegante. Las estudiantes jovencitas quedaron impresionadas de nuestro guapo profesor. No les duró mucho la alegría cuando dijo que estaba recién casado. Luego durante el semestre le vimos con su esposita, y de veras parecían un matrimonio de revista. ¡Preciosos!

Durante su presentación inicial, además de explicarnos lo que debíamos esperar del curso y su método de enseñanza, el profesor (a mi juicio totalmente fuera de contexto) informó que era ateo[5]. Pensé: *y eso qué tiene que ver. ¿A quién le importa? Allá él con su creencia de que no hay Dios, él se lo pierde.* Yo me quedé calladita de que soy creyente, para no crear fricciones con las posturas personales del profesor. Después de todo vengo a aprender Derecho y nada tiene que ver si él cree o no en Dios. Estoy segura que ese pensamiento mío y aquella reacción es bien común en muchos de los estudiantes cristianos cuando entran en las universidades y se topan con ese tipo de situación. Ante esas manifestaciones del profesor, yo quería ser de la "nueva fuerza secreta" de creyentes, o sea, que nadie supiera que era cristiana. Así no tendría problemas. Pero eso no es lo que Dios demanda de sus hijos.

Todo marchaba de maravillas, hasta que un día llegamos al primer ejercicio de silogismos. Silogismo es un conjunto de proposiciones con una conclusión final. Se pretendía en ese ejercicio que el profesor hiciera sus proposiciones y luego algún estudiante debía replicarle. Entonces el profesor, a su vez, replicaría. Y toda la clase comentaría sobre la situación planteada durante el ejercicio. Precisamente en la práctica legal los abogados escriben o dicen sus proposiciones en una demanda, en las mociones o en sus argumentaciones, y el abogado contrario se las replica durante los procedimientos en los tribunales.

Esperábamos algún ejemplo relacionado con alguna norma jurídica o los hechos de algún caso. Pero no fue así. Mi distinguido profesor escribió en el pizarrón su primera proposición, y yo me quedé "congelada":

- Primera premisa: Los ideales no existen.
- Segunda premisa: Dios es un ideal.
- Conclusión: Dios no existe.

"¿Quién contesta? ¿Quién se atreve?", decía el profesor en tono desafiante. Nadie contestó... y yo menos. Ante el silencio total, el profesor volvió a requerir: "¿Un valiente? ¿Quién se tira al charco?"[6]

Mi nueva amiga Carmen, a quien había conocido durante el cursillo preparatorio en la sesión del verano, y de quien hablaré más tarde, ya sabía que soy cristiana. Carmen, ni corta ni perezosa y sin consultarme, me metió en el lío[7]. Dijo: "Myrna Yolanda". Al escucharla sentí un frío recorrer mi cuerpo, casi me muero del susto. El profesor no dudó en exigirme la respuesta, con una sonrisa siniestra de triunfo ante mi cara de pavor. Lo confieso. ¡Sí, tenía miedo! Yo solo quería aprender Leyes. ¿Por qué aquel profesor tenía que ponerse a hablar de Dios? Si era ateo, ¿por qué necesitaba hablar de Dios?

En un fugaz instante en mi mente le rogué a Dios que me ayudara. ¡Mi corazón palpitaba a millón! Mis manos comenzaron a sudar. Más angustiada quedé y sorprendida cuando me escuché a misma decir: "Profesor, usted tiene razón, Dios no existe". El profesor sonrió muy complacido de su infalibilidad. Para mis adentros me decía: *¡Oh, Dios, te estoy traicionando! ¿Qué dije?; yo no quise decir eso.* Me sentía morir de pena. Fue cuestión de segundos, sentí un calor tremendo recorrer todo mi ser, y mayor fue mi sorpresa cuando sigo hablando algo que tampoco estaba pensando ni controlando en mi hablar. Me sorprendí cuando me escucho decir:

- Primera premisa: Las cosas que existen son porque han sido creadas.
- Segunda premisa: Dios no ha sido creado.
- Conclusión: ¡Dios ES!

Y esa exclamación de "¡Dios es!" me salió con una autoridad determinante. El miedo se me había ido. Sentí como si una espesa nube de gloria llenara aquel lugar. Casi la podía tocar. Por primera vez en mi vida experimenté lo que dice la Biblia: "...no os preocupéis por lo que habéis de decir, ni lo penséis, sino lo que os fuere dado en aquella hora, eso hablad; porque no sois vosotros los que habláis, sino el Espíritu Santo" (Mar. 13:11).

Se hizo un gran silencio en aquel salón; un reverente silencio. El profesor seguía de pie junto al pizarrón. Luego de unos instantes de aquella inesperada respuesta, todas las miradas se concentraron en el profesor, en espera de la ofrecida replica. El profesor me miraba con una mirada perdida, tratando de buscar una respuesta, y expresó, con una sorpresiva humildad: "Eso es algo muy profundo, lo contestaré más adelante". Y cambió a otros ejemplos de proposiciones sobre asuntos legales. Los meses pasaron, entramos en otros temas, y nunca el profesor lo contestó.

En el segundo semestre del curso llegó la Semana Santa. La costumbre para entonces en Puerto Rico era que se decretaba el receso de Jueves y Viernes Santo. El profesor volvió a hacer alarde de su ateísmo. "Como yo soy ateo, aquí se va a dar clases el jueves. Y el que falte va a tener problemas, porque voy a dar un 'quiz'[8] sobre el material que se cubra en la clase". Luego que se retiró el estudiantado, me le acerqué y le dije con firmeza: "Lo siento, profesor, yo tengo compromisos previos en mi iglesia y no vendré ese jueves". ¿Sabe qué me contestó? "No se preocupe, señora, vaya tranquila. Usted es una persona seria. Yo digo eso por estos charlatanes que dicen que van para las iglesias y se van para la playa a janguear"[9]. Yo aprobé aquel curso con "A".

Un año y medio después aquel brillante y joven profesor murió de leucemia. Previo a ello me permitió hablarle en el hospital de cómo Jesús me había salvado y me había sanado. Le hablé de Jesús. Tímidamente, me dijo: "Yo sé que hay un ser supremo". Le contesté con Juan 3:16: "Porque de tal manera amó Dios al mundo que ha dado a su Hijo unigénito, para que todo aquel que en él cree, no se pierda, mas tenga vida eterna". Me despedí diciéndole que Jesús le amaba. Días después se lo llevaron fuera del país para un tratamiento. Y allá murió.

Quiero pensar que la expresión "Dios es" y aquella última conversación hubieran motivado al profesor a reconsiderar su ateísmo. Y que haya entregado su corazón a Jesús antes de morir. Quisiera tener la sorpresa de verle en la presencia del Señor, cuando yo regrese al Padre y me diga ¡DIOS ES, El QUE ES!

¿SER INTELIGENTE?

Al enemigo le encanta jugar con nuestra autoestima. En mi segundo año el profesor de Derecho Constitucional me había reclutado para ser su asistente, por mis excelentes trabajos. Para entonces llevaba un promedio de 3.85. Él sabía que yo era cristiana. En tono de broma a cada rato me decía: "Yo no sé cómo una mujer tan inteligente como tú pueda creer en esas tonterías". Yo le contestaba: "Yo no sé como un hombre tan brillante como usted se las está perdiendo". Cuando me gradué, una de mis mejores recomendaciones profesionales fue la de aquel profesor. Y así fue por muchos años, hasta que la vida nos reencontró en partes adversas en 2008, en un debate universitario entre ambos sobre la propuesta de enmienda constitucional en defensa del matrimonio.

Por supuesto, yo defendía la enmienda constitucional y él era la oposición, representando la ideología *gayola*. Sin embargo, en aquel enfrentamiento ya no era aquel "cordial" profesor que sólo me hacía bromas por ser creyente. Realmente estaba enfurecido. Semanas antes se había celebrado unas audiencias públicas en la Cámara de Representantes, donde él ejerció su derecho a expresarse, resultando en gran impacto a favor de la agenda *gayola* debido a su renombre como profesor de Derecho Constitucional. Varios días después, presenté mi ponencia ante dichas audiencias públicas, en calidad de presidenta de la Coalición Ciudadana en Defensa de la Familia (CCEDFA). Luego de estudiar cuidadosamente el mensaje del profesor, concentré mi ponencia refutando los argumentos legales del distinguido catedrático.

Entre los argumentos, señalamos los errores en las citas de algunos casos que él había mencionado. Y la falacia que expresó, alarmando al pueblo contra la enmienda constitucional que veníamos defendiendo. Él logró crear un ambiente de desasosiego en el pueblo. Después de todo estaba hablando un renombrado constitucionalista, y sembró una gran duda para los que no saben Derecho. Sin ningún empache[10] se atrevió a desinformar al pueblo, diciendo que de aprobarse aquella enmienda sobre el matrimonio los niños nacidos fuera del matrimonio perderían su derecho de alimentos y de herencia. A sabiendas de que la propia Constitución de Puerto Rico y las decisiones del Tribunal Supremo de Estados Unidos disponen que no se puede discriminar por razón del nacimiento de los hijos.

Es doctrina reiterada la igualdad de derechos entre los hijos nacidos bajo un matrimonio o fuera de matrimonio. Además, la legislación federal de los Estados Unidos sobre "Child Support", que rigen sobre las leyes de Puerto Rico, garantiza tanto el derecho de la filiación como los alimentos a todo niño. Las fuertes expresiones que hice en torno a las posturas erróneamente fundamentadas del ilustre letrado motivaron a la Universidad Interamericana a presentarnos en un debate. Aceptamos la invitación. Valía la pena aquella confrontación.

Cuando me presentaron al inicio del debate universitario, se dijo que en mis años estudiantiles fui estudiante tutora seleccionada por dicho profesor. Según se fue acalorando el debate, el profesor llegó hasta decir que ni siquiera me conocía. Actuó como un niño tonto. Su ira lo sacó de control. Pues no hay que ser abogado para saber que lo delataría una mínima búsqueda en mi expediente universitario o preguntando a cualquiera de mis compañeros de clases. Pero nada, él quiso mentir, quiso negarme. Él se lo pierde. En circunstancias así tenemos que pensar que Jesús nunca nos ha negado, y ciertamente es muchísimo más importante que cualquier renombrado profesor. Mi consejo a los estudiantes cristianos es que estén firmes y claros, que no dependen de que algún letrado o algún "genio" de la academia crea que ser cristiano es de ignorantes o ser menos inteligente. Pues ya la Palabra nos garantiza que Jesús hizo abundar para nosotros toda sabiduría e inteligencia (Ef. 1:8).

Lo más patético durante aquel debate ocurrió cuando el profesor, quien siempre se había distinguido por hablar de manera mesurada, perdió su compostura de intelectual ecuánime. Totalmente desencajado y fuera de control, llegó a gritar como poseído por las tinieblas: "...Yo odio la religión en la Constitución...". A lo que le repliqué: "Pues entonces odia la materia que enseña, ya que la Constitución de Puerto Rico dice: 'Puesta nuestra confianza en Dios Todopoderoso', y que fue escrita en el año de nuestro Señor. La Constitución menciona cualidades religiosas como la fe y la esperanza".

La desenfrenada ira expresada por aquel profesor puso de manifiesto la agenda de odio que tienen estos ideólogos intelectuales *gayolas* contra los cristianos. Las expresiones desaforadas del profesor nos ganó el favor de la mayoría de la audiencia. Otros colegas que estaban en la audiencia le refutaron asertivamente, y él se siguió descontrolando. Al extremo que llegó a gritarle a uno de los abogados que era parte del público: "Yo no estoy debatiendo con usted". Un jovencito estudiante cristiano se animó a tal grado que lo confrontó con acierto. Nadie se atrevió a contestarle a aquel joven, ni el profesor ni sus seguidores *gayolas* allí presentes, cuando dijo: "¿Si se saca a la religión de la Constitución, qué espacio nos dejan a nosotros los cristianos?"

Es tiempo de creerle a Dios. Es un hecho, Dios nos hizo inteligentes. ¡Lánzate a vivir esa verdad!

Estos incidentes ilustran el problema de la sutil persecución hacia los cristianos en el clima académico. Algún tonto inventó que a los estudiantes hay que decirles que si quieren ser reconocidos, exitosos y demostrar su inteligencia, hay que dejar de creerle a Dios. Unos profesores lo hacen a manera de broma, y otros llegan a extremos cínicos y hasta coercitivos. Se burlan y penalizan al estudiante cristiano, como le hicieron a la joven Emily Brooker, de quien les hablo más adelante.

Cuando los estudiantes llegan tiernos e inexpertos, sobre todo a los más jovencitos, algunos profesores tratan de manipular la autoestima del estudiante. Otros jóvenes son manipulados en la rebeldía clásica de los años juveniles. No dejes que nadie te intimide por ser cristiano. Contesta con respeto, con firmeza y con fundamentos correctos dentro de la propia materia que se estudia, sazonada con la eterna verdad, mostrándoles que están equivocados. Sientan el privilegio de ser hijos de Dios, "linaje escogido, real sacerdocio" (1 P. 2:9). Ese linaje no se vende, no se cede a cambio de nada. No hay por qué esconder los talentos que el Padre nos ha dado; y mucho menos negar a Jesús. Recuerda su promesa: "Os digo que todo aquel que me confesare delante de los hombres, también el Hijo del Hombre lo confesará delante de Dios" (Lc. 12:8).

Recuerdo cómo Dios preparó mi ánimo antes de ir a aquel debate. La evangelista internacional Rosa Pérez estaba en esos días en Puerto Rico. La llamé para que orara conmigo antes de salir para el debate; y por voz de ella Dios me dijo: "Camina, que voy hablar contigo. Estate lista, mi sierva, que voy a poner palabra en tu boca, amada mía. ¡Levanta tu ánimo, tu coraje y valentía! Pongo espíritu de Sucot en ti, no desmayes…". Tal vez el lector pueda pensar que la hermana Rosa fue quien habló, porque me conoce, me ama mucho y sabía que iba para aquel debate. Le soy franca, aunque las palabras de Rosa me hicieron sentir muy bien, yo también lo pensé.

Como Dios conoce mis pensamientos, se encargó de confirmar que fue Él quien me había confortado y no la hermana Rosa. ¡Cuál fue mi asombro! Iba de camino a la Universidad, y mientras guiaba mi auto escuchaba música de alabanzas en Radio Redentor. Luego de una alabanza, el conductor del programa, el hermano Rolando Torres, hizo una corta exhortación: "Dios te dice en esta hora que Él no te deja. ¡Ten animo! Se valiente, que Yo pondré palabras en tu boca. ¡No desmayes!"

¡Woo! Quedé con la boca abierta, gozándome de la feliz coincidencia, que no fue otra cosa que una confirmación de mi fiel Gran Yo Soy, para que tuviera la certeza que no fue Rosa quien me animaba porque me aprecia, si no el Dios viviente a quien yo le sirvo.

Es lamentable que haya tantos profesionales deformados e incapacitados para entender lo hermosa que es la relación con Dios. Digo lamentable porque una de las diferencias más sobresalientes del ser humano, en comparación con los demás primates y otros animales, es que los animales no pueden alcanzar un nivel de abstracción tan elevada, como se requiere para establecer una relación con Dios. Dios quiere bendecir a toda persona, a su máxima capacidad. Y las personas necesitan que demostremos nuestra fe en todo nuestro quehacer. Sin lugar a dudas, ello ayudará a que algunos deseen conocer lo especial y hermosa que es la amorosa amistad con Dios. Y si no, al menos que respeten a Dios, como tuvo que expresar el rey Nabucodonosor ante la firmeza de los jóvenes Sadrac, Mesac y Abed-nego, en Daniel 3:28-30: "Entonces Nabucodonosor dijo: Bendito sea el Dios de ellos…" Nabucodonosor decretó que todo pueblo, nación o lengua que dijere blasfemia contra Dios fuera penalizado, por cuanto no hay dios que pueda librar como éste.

Aquellos tres jóvenes dieron el paso de fe, cuando dijeron: Dios nos librará. "Y si no, sepas, oh rey, que no serviremos a tus dioses" (Daniel 3:17). ¿Estarán los creyentes del siglo veintiuno convencidos de que Dios realmente tiene el poder de liberar y defender a su pueblo?

La Palabra nos dice que hay mentes reprobadas, que de ninguna manera querrán salir de su ignorancia espiritual. Nuestra misión no es juzgar quien tiene o no una mente reprobada. Aun el corazón más duro puede ser transformado por el Espíritu Santo. Yo también fui bien dura para el evangelio, y Dios tuvo misericordia de mí. Nuestra misión es llevarle la luz del evangelio a todos los que nos rodean.

El estudiante cristiano no tiene por qué dejarse intimidar o sentirse menos que los demás, ni tiene que dejarse subyugar por los desatinos de los profesores. Los profesores también se equivocan, y más todavía si no tienen lo que nosotros tenemos. No podemos acceder a sus caprichos. Ese estilo de atropello, de burla y opresión es lo que en inglés se conoce como "bullying", es decir, el acoso sicológico, sistemático, verbal y hasta físico para intimidar al estudiante y obligarlo a renegar de su identidad como creyente y sus valores. Podemos y debemos usar nuestros derechos, como lo hizo la joven Emily Brooker.

Mientras era estudiante de Trabajo Social en la Universidad Estatal de Missouri, Emily Brooker[11] demostró su inteligencia y valentía. Brooker es un ejemplo digno de mencionar sobre la lucha contra el acoso hacia los cristianos. Cuando leí sobre su caso, me llenó de admiración. En uno de los cursos le asignaron un proyecto. Debía vivir un día como homosexual y preparar luego un informe sobre esa experiencia. Ella se negó a tener tal experiencia, pero rindió un informe escrito sobre el tema. Luego en otro curso le exigieron escribir una carta en apoyo a la adopción de huérfanos por personas de conducta homosexual. A lo que Emily se negó.

En consecuencia, le formularon graves cargos, que de ser hallada culpable no obtendría su grado profesional en Trabajo Social. A pesar de que muchos de sus compañeros estudiantes pensaban como ella y que probablemente había otros cristianos entre ellos, nadie se atrevió a apoyarla por temor a ese tipo de represalias. Emily es un digno ejemplo de "Dios y yo (en este caso Emily) somos mayoría". Emily se enfrentó sola a un extenso interrogatorio ante un Comité de Ética. No le permitieron comparecer con un abogado, ni siquiera le permitieron que sus padres estuvieran presentes. La obligaron a firmar un convenio como condición para que pudiera terminar sus estudios.

Emily, con la ayuda de la Alliance Defense Funds (ADF), tuvo el valor de entablar una demanda. Su valiente acción provocó que la Universidad reevaluara el currículo completo de Trabajo Social, y sancionaron a los profesores envueltos. Emily Brooker hoy en día ejerce su carrera de trabajo social. Gracias a Dios por jóvenes como Emily.

Los cristianos deben estar conscientes de que la libertad académica no implica que sea libertad de adoctrinar a los estudiantes, atropellando la libertad de conciencia, la libertad de ser cristiano. Por eso, la ADF, Christian Legal Society, Advocates International, Liberty Council, la Alianza de Juristas Cristianos en Puerto Rico y muchas otras organizaciones cristianas alrededor del mundo están listas para defender los derechos de los cristianos. Por lo tanto es crucial que esas organizaciones sean apoyadas con donaciones, ofrendas, oración y ayuno de todo el pueblo creyente, para poder afrontar procesos costosos que un creyente no podría sufragar individualmente.

La Palabra de Dios nos enseña que "el principio de la sabiduría es el temor de Jehová" (Pr. 1:7). Los insensatos desprecian la sabiduría y la enseñanza. La Palabra nos exhorta a que sobre todas tus posesiones adquiere inteligencia (Pr. 4:7). Sin embargo, la propaganda de la academia es que ser cristiano es ser ignorante o bruto. Son ellos quienes ignoran que la Palabra de Dios nos exhorta precisamente a que busquemos inteligencia, a que estudiemos y nos preparemos, que escudriñemos la Palabra y las ciencias.

Dicen las Escrituras que "el corazón del entendido adquiere sabiduría; y el oído de los sabios busca la ciencia" Pr. 18:15). Daniel era sabio en ciencias y de buen entendimiento, e idóneo para estar en el palacio del rey (Dan. 1:4; 5:12). "Dios nos ha enriquecido con toda palabra y en toda ciencia; así como el testimonio acerca de Cristo ha sido confirmado en nosotros" (1 Co. 1:5,6). ¡Es tiempo de ponerlo en práctica!

PARA QUÉ 97.60

Dios me regaló una puntuación de 97.60 en la reválida de abogada. Aquella nota tenía un propósito para Dios. Durante el verano de 1991, Carmen y yo nos retiramos a estudiar para el repaso de la reválida. Nos quedábamos de lunes a viernes en el apartamento de Wandita, otra amiga muy querida, en la hermosa zona histórica de Miramar, en Santurce. Desde aquel edificio se ve parte del precioso océano Atlántico. Los viernes regresábamos a nuestros respectivos hogares. Carmen vivía en el barrio La Plata, de un pueblo del interior de la isla, Abonito; y yo, en la urbanización Country Club[12], en San Juan.

Fue un proceso duro. La separación temporal fue la parte más difícil para mis hijas y para mí. Anita, mi nena[13] mayor, ya tenía catorce años. Myrnita tenía nueve años. En mi ausencia mami me las cuidaba. ¡Gracias Dios por la bendición de haber tenido a mi madre a mi lado en aquellos momentos difíciles! También fue un proceso duro para Carmen, su esposo y sus dos hijos varones. Aunque era un sacrificio temporal, a nosotras, como madres, nos pareció siglos. A nuestros hijos también.

Carmen y yo nos tratamos como dos hermanas. Ella es católica y yo evangélica. Como es mi costumbre, en la mañana oraba antes de comenzar los estudios, y a Carmen le gustaba que lo hiciéramos juntas. Tanto así que un día ella decidió poner una silla para que Jesús se sentara. Para mí no era necesario, pero eso la hacía sentir a ella más segura de que Él estaba presente allí con nosotras.

Mientras estudiábamos, nos aconteció algo muy significativo. Curiosamente en cada materia por alguna razón comenzábamos a discutir acaloradamente sobre un asunto. Ahí nos deteníamos y buscábamos algún caso o referencia que nos resolviera el tema. Le pedíamos dirección al Señor antes de buscar en las cajas que contenían cientos y cientos de casos y referencias que habíamos acopiado en los cuatro años de estudios. Literalmente le invadimos el pequeño apartamentito a Wandita con aquellas cajas. Para nuestra sorpresa, la búsqueda se hacía breve. En los primeros documentos que tomábamos al azar encontrábamos la información que despejaba las dudas. No les voy a aburrir contando lo que pasó en cada una de las quince materias. Sólo menciono alguna de ellas.

En la materia de Derechos Reales la experiencia que vivimos fue más interesante aun que la mera búsqueda de información en aquellas cajas. Estábamos "trancadas"[14] con los términos de "vuelo" y "alero". A pesar de que leímos una y otra vez el caso en particular que identificaba ambos conceptos, necesitábamos algo más concreto para captar lo que aquel caso discutía. Así que decidimos recesar y pedirle dirección a Dios.

Salimos al balcón a tomar un descanso. El apartamento quedaba en un octavo piso, hacia el lado sur, desde donde se divisa una de las preciosas bahías. Mirando a lo lejos vi un edificio que me parecía ideal para tratar de identificar cuál era el vuelo y cuál el alero. Hasta tenía una construcción sin terminar en el tope del edificio que encajaba perfectamente con la descripción del problema que presentaba el caso en cuestión. Por lo que se me ocurrió decir: "Carmen, ¿ves aquel edificio? Aquella parte que se ve sobre las últimas ventanas me parece que es el alero, y el vuelo es la superficie sobre la cual aparece aquella construcción sin terminar y que parece ser parte de una terraza." Por fin captamos el concepto y seguimos estudiando.

En la tarde, cuando Wandita regresó de su trabajo, le contamos sobre el incidente y cómo lo resolvimos mirando aquel edificio. La risa de Wandita nos tomó de sorpresa, y dijo: "Precisamente ese fue el edificio del caso. ¡Claro, ella conocía los pormenores de su vecindario! Así que salimos para ver el famoso edificio de frente. ¡Sí, en efecto! Era la misma dirección que se informaba en el caso. Desde Aibonito o Country Club no hubiéramos tenido tan precisa apreciación del concepto que no entendíamos. ¡Qué casualidad! En Dios no hay casualidades, nuestra reválida estaba en los planes del Altísimo. No me cabe duda que el Espíritu Santo se encargó de escoger hasta el escenario donde íbamos a estudiar para aquel arduo proceso.

Como parte de nuestra rutina, nos levantábamos tempranito y, luego de tomar un café, salíamos; una veces a dar una caminata por la preciosa zona hotelera del Condado; otras veces hacia la playa del Escambrón. Nos dábamos un rico chapuzón en el sabroso y cálido mar boricua. En los días en que hacíamos la caminata por la zona hotelera, repasamos sobre Derecho Penal. Nos llevábamos unas tarjetas con cada uno de los delitos tipificados en el código penal. Según íbamos caminando, leíamos en voz alta cada tarjeta para memorizar la información.

Una mañana, cuando leíamos el delito de secuestro de niños traídos desde otra jurisdicción hacia Puerto Rico, nos detuvimos a comentar sobre ello. No en su aspecto legal, sino como madres. Pensábamos: ¡Cuán terrible debe ser la angustia para los padres que se les secuestra un hijo! Comentábamos que en las clases de Derecho no se le daba mucha importancia, más bien nunca se mencionó un caso de esos. El estudio de casos mayormente giraba sobre asesinatos, robos, homicidios, apropiación ilegal, etc. Mientras comentábamos sobre el secuestro, fue ahí que Carmen por primera vez me dijo que su anhelo era llegar a ser Procuradora Especial de Familia. Cándidamente le pregunté qué era una

Procuradora de Familia. Aunque el Código Civil menciona ese cargo en determinadas acciones civiles, yo no estaba consciente de todo lo que ese cargo trataba. También conocí la razón de la sensibilidad especial para Carmen sobre el tema del secuestro a menores. Ella me abrió su corazón y me contó la triste historia de cómo a su señora madre le fueron secuestrados sus dos hijos mayores cuando estos eran pequeñitos. El padre de ellos, durante los días en que tenía a sus hijos en sus relaciones paternofiliales, se los llevó fuera de Puerto Rico. Eso fue allá para los años cuarenta, cuando no existían los medios investigativos que tenemos hoy en día. La madre de Carmen para aquel entonces era una jovencita humilde de campo y sumamente pobre que hacía trabajos domésticos. Nunca más supo de sus hijos. Años después nacieron sus otros dos hijos, Carmen y Papo.

Toda experiencia traumática es terrible, pero el secuestro de niños es algo bien duro para la víctima y su familia. Aquella huella del secuestro incluso marcó el corazón de Carmen, a pesar de que ella nació años después de aquella dolorosa tragedia de la pérdida de unos hermanos que no conocía. Esa conversación nos llenó de profunda tristeza y no sólo nos marco el corazón, sino también el intelecto. Nos propusimos que un día, luego de salir de aquella revalida, íbamos a investigar el paradero de aquellos hermanitos de Carmen.

En aquel momento de repaso sobre derecho penal jamás pensé que yo llegaría a ser una de aquellas procuradoras especiales de familia, y menos aún que llegaría a ser premiada precisamente por resolver un caso de secuestro, el caso de la niña Crystal Leann Anzaldi, ocurrido en San Diego, California. (Véase el Capítulo 13).

En el caso de los hermanos de Carmen, mi aportación no fue exitosa, pero nada desanimó a Carmen. Ella siguió buscando, y varios años después consiguió a sus hermanos. Uno vive en Chicago y otro en Texas. Fue un momento hermoso y sanador para toda la familia, y sobre todo para aquel corazón de madre que nunca dejó de bendecir a sus hijitos donde quiera que estuvieran. Al conocer la verdad, aquellos dos hombres viajaron a ver a su madre y sus hermanos en Aibonito. A aquella madre le fueron arrancados sus hijos cuando apenas eran unas pequeñas criaturas, y regresaban a sus brazos cuando ellos estaban entrando a la tercera edad. Este es de los pocos casos en que se encuentran las víctimas de secuestro. Lamentablemente muchos niños jamás aparecen.

En los tiempos que Carmen y yo estudiábamos Derecho el estudiante podía optar por tomar como electiva la materia de Derecho de Corporaciones o la de los Instrumentos Negociables. En las reválidas, el Tribunal Supremo incluía para discusión solo una de las dos materias. Pero igual había que conocer ambas materias, pues no era previsible cuál sería la materia que se examinaría en nuestra reválida.

Nosotras no habíamos tomado el curso de Derecho de Instrumentos Negociables. Conseguimos que una profesora nos permitiera estar de oyentes una noche, durante un repaso que ella ofrecía sobre aquella materia. Fue uno de los momentos más frustrantes que pasamos, al comprobar que no era posible entender y dominar todo el material en los pocos días que faltaban ya para tomar la reválida.

Esa noche, durante el repaso de aquella materia, nos "paniqueamos"[15]. Nos sentimos abrumadas y desesperadas. Lloramos de puro nervio. De pronto reaccioné y dije: "Carmen, no nos vamos a bloquear por esto. Vamos a aprendernos tan sólo los elementos del instrumento negociable". Oramos a Jesús, y así se lo dijimos a Él y le pedimos que nos ayudara. Estábamos sumamente cansadas y necesitábamos un milagro. Si el tribunal incluía la pregunta de Corporaciones estaríamos salvadas; eso fue lo que pensamos. Pero no ocurrió así.

Llegó el primer día de reválida, la cual duraba cuatro días corridos. Carmen y yo nos habíamos prometido que al salir de los exámenes cada día no íbamos a comentar absolutamente nada de las preguntas ya examinadas, para no frustrarnos en debatir si contestamos bien o no. De manera que pudiéramos concentrarnos a estudiar para el próximo día.

En la tarde de aquel largo día todos los estudiantes salimos agotados, caminando como zombis. Aquella promesa de silencio entre nosotras tan solo duró el tiempo que nos tomó caminar hacia el auto, prenderlo y salir de los predios del edificio donde tomábamos la reválida. Ambas íbamos en el más sepulcral silencio. Tan pronto el auto entró a la carretera principal, explotamos en gritos y risas boricuas de júbilo. Hablábamos las dos a la vez. Los boricuas somos culturalmente escandalosos. Así nos gozábamos cada tarde al salir de los exámenes. ¿Por qué? ¿Qué pasó?

¡Oh, Dios, qué lindo eres! Descubrimos que Dios nos había dado las preguntas de discusión de cada materia. ¿Cómo lo hizo? Con una precisión increíble, las preguntas de discusión fueron sobre aquellos asuntos en que nos vimos obligadas a detenernos durante todos los meses de repaso. Muchas veces nos deteníamos para evitar ofendernos por nuestras acaloradas desavenencias, o para reflexionar u orar sobre nuestras angustias, al no comprender algún tema.

Se puede usted imaginar que la pregunta de derechos reales se contestaba con el famoso caso del vuelo y el alero de aquel edificio. Puede creer que la pregunta en derecho penal fue el delito de secuestro de un menor ocurrido en California y que el menor fue llevado a Puerto Rico. Y qué le parece, que la temida pregunta de Instrumentos Negociables se contestaba con lo único que pudimos memorizar: los elementos de instrumentos negociables. Más aún, fue una de las preguntas en que más puntuación saqué. ¡Por si dudaba que era un milagro! Que no era mi capacidad, sino la mano de Dios guiando nuestro pensamiento. Como decimos en Puerto Rico, "mi Dios está pasao".

Una de aquellas mañanas mientras iba manejando camino a tomar el examen del día, le pedí a Carmen que buscara algunos de los materiales para seguir leyendo y repasando. Carmen es de la personas que no pueden leer mientras se mueve el auto; pero esa vez pudo hacerlo y no le dio vértigo. Dios le ayudó. Carmen abrió al azar uno de tantos panfletos y comenzó a leer sobre la figura de "servidumbre en equidad". ¡Cuál no fue nuestra sorpresa cuando recibimos el papel de examen! La pregunta era sobre servidumbres de equidad.

En otra ocasión, a la hora de receso de almuerzo, Dios nos dirigió a repasar sobre la Regla de la Mejor Evidencia. En la sesión de la tarde, cuando abrimos el cuaderno de preguntas, el tema era precisamente ese. Lo que hace impactante esta experiencia es que los estudiantes no teníamos manera de saber cuál sería la materia a examinar ni el tema dentro de cada materia. Pero Dios sí lo sabía y fue bien preciso cada día con nosotras. ¡Aleluya! ¡Así cualquiera pasa una reválida! ¡Ja, ja! Han trascurrido veinte años y ni Carmen ni yo olvidamos tan extraordinario milagro. ¡Tan hermosos recuerdos con Dios!

La reválida fue en septiembre de 1991, pero no fue hasta noviembre en que notificaron los resultados. La espera es una agonía. A veces sentía que había pasado la reválida y otros días comenzaba a evaluar que debí contestar de otra manera. Entraba la duda y el temor al fracaso. Esos meses de espera fueron bien angustiosos; me refugiaba en recordar cómo Dios nos había dado esas contestaciones.

No me podía detener en soñar o llorar sobre aquello. La vida continuaba y volví a mi rutina. Tenía que conseguir el sustento para mis hijas, mi mamita y yo. Mi abuela había partido con el Señor cuando yo comenzaba a estudiar Leyes. Aunque ahora teníamos menos gastos, ya no tenía una beca, puesto que se terminaron los estudios. El seguro social de viuda por la muerte del padre de mi hijita Myrnita no nos alcanzaba para los gastos del hogar. Mi querida hija Anita siempre fue muy delicada y tenía problemas de salud que conllevaban más gastos de lo usual. Yo era hija única y no podía contar con hermanos ni familiares cercanos que me pudieran ayudar. Así que tenía que conseguir un empleo cuanto antes.

Un día recibí una llamada de mi maestra de Discipulado, la hermana Zulma Pereira. Zulma oraba muy en serio por mí, para ayudarme a conseguir un empleo. Ella decía que yo era su oveja más difícil. Reconozco que yo era terrible haciendo cuestionamientos sobre la Palabra y sobre mi fe. Pero ella retomaba su paciencia. Creo que tuvo que ayunar mucho por mi causa. Gracias a Dios por mujeres como Zulma, que se ponen en la brecha por sus hermanas en la fe.

En una ocasión le cuestionaba a la hermana Zulma sobre el amor de Dios. Le decía: "Yo sé que Dios me ama porque lo dice la Biblia, pero no siento su amor. Sé que Jesús murió por mí. Es un hecho tan lejano e incluso pasó antes de yo nacer. Yo no siento su amor". Zulma me llevó al altar a orar y ella sentía mi carga. De veras me dolía que yo no pudiera sentir el amor de Dios. Yo había sido tan lastimada en mi niñez, mi padre nos había abandonado cuando yo iba a empezar mis estudios de Leyes, y luego como esposa fui víctima de violencia doméstica. Criar sola a mis hijas fue una experiencia de grandes limitaciones y dificultades para todas. Se me hacía difícil sentirme amada por el Padre Celestial.

Semanas después, una noche cuando me fui a dormir tuve una dulce experiencia. Sentí un beso de Dios en mi mejilla, como lo hace un padre cuando acuesta su hija en la cuna, le arropa y le da un besito. La impresión de aquel beso me duró varios meses. Fue la primera vez que sentí la ternura infinita de Dios. Desde entonces vivo preciosas experiencias del dulce amor de Dios. ¡Su amor es real! ¡Él vive! ¡Nos ama!

Retomando el tema de mi carrera, Zulma me había conseguido el mejor empleo que un estudiante de Derecho puede soñar. Ella conocía a uno de los jueces del Tribunal Supremo, y le habló de mí. Llamémosle el juez Sin Nombre. Sin Nombre le pidió que le llevara mi resumé cuanto antes, pues estaba buscando un nuevo oficial jurídico que le asistiera. En aquel momento ese era el sueño de mi vida, ser oficial jurídico en el Tribunal Supremo. Mi meta última en mi carrera jurídica era llegar a ser juez. Aquella oportunidad me abriría las puertas de manera única.

Zulma me dijo: "El juez quiere que hoy mismo le dejes el resumé con su secretaria. La secretaria te está esperando". Así que de inmediato salí a llevar mi currículo de vida. Como todo fue de prisa y solo era cuestión de dejarle el documento a la secretaria, me fui tal como estaba.

Andaba en las fachas del "supreme look[16] de Myrna". Así se referían mis compañeros de estudios acerca de mi manera de vestir. Y no precisamente por elegante. Pasé mis cuatro años con los mismos tenis[17] grises, que una vez fueron blancos; ya no tenían color. Llevaba unos descoloridos *blue jeans* (mahones); no por moda, sino por viejos. Variaba entre algunas blusas o camisetas desmerecidas y mi pelo suelto, tipo maranta[18], donde la peinilla se negaba a entrar. En broma yo les decía a mis compañeritos de clases que el día que llegara al Tribunal Supremo como juez iba a imponer como uniforme mi tenis. No lo hacía por faltar el respeto al Tribunal, sino para darle dignidad a mis descoloridos tenis, porque mi modesto presupuesto no me permitía el lujo de tener algo mejor. A pesar de ellos, me gané el respeto de todos en la Facultad por mi desempeño como estudiante. Nunca me avergoncé de mi nivel socio-económico. Claro que siempre recibí alguna mirada de desdén de alguno de los jóvenes de alta sociedad que también eran estudiantes. Pero esas tontas actitudes jamás me preocuparon. Yo soy hija del Dios viviente y aprendí que mi interior vale más que esos prejuicios sociales.

En aquel *supreme look* llegué al segundo piso del Tribunal Supremo, y con mi resumé en mano me dirigí al alguacil. Este llamó a la secretaria, quien salió al pasillo a recibir el documento. Muy cortés me dijo que ella estaba pendiente de que yo llegara. "De seguro el juez la estará llamando en los próximos días", añadió. Nos despedimos. Salí con una inmensa alegría y esperanzada de obtener aquel importante empleo. ¡Era un sueño espectacular para mí!

Cuando salía del edificio escuché que el alguacil me gritaba: "Señora, señora, no se vaya". Me detuve. Detrás bajaba la secretaria, y ésta me dijo: "El Honorable quiere verla ahora".

Mi asombro era doble, primero por la rapidez de los eventos, y sobre todo por mi facha. Le expliqué a aquella secretaria mi preocupación por mi vestimenta, y si podía darme otra hora para regresar adecuadamente vestida. La secretaria me dijo comprensiva: "Entiendo. Se lo explicaré al juez, pero aguarde aquí".

No se hizo esperar, salió bien sonreída, y me dijo: "El juez dice que él no le va a ofrecer matrimonio, que quiere entrevistarla para un empleo ahora". ¡Cómo!, exclamé. "Tranquila, él es una bella persona. No se sienta incomoda". Aquella secretaria me hizo sentir bien recibida. De hecho el honorable juez me recibió muy amable, y hasta el incidente de mi ropa se convirtió en el rompe hielo de aquella súbita entrevista. Hicimos unas bromas al respecto.

Luego de las preguntas que me hizo aquel juez, me dijo: "Usted es la persona indicada. Sabe integrar el derecho, tiene madurez y su experiencia es muy valiosa; tiene excelentes meritos". De inmediato llamó a la secretaria, le dictó una carta que debía transcribir notificando a la oficina de personal que él me había seleccionado.

Mientras ella preparaba el escrito, el juez y yo nos quedamos hablando. Me indicó que sería un contrato sujeto a que pasara la reválida. Me indicó la hora que debía reportarme el miércoles de la semana siguiente para terminar los trámites del nombramiento y comenzar ese mismo día. Me dijo: "Yo le tengo mucho aprecio a Zulmita". Entonces me preguntó: "¿De dónde conoces a Zulmita?" Le contesté: "Conozco a Zulma de mi iglesia". Hubo un silencio, y luego me preguntó: "¿Tú eres como Zulmita?" Le contesté: "Ya quisiera ser como ella pero no le llego ni a los tobillos. Ella es una mujer de Dios tremenda. Es mi maestra de Discipulado". El juez bajó su mirada. "Zulmita es buena gente", siguió diciendo aquel juez. "Pero se pasa hablando de Jesucristo. Es muy fanática. Yo soy un juez moderado". Y su rostro se torno más serio. "¿Qué usted me puede decir al respecto?", preguntó.

Aunque para entonces no se había desatado la actitud abiertamente negativa hacia los cristianos en Puerto Rico, intuí que llegó el momento de seguirle el juego y negar a Jesús, o decirle la verdad. Podía optar por unirme a la crítica contra mi amada hermana para lograr aquel empleo tan anhelado. Era el sueño de mi vida en aquella etapa de mi carrera, y a la vez de tanta necesidad para mí y mi familia.

Me sentí entrando al patíbulo. Le contesté: "Bueno, mis creencias no han sido un impedimento para mi desempeño profesional. Por el contrario, los logros de excelencia que he alcanzado son por mis convicciones como cristiana. De ser honesta, trabajadora y objetiva cuando tengo que serlo. Eso no es ni será un impedimento. Yo no soy fanática, pues los fanáticos están en los "bleechers"[19] de espectadores. Mi relación con Dios es real. Pero si ser fanática es decirle que Jesucristo es mi Señor, no puedo decirle otra cosa. Es mi Señor". En eso entró la secretaria con la carta, el juez la leyó y la firmó. Aquello me dio esperanza. Me despidió con un frio, "hasta el miércoles", pero esta vez no me miró a los ojos. Eso sí me preocupó, mas no le quise dar importancia. La felicidad me llenaba, me sentía flotar de gozo.

Llegó el tan anhelado miércoles. La noche anterior apenas dormí de tanta emoción. Me levanté más temprano que nunca, súper contenta. Realizaba un sueño en la primera etapa de mi carrera. Me había comprado una ropa profesional, digna de estar en mi nuevo empleo. Cuando me estaba peinando, sonó el teléfono. Era la amable secretaria, que me llamó para decirme que el juez tuvo un problema en su casa y no iría a trabajar, por lo que me llamaría más adelante.

Sentí como si un balde de agua fría estuviera cayendo sobre mí. Presentí que me estaban mintiendo. Nos despedimos, y llamé a un colega que ya estaba trabajando allí con otro de los jueces. Le expliqué lo que me acaba de pasar y le pedí que me hiciera el favor de corroborar, si en efecto el juez Sin Nombre no había ido a trabajar. En unos minutos recibí la llamada de vuelta. El juez estaba en su oficina. Mintió.

Pasaron muchas ideas por mi mente. Pensé demandarle por discrimen. En aquel tiempo, ¿quién me iba a creer que un juez del más alto foro me había discriminado por ser cristiana? Sería mi palabra contra la suya. Lloré como no se imaginan. Pues en aquella semana había podido hacer la compra de los alimentos de mi hogar con la ayuda de un vale que me donó mi iglesia, La Catedral de la Esperanza. Había tomado prestado para comprarme aquella ropa para mi nuevo empleo con la promesa de pagarla con mi primera quincena.

Llamé a Zulma y le informé la triste noticia. En la tarde, las dos nos fuimos para la iglesia. Allí en el altar, orando, derramé mi corazón, y le rogué a Dios que me permitiera pasar la reválida con una buena nota.

Porque además de necesitar un buen empleo, necesitaba que aquel juez Sin Nombre algún día supiera que aprobé la reválida con una buena calificación y que él reconociera cuán injusto fue. Yo esperaba que algún día le pudiera decir a aquel juez que tuve éxito en mi reválida. Pero no fue así. Sucedió a la inversa. Yo supe los resultados a través de ese juez.

Sin Nombre había bajado al sótano del Tribunal Supremo, donde hacían las correcciones a los exámenes. Dios no le dejó olvidar aquella cristiana que él rechazó. Un día, a principios del mes de noviembre de 1991, antes de que las puntuaciones de aquella reválida fueran publicadas, Zulma me llamó. En su usual personalidad vivaracha me hablaba sumamente agitada. ¡Con una algarabía tremenda! Hablaba tan rápido que de momento no la entendí. "El juez Sin Nombre me acaba de llamar y me dijo: 'dile a tu amiga que es una genio, que sacó una puntuación de 97.60'". ¡Qué!, grité. No lo podía creer. Zulma me advirtió que él le pidió que guardáramos silencio y no lo dijéramos todavía a nadie, pues aun no se publicaban los resultados.

Dios había contestado mi petición mucho mejor de lo que me imaginé. Dios usó al propio juez para saber el éxito que Él me otorgaba ante aquel juez injusto. Zulma y yo como locas reíamos y llorábamos a la vez, a puro gritos boricuas. Alabando al Cristo maravilloso, que no deja a sus hijos en vergüenza. Pero la inquietud del juez Sin Nombre no quedó ahí.

Después del desaire discriminatorio de aquel juez, conseguí otro empleo. Pagué el dinero que tomé prestado para la ropa que había comprado. Ganaba lo suficiente como para pagar unas clases de inglés, que comencé a tomar con la Lcda. María Enlace. Mi amiga Carmen me había conectado con esa amiga suya, la Lcda. Enlace, para que mejorara mi inglés. Luego, en febrero de 1992, de manera providencial, conseguí un contrato como oficial jurídico en el Tribunal de Primera Instancia de San Juan. Había firmado un contrato de un año con el tribunal. Debido a que el nuevo sueldo era mucho menor, tuve que reajustar mi presupuesto. Por lo que me di de baja del curso de inglés que tomaba con la Lcda. Enlace.

En la mañana del primer día de mi nuevo trabajo, antes de salir de casa, recibí una llamada. Me estaba llamando la directora de los oficiales jurídicos del Tribunal Supremo, indicándome que ella tenía una vacante y que el juez Sin Nombre me estaba recomendando para esa posición. No salía de mi asombro, que meses después aquel juez todavía me tuviera en su noticia. De momento no sabía qué decir. En aquella mañana comenzaba a trabajar en el Tribunal Superior y me estaban llamando para otra posición en el Tribunal Supremo. "Gracias, pero hoy precisamente comienzo a trabajar en el tribunal de San Juan, con la Lcda. De los Ángeles. Y no voy a ausentarme de un empleo seguro para ir a explorar en una entrevista", le dije. "No, no me ha entendido, esto no es para una entrevista; el juez ordenó que la reclutara. Acá va a devengar más salario y estará a nivel del Tribunal Supremo. Como ya tiene su nombramiento en el sistema, es cuestión de un simple trámite y viene con nosotros. ¿Qué me dice?"

En cuestión de segundos tenía que decidir lo que marcaría el resto de mi carrera. Pensaba: *Dios, ¿qué hago? Tú sabes que ese es mi anhelo, y es más salario. ¿Pero qué tú deseas? ¿Cuál es tu voluntad?* Dios me dirigió a honrar el contrato que ya había firmado. En mi mente, le decía a Dios... *¡Pero papá!*

La licenciada trató de persuadirme. Me describió el área de trabajo, las ventajas en el historial profesional para un abogado al tener una experiencia a nivel del Tribunal Supremo; y sobre todo que el juez Sin Nombre le había instruido que me reclutara. Respiré hondo. Hubiera querido decirle que sí. "Por favor, dígale al juez que me siento más que honrada de que se tomara la molestia de recomendarme. Igual le voy a servir en el sistema judicial con toda mi dedicación, pero mi lugar está en San Juan".

En aquel momento yo sólo miraba que en lo material y en lo emocional no era la mejor decisión. Era algo muy anhelado por mí; por alguna razón no era lo que Dios quería para mí. A veces obedecer no es fácil, pero sea su voluntad y no la mía. Le di las gracias a la licenciada, y nos despedimos. Me quedé un rato en silencio y triste, frente al teléfono. *Señor, hice lo que pusiste en mi mente hacer, pero no lo entiendo.* Sin embargo, Dios tenía un propósito supremo en mi vida profesional y espiritual que ni siquiera podía imaginar en aquella hora. Dios me tenía una cita con la historia espiritual de mi país. Como les narro más adelante.

Meses después el Gobierno creó el primer Tribunal de Circuito de Apelaciones. En los pasillos del Tribunal Superior donde yo trabajaba todos los días se hablaba de los nuevos jueces. Era el tema del momento, y varios de los compañeros oficiales jurídicos con más tiempo de experiencia fueron reclutados por alguno de aquellos jueces.

Un día me llamó la Lcda. De los Ángeles a su oficina. Estaba algo molesta conmigo, me reclamó que yo tenía un contrato de un año con ella. Yo no sabía a qué se debía su reclamo, y siguió diciéndome que uno de los jueces recién nombrados para el nuevo tribunal había ido a su oficina a solicitarle que me transfiriera bajo su supervisión. A lo que ella se negó. Le dijo que yo debía terminar el tiempo acordado en mi contrato. Yo estaba más que sorprendida, le aseguré que yo no había hecho gestión alguna. Me estaba enterando del asunto por lo que ella me estaba diciendo en aquel momento. Yo nunca había hecho trabajos para aquel juez y tampoco le conocía personalmente. Ella se tranquilizó y me dijo: "Lo sé". Ella me expresó que había sido el juez del piso ocho, a quien ella me había asignado a servirle en varias casos, quien le dio buenas referencias de mi trabajo. "Además la recomendó el juez Sin Nombre, y por eso vino". Pero ella quería asegurarse de que yo no estaba envuelta en el asunto.

"Lcda. De Los Ángeles, yo estoy consciente que apenas llevo unos meses en este empleo y le aseguro que no hice gestión alguna para irme. Estoy feliz con lo que hago". Ella quedó satisfecha. Seguí trabajando como de costumbre. Semanas después se completó el reclutamiento de aquel tribunal y a nuestra oficina llegaron nuevos compañeros para sustituir a los que se habían ido. De aquel grupo original quedaba yo solamente, por lo que la Lcda. De los Ángeles me asignó a adiestrar a los recién llegados.

Un día salí a almorzar con la Lcda. De los Ángeles. Ella quiso excusarse conmigo, pues ella entendía que de alguna manera me había obstaculizado una buena oportunidad en mi carrera. Me dijo que luego pensó que yo era una madre sola con mis hijas y ella me hizo perder un mejor salario. "Si alguna vez alguien le hace otro ofrecimiento para trabajar en ese tribunal, no lo piense ¡Vállese!" Yo le contesté: "El tribunal se inaugura pronto y la prensa informó que ya se completó el reclutamiento del personal. Todavía me quedan cuatro meses de mi contrato". Ella me contestó: "Sé que ya se llenaron todas las plazas, lo siento de veras. Su contrato le será renovado, pero tengo la corazonada de que la van a volver a llamar. Y si surge algo, váyase tranquila. Tiene mi bendición". Nos echamos a reír.

Dios obra por senderos misteriosos. Él tenía un plan para mi vida. Por eso no me permitió aceptar la plaza de Oficial Jurídico del Tribunal Supremo. Él me llevó al Tribunal Superior para una cita divina con la historia espiritual de Puerto Rico. Un día recibí una llamada inesperada. Me llamó otra de las juezas del recién instalado tribunal, la jueza Jeannette Ramos de Sánchez. Le había renunciado uno de sus nuevos oficiales jurídicos, y la Lcda. María Enlace le había hablado de mí. Deseaba entrevistarme de inmediato. Pensé: *¿La Lcda. Enlace? Hacía varios meses que no tenía noticias de ella.*

Le pedí a la Honorable jueza que me diera unos minutos para consultarlo con mi supervisora. Fui a la oficina de la Lcda. De los Ángeles y le informé lo sucedido. Ambas estábamos sorprendidas, y me recalcó: "Si la selecciona, ya sabe, vállese. Yo sabía que la llamarían". En efecto, fui seleccionada y me promovieron. Nuevamente fue la puntuación de mi reválida lo que impresionó a aquella jueza. El 97.60 fue el pasaporte para entrar en gracia con ella. Dios quería que le conociera más de cerca. Así comencé a adentrarme en los misteriosos planes de Dios con mi profesión, sin yo saberlo.

Llamé a la Lcda. Enlace para agradecerle su gentil e inesperada recomendación. Mayor fue mi sorpresa cuando ella me dio los detalles de cómo surgió aquella recomendación. Me dijo: "Si supieras dónde se habló de tu nombramiento. Yo hice un viaje a New York a ver una obra de teatro. Allá me encontré con mi comadre, que es la jueza Jeannette Ramos. Ella me dijo que le acababa de renunciar uno de sus oficiales jurídicos, y me preguntó que si sabía de algún abogado recién revalidado". Enlace continuo diciéndome. "Te voy a ser franca. Yo pensé en otra persona, no estaba pensando en ti. Le dije a Jeannette 'no escojas a nadie hasta que entrevistes a mi amiga'. Pero cuando fui a decir el nombre de mi otra amiga no sé cómo se me salió tu nombre."

Siguió contándome la Lcda. Enlace: "Yo me sorprendí, pues tu sabes que hace tiempo que no nos comunicamos. De veras que no pensé en ti. Tampoco pude rectificar, porque acto seguido, mi comadre me dijo, 'ah, sí, he oído hablar muy bien en el tribunal de esa abogada'. Entonces pensé, *¿será cosa de Dios que sea esa muchacha?*, y decidí dejarlo así, sin mencionar a mi otra amiga". Aunque Enlace no era cristiana, se expresó de esa manera.

Ni la licenciada Enlace ni yo teníamos la remota idea de que Dios me tenía preparada una cita con la historia de mi país. Aunque hacía rato que Dios me llevaba en esa ruta, yo no lo entendí hasta el 2007, cuando regresaba de mi segundo viaje a Costa Rica.

Capítulo 4

Un llamado a retomar nuestro lugar en el pensamiento intelectual

Continué aquella tertulia con los jóvenes profesionales y el Lcdo. Faro, recordándoles que los hijos de Dios estamos llamados a ejercer dominio y autoridad sobre todas las cosas en esta tierra.[20] Desde el edén Dios le dio al ser humano autoridad de tomar dominio sobre toda la creación (Gen. 1:28). Debido a la caída del hombre, la raza humana pasó de un estado de absoluta libertad y gozo a estar subyugada al caos, a la angustia y tristezas que caracterizan a este mundo dominado por el príncipe de las tinieblas.

El enemigo usurpó la autoridad que Dios le entregó al ser humano para ejercer dominio sobre la tierra. Desde entonces la sabiduría de las tinieblas[21] entenebreció la mente humana. Que, por supuesto, solo conduce a negar y pretende eliminar a Dios como soberano. El enemigo procura la manera de sojuzgar, maltratar y destruir toda la creación. Se ha empeñado en que los seres humanos se destruyan unos a los otros, e incluso que el individuo se destruya a sí mismo.

Se hacen daño a sí mismos los que usan drogas, alcohol, los que mutilan sus cuerpos para darle apariencia del sexo contrario a su original sexo de nacimiento, los que mutilan sus cuerpos para darse rasgos de algún animal; los que se escriben la piel como si fueran letreros rodantes[22]. También se hacen daño a sí mismos los que dejan de comer intencionalmente o comen desmedidamente, creándose serios problemas de salud. Los que se dan a la fornicación, a la promiscuidad, la homosexualidad, adulterio, suicidio, a falsas ideologías, etc. ¡Mas de todo eso podemos ser libres!

Jesús vino para deshacer las obras del maligno y salvar a la humanidad. Jesús es la luz del mundo (Juan 8:12), el camino, la verdad y la vida, y nadie va al Padre sino por Jesús (Juan 14:6). Como profesionales, como trabajadores en la ocupación que sea, debemos preguntarnos: ¿En qué camino caminamos? ¿Cómo transmitimos la verdad de Cristo en todo nuestro quehacer profesional y social? ¿Cómo persona cuál vida vivimos? ¿La de Jesús o la de quien? Dios nos ha llamado a deshacer las obras del maligno en el nombre de Jesús, a proclamar las buenas noticias de su amor redentor y sazonar este mundo con su eterna sabiduría.

A continuación señalo algunas de las tendencias que tenemos que deshacer y contrarrestar. Conceptos que se han adueñado del ambiente en la palestra pública, en la mayoría de las universidades, así como en las prácticas de los medios masivos de comunicaciones, con los cuales vienen suprimiendo la libertad de los cristianos. Por ejemplo, con la frase *politically correct* [correctamente político] se pretende considerar como incorrecto proclamar la verdad de las Escrituras. En varias jurisdicciones se clasifica como un crimen de odio la Palabra de Dios; y ya está operando la abolición de la familia para dejar sin protección a los niños, que son el verdadero blanco de esta lucha. No perdamos de vista a lo largo de la lectura de este libro que la niñez es el botín de esta guerra ideológica.

Otra de esas tendencias es separar la moral del estado de derecho. El Estado sin moral es el lema de campaña, y su resultado es una corrupción rampante. El hombre y la mujer sin moral pierden su nivel más alto de abstracción intelectual, que es precisamente la relación con Dios. El ser humano, sin moral, se insensibiliza y sus actuaciones son cada vez más animales e irracionales. Luego los gobiernos no saben qué hacer con tanta violencia. Dentro de esta vorágine de una inteligencia sin moral, nos toca proteger a los niños a como dé lugar. Porque de ellos es el reino de los cielos, y el enemigo lo sabe.

LO "POLITICALLY CORRECT" Y LA SEPARACIÓN DE IGLESIA Y ESTADO

Se viene usando los conceptos *politically correct* y separación de Iglesia y Estado para sacar del ámbito intelectual a los cristianos. Cuando se dice algo impropio para los fines de estrategia política o a nivel de organizaciones, se dice que no es "politically correct". Se utiliza como si se tratara de una especie de "regla de etiqueta", "de buenos modales", "de buen hablar".

Por otro lado, tanto en Puerto Rico como en Estados Unidos, hay una disposición constitucional conocida por una inmensa mayoría de ciudadanos, pero muy mal interpretada. Me refiero al concepto de "separación Iglesia y Estado". No voy a entrar a disertar sobre este tema aquí, pero sí les invito a evaluar cómo hemos internalizado esa errónea interpretación. De alguna manera en nuestro inconsciente (o tal vez consciente) hemos hecho en nuestro pensamiento esa misma separación. En consecuencia, se ha ido abriendo una grieta, "separación", entre los principios de Dios y el ejercicio de la profesión o el trabajo o negocios que realizamos, y aun en nuestra vida familiar. Somos una cosa dentro de las paredes de la iglesia y otra en la vida cotidiana.

Esa visión de separación entre lo que creemos y lo que hacemos hace que el evangelio sea cada vez más invisible en la vida pública, en la educación y en el ejercicio de cada profesión u ocupación. Al extremo que ya se considera como ofensivo, impropio y hasta antiético mencionar a Jesús en nuestros ambientes de trabajo, en el ejercicio de las profesiones, en la escuela, o donde estemos.

El concepto de la separación de Iglesia y Estado fue creado por los cristianos en Estados Unidos. Su finalidad es proteger la relación del individuo con Dios, sin que el Estado se pueda inmiscuir en ese derecho fundamental. No obstante, ese concepto ha sido sacado de contexto y de toda proporción. El nuevo invento del enemigo para sacar de la vida cotidiana toda expresión de los cristianos es la nueva regla de etiqueta o "urbanismo", la llamada frase *politically correct*. Esto es, si quieres ser una persona correcta, prudente, fina y educada, no menciones ni exhibas ningún principio del cristianismo. Mencionar algún texto bíblico o el nombre de Jesús es ofensivo. Es ser "intolerante" con los que no conocen el dulce nombre de Jesús.

En otras palabras, la gran comisión de predicar por todo el mundo es "politically incorrect". Muchos cristianos, para estar "*in*" y por temor a las críticas, prefieren conducirse "politically correct", aunque estén "biblically incorrect". Ya sabemos que no podemos servir a dos señores, pues a uno de los dos se ha de negar.

Veamos un ejemplo de cómo se niega a Jesús sutilmente para ser "politically correct". En Estados Unidos se viene usando *Happy Holidays* [felices días feriados] porque decir *Merry Christmas* (feliz Navidad) es "politically incorrect". Es lamentable que los propios cristianos en todas partes y en las comunicaciones verbales y escritas de las iglesias ya dicen *Happy Holydays*. Mientras que en Estados Unidos los musulmanes sin ningún tapujo hablan, observan y festejan por doquier su ramadán, y nadie les dice que están "politically incorrect" ni se considera una ofensa.

Tomé unos cursos en *Mercer University*, institución fundada por cristianos en el estado conservador de Georgia. Un gran número de mis compañeros estudiantes eran jovencitos árabes. Es admirable ver cómo ellos hablaban con toda libertad y orgullo de su ramadán. En aquellos días estaban en ayuno, y llegado su día especial se ausentaron masivamente de las clases. Todos los profesores y los estudiantes les preguntábamos sobre esa costumbre del ramadán, sobre su vestimenta y sus costumbres. Con qué alegría, orgullo y de manera positiva se expresaban sobre su religión. Bueno, de esto trata la nueva modalidad en Estados Unidos de América, en el siglo 21: Libertad de expresarse sobre lo que sea, siempre y cuando no menciones a Cristo.

También observé cómo esa Universidad "cristiana" era muy cuidadosa en no usar "Christmas" para referirse al receso programado en diciembre. En lugar de testificar con denuedo, los creyentes hoy se están sometiendo a esta opresión sofisticada, que se va tornando en una opresión cada vez más abierta. Como lo ha sido el caso del estudiante de escuela superior Ronnie Hastie, quien fue penalizado por dar gracias a Dios al anotar o hacer un *touchdown* durante un juego de football[23].

Por años este tipo de persecución y control de la expresión ha existido en países totalitarios y culturas donde se prohíbe y condena criminalmente el evangelio, tales como los países musulmanes, hindúes, comunistas, etc., donde existen leyes de apostasía para prohibir tanto la predicación como la conversión y profesión de la fe cristiana. Sin embargo, ya no se trata de esa otras culturas. Estamos hablando de todos los países occidentales. Latinoamérica, el Caribe, Estados Unidos, Canadá, países europeos de apreciable democracia como Suecia, Inglaterra, etc.

Si no se despierta del letargo intelectual en que la propaganda anticristiana nos va arrinconando, tendremos un Estado totalitario y opresor en América, al estilo del régimen hitleriano.

EXPRESAR LA FE ES UN CRIMEN DE ODIO

Otra de las tendencias es la criminalización de la fe cristiana en Occidente. Los gobiernos influenciados por movimientos ateos, y principalmente por la agenda *gayola*, se aprestan a reglamentar y hasta prohibir la fe cristiana, de manera que el único espacio que pretenden dejar a la expresión de la fe es el silencio del pensamiento interno. Cualquier expresión externa de la fe es imprudente, ofensiva y hasta criminal, según la mentalidad *gayola*. Ya se culpa a los cristianos por los terribles abusos y crímenes de los cuales han sido objeto algunos homosexuales. En Estados Unidos, bajo el gobierno de Obama, se ha comenzado la legislación sobre los tales crímenes de odio y el trato privilegiado a las personas de conducta homosexual. Sin tomar en cuenta que la mayoría de las víctimas no son homosexuales.

Como cristianos, rechazamos todo abuso, agresión u homicidio hacia cualquier ser humano, pero tomar esas situaciones como pretexto para controlar todas las expresiones dentro del núcleo familiar, los trabajos y las expresiones en los templos en torno a la conducta homosexual es imponer un Estado totalitario, y es persecución por lo que dice la Palabra de Dios. De hecho, ya están siendo penadas por el Estado en muchas jurisdicciones que se consideran democráticas. Esta persecución contra cristianos fue declarada en el Manifiesto Homosexual de Michael Swift, en 1987: "Las iglesias que se nos opongan serán cerradas. Solo los hombre bellos serán nuestros dioses, nuestro culto es a la belleza, la estética ... Se aprobarán leyes que fomenten el amor entre los varones...".

En 2004, en Suecia, el pastor pentecostal Ake Green fue procesado criminalmente y condenado a treinta días de cárcel por predicar dentro de su iglesia citando lo que la Biblia dice, que la homosexualidad es un pecado. En 2005, en la ciudad de Alberta, en Canadá, el obispo católico Fred Henry fue querellado e investigado por el gobierno por circular en la misa una carta pastoral donde expresaba que el adulterio, la homosexualidad, la prostitución y la pornografía socavan los fundamentos de la familia, de la base de la sociedad, y el Estado debe cuidar del bienestar común prohibiendo tales conductas[24]. También en Canadá, en el 2011, la enfermera visitante Jani Sylva fue despedida de su empleo cuando su patrono la llamó a su celular privado y escuchó un mensaje grabado de saludo diciendo "Dios le bendiga".

Desde 1987 el Manifiesto Homosexual estableció que "la familia será abolida, y los niños serán instruidos por intelectuales homosexuales"[25]. Ya en Estados Unidos algunos estados pretenden prohibir que los padres enseñen valores a sus hijos. Los padres que se opongan a que el Estado les enseñe homosexualismo a sus hijos se exponen a ser arrestados; como fue el caso de David Parker en Massachusetts, en 2005[26]. E incluso si no les enseña homosexualismo en el hogar se exponen a que sus hijos sean removidos del hogar, como les ocurrió a unos padres de crianza, los esposos Vincent y Pauline Matherick, en Inglaterra, en octubre de 2007.[27] En fin, expresar la fe aun en el seno del hogar quedaría prohibido.

Vez tras vez tenemos el deber de recordarles a los políticos y a los ciudadanos, y a los propios cristianos, que la iglesia cristiana no es un grupo de socios encerrados dentro de un templo. La fe cristiana tampoco es una meditación trascendental enclaustrada. La iglesia cristiana es mucho más que una reunión de gente en un edificio. La iglesia es allí donde cada uno de nosotros estemos. Es un estilo de vida. Es lo que pensamos, sentimos, proyectamos y producimos. Es lo que somos como personas, lo que somos como familia. Es la manera como educamos a nuestros hijos, reflejando los valores eternos de la cultura del Reino de Dios. En fin, la cristiandad es la expresión de nuestra libertad sobre el pecado en todo lo que hacemos, decimos y pensamos.

Precisamente, buscando esa amplitud de expresión en todas las esferas sociales, los fundadores de los Estados Unidos salieron huyendo de Europa y establecieron como pilar de la nación la libertad de culto y expresión, y se le puso límite al Estado mediante su Constitución. Sin embargo, ahora los movimientos de ateos y *gayolas* pretenden que el cristianismo sea encerrado en la conciencia del creyente, que sea excluido de la expresión tanto en la privacidad del hogar, del trabajo y de la vida pública, y seamos expulsados de Estados Unidos o del país donde se encuentren.

Un estado sin moral solo produce gobiernos corruptos

El fundamento constitucional sobre separación de iglesia y estado es vital para las libertades más fundamentales, tanto en Estados Unidos como en Puerto Rico. El propósito de este fundamento es garantizar que el gobierno no regule a la fe y/o evitar que una determinada denominación utilice al Estado para perseguir a otros ciudadanos. Al obviar ese propósito realmente están desmantelando el sistema de gobierno democrático, que hacía único al modelo de gobierno de Norteamérica.

Esta tendencia de separación de la fe de la vida pública ha tenido como repercusión el desarrollo de una modalidad desintegradora a nivel del pensamiento de la persona y en todo su quehacer, porque los individuos hacen también un tipo de separación de los principios de Dios en sus vidas diarias. Creemos una cosa y practicamos otra. En consecuencia, vivimos en una especie de bipolaridad de valores en la vida personal, profesional y, por ende, en la vida pública.

No nos debe sorprender entonces cómo se ha proliferado la patente y rampante corrupción moral y la decadencia económica en los gobiernos. Sencillamente porque el Estado no es una criatura con capacidad de pensar por sí mismo, separado de los seres humanos. El Estado es como el muñeco del ventrílocuo. Tiene vida, se mueve y habla con la voz de sus dirigentes humanos. Si estos tienen valores, será un Estado con valores. Si estos son inmorales, corruptos y degenerados, así impondrán sus leyes y sus actos. En una democracia, nosotros, el pueblo (*We The People*), somos el Estado y colocamos en posiciones a un grupo de conciudadanos para servir. El Estado piensa y se comporta con las ideas que tienen los seres humanos, con la cosmovisión de los involucrados, llámese rey, presidente, gobernador, parlamento, legisladores, jueces o magistrados, primer ministro, familia real o primera dama.

En los Estados modernos, para frenar el abuso de poder y la inestabilidad que producen los desvaríos de sus gobernantes, el pueblo soberano pacta una Constitución como su ley suprema. La agenda *gayola* procura derrocar y subvertir el orden de nuestros derechos constitucionales mediante decisiones avaladas por jueces activistas *gayolas*, legisladores y gobernantes *gayolas*. Estos promueven que la moral no es parte del estado de derecho de un gobierno. Los *gayolas* también andan incursionando en las Naciones Unidas (ONU), para imponer su conducta como ley universal, de manera que su práctica sea compulsoria a toda persona y sea obligatoria su enseñanza a los niños.

Si la moral ha de estar separada de la gestión pública, entonces el efecto obligado es la corrupción. Si la moral tiene que estar separada de la medicina y el derecho, el efecto es la legitimación del asesinato y la mutilación. Como lo es el aborto, la eutanasia y las operaciones para alterar la apariencia del sexo de los individuos (por mencionar algunos ejemplos).

Si la moral está fuera de la educación, el resultado es la alta incidencia de delincuencia juvenil, las masacres en las escuelas perpetradas por los mismos estudiantes, el aumento en las incidencias de relaciones sexuales desenfrenadas, embarazos precoces en nuestras niñas, paternidad inmadura y la homosexualización de los menores. Lo que nos lleva a más problemas sociales, de salud y pobreza, que al final de cuentas los contribuyentes estamos condenados a pagar con excesivas contribuciones.

Si la moral tiene que estar fuera de la ciencia de la conducta, como la sicología, entonces el incesto[28], la homosexualidad[29], la infidelidad y las relaciones fuera del matrimonio pasan a ser conductas legítimas bajo el nombre de "orientaciones sexuales". Toda expresión en contra de tales conductas se torna ofensiva y castigable.

Es importante enfatizar que algunos *gayolas* están ejerciendo profesiones de la conducta como psiquiatría, psicología, trabajo social, consejería, etc. Y promulgan en sus supuestas investigaciones subjetivas que la religión es un problema mental[30]. Esas son algunas de las corrientes actuales en la sociedad. Con estas babosadas filosóficas el enemigo sigue aprisionando el pensamiento intelectual, porque esa sabiduría no es la que desciende de lo alto, sino terrenal, animal y diabólica (Stgo. 3:15). Por efecto de ese llamado "conocimiento", el ser humano va perdiendo más y más su autoridad y su dominio propio ante el gobernante de las tinieblas y sus emisarios.

A nosotros los cristianos nos corresponde testificar que hay esperanza, que Jesús nos hizo libres y vino a dar libertad a los cautivos. Jesús reconquistó nuestra pérdida de autoridad espiritual y llevó cautiva la cautividad (Efesios 4:8). No tenemos que someternos a las filosofías del mundo, sino que estamos llamados a ejercer autoridad sobre esas corrientes del mundo. Dios no nos ha dado un espíritu de cobardía, sino de dominio propio (2 Timoteo 1:7). No hay por qué temer a esta agenda *gayola*.

El secularismo manipulado viene promoviendo la idea de que ser cristiano es ser intelectualmente incapaz. Por el contrario, la Biblia reitera que Dios nos ha capacitado con un espíritu analítico. "Examinadlo todo, retened lo bueno..." "Escudriñemos nuestros caminos"[31]. Jesús nos hizo libres de vanas filosofías, para su gloria. De manera que podemos distinguir el verdadero conocimiento de todas esas oscuras ideas que se han apoderado de la academia intelectual. Porque la ley del Espíritu de vida en Cristo Jesús me ha liberado de la ley del pecado y de la muerte (Rom. 8:2). En este siglo 21, Dios nos está llamando a retomar nuestra inteligencia para extender su reino y llevar libertad a los cautivos.

Como individuos, estamos llamados a retomar el pensamiento intelectual en todas las áreas del saber. Porque el anhelo ardiente de la creación es ver la manifestación de los hijos de Dios[32]. ¿En qué consiste la creación? La creación tiene dos fases. Lo creado originalmente por Dios y lo que crea el hombre partiendo de la materia prima que nos dio el Creador. Al crear, debemos manifestar que somos hijos de Dios mostrando un delicado y amoroso cuidado sobre la creación, aplicando los principios del reino de Dios y su justicia en todo lo que hacemos con los recursos naturales, con toda su creación, incluyendo el cuidado de nuestros cuerpos y nuestra sexualidad, que es la fuerza procreadora que debemos administrar sabiamente, no solo para cuidar de nuestros cuerpos y disfrutarla, sino también para continuar la especie humana. Lo primero que debemos retomar es el propósito que Dios tiene para cada uno de nosotros, retomando el dominio sobre nuestras vidas. Porque Dios nos ha dado capacidad para tener dominio propio (2 Ti. 1:7). El cuerpo es el primer territorio que debemos reconquistar y ocupar con pleno dominio. Es un territorio hecho del polvo de la tierra (Gen. 2:7), y el primer bien material que poseemos desde que venimos a este mundo. El cuerpo es nuestra primera esfera de conquista. Debemos retomarlo, no para mutilarlo o maltratarlo, sino para llevarlo a su máximo potencial, que es retomarle con conciencia de que es templo del Espíritu Santo (1 Co. 6:19) y mantenerle en salud. Somos saludables cuando cada órgano de nuestro cuerpo se mantiene funcionando en óptimas condiciones, con las funciones íntegras de su estructura.

El pensamiento humano no surge en el vacío. El pensamiento se manifiesta y se canaliza a través de las capacidades fisiológicas del cerebro como centro de mando de nuestro cuerpo. La Palabra nos dice que presentemos nuestros cuerpos en sacrificio vivo, santo, agradable a Dios, que sea nuestro culto racional (Rom. 12:1). Por lo tanto, como parte del dominio propio tenemos que renovar nuestro entendimiento, para que sea racional.

El cristianismo no es un culto irracional. Por el contrario nos estimula a razonar y retomar el discurso intelectual en todas las fases. Debemos razonar, analizar detenidamente lo que nos está ofreciendo la academia, los gobiernos, la prensa, los medios, las figuras públicas, la farándula, etc.

Nuestros pensamientos se traducen en palabras, y a su vez las palabras forman el pensamiento y se traducen en conductas. Por lo tanto debemos examinar y retomar las palabras que están de moda, debemos escudriñarlas antes de adoptarlas en nuestras expresiones. Y en eso hemos fallado muchísimo, no solo los creyentes sino muchas figuras de liderato de la iglesia, como podrán evaluar con la lectura de este libro.

Uso el término "retomar" porque esta palabra implica que una vez se tuvo algo y fue interrumpido[33]. Muchas de las principales universidades y escuelas en el mundo fueron fundadas por cristianos. Vivimos en una época donde los centros docentes y universidades, así como las esferas de poder, se han convertido en deficientes productores de intelectuales. La educación es una fría informática que trata a los estudiantes cual seres análogos a meras computadoras alimentados de información en sus discos duros (*hard disks*), pero con una raquítica formación moral, y por consiguiente se quedan analfabetas espiritualmente hablando.

La formación académica ha adoptado como doctrina el hacer pensar a los estudiantes que ser inteligente significa repudiar a Dios. Después de todo, esa idea tampoco es novel. Es el viejo discurso de la serpiente en el Edén: "Para saber más que Dios, no le creas a Dios"[34]. Adán y Eva sustituyeron a Dios y quedamos ellos y su descendencia capturados bajo la bota opresora de enemigo.

EL CONOCIMIENTO NO ESTÁ REÑIDO CON DIOS

En el afán de promover un estado sin moral, se viene distorsionado en la academia que el cristianismo no ha existido en nuestra historia como pueblo; y en particular se viene negando y tratando de ignorar que los valores cristianos existen en nuestras constituciones, a pesar de que están patentemente escrito en ellas. Se fomenta en la academia contemporánea que ser cristiano es tener poca o ninguna capacidad intelectual, y por consiguiente se pretende eliminar el pensamiento cristiano del ámbito intelectual.

Contrario a ese discurso de odio hacia los cristianos, la historia nos dice que tenemos miles de cristianos intelectuales que testificaron con sus intelectos y alta productividad científica sobre la supremacía de Dios. Entre ellos, Isaac Newton, uno de los científicos más influyente de la historia que cierta vez dijo: "Puedo tomar mi telescopio y ver millones de kilómetros en el espacio, pero puedo dejarlo a un costado y entrar en mi cuarto, cerrar la puerta, arrodillarme para orar fervientemente, y ver más del cielo y estar más cerca de Dios"[35]. El estilo de visión del genio Newton hay que retomarlo. Newton pudo hacer grandes descubrimientos en la ciencia porque primero los descubrió en el espíritu. Newton experimentó que "el principio de la sabiduría es el temor a Jehová" (Prov.1:7). Mas el concepto intelectual de hoy en día promulga que el principio de la sabiduría es negar a Dios. Como resultado, vivimos en una sociedad acorralada de problemas sociales cada vez más graves, y los gobiernos son incapaces de detener la crisis que confrontamos todos.

Las constituciones escritas de muchos pueblos son otro ejemplo de que el conocimiento no está reñido con Dios, a pesar de que la academia se obstina en negarlo. Por ejemplo, si la Constitución de Puerto Rico fuera escrita en este tiempo, los llamados intelectuales de la academia estarían gritando como fieras entenebrecidas contra los legisladores constituyentes, por el hecho de éstos escribir y contener en la suprema ley del país que nos constituye como pueblo un pacto todavía superior a la relación ciudadano-estado.

¿Cuál es ese pacto superior? ¿Qué de ofensivo tiene nuestra suprema ley nacional para las mentes entenebrecidas del pensamiento contemporáneo puertorriqueño? Dice el preámbulo de la Constitución: "Puesta nuestra confianza en Dios Todopoderoso". O sea, tenemos el pacto de llevar los destinos del pueblo sobre el fundamento de la fe en Dios Todopoderoso. Y termina la Constitución con: "Dada en la Convención reunida en el Capitolio de Puerto Rico, el día seis de febrero del año de Nuestro Señor de mil novecientos cincuenta y dos".

Puerto Rico no es la única jurisdicción con una Constitución textualmente sometida al supremo Dios. En el caso de Estados Unidos, todos los Estados invocan, de una manera u otra, la presencia de Dios en sus constituciones de gobierno. A continuación presentamos esta interesante información[36]:

En Estados Unidos la fe cristiana es la piedra angular desde las primeras constituciones estatales hasta la última. Dos de las constituciones estatales más antiguas, como Maryland (1776), disponen: "Nosotros el pueblo de Maryland, agradecidos de Dios Todopoderoso por nuestras libertades civiles y religiosas..." (*We the People of the State of Maryland, grateful to Almighty God for our civil and religious liberty...*); y Georgia (1777) "Nosotros el pueblo de Georgia dependemos bajo la protección y dirección de Dios Todopoderoso..." (*We the people of Georgia, relying upon protection and guidance of the Almighty God, do ordain and establish this Constitution*).

Casi dos siglos después, el último estado en incorporarse, Hawái, en el 1959, afirma: "En agradecimiento a la Divina Dirección establecemos esta Constitución". (*We, the people of Hawaii, Grateful for Divine Guidance. establish this Constitution*).

Oklahoma (1907) manifiesta lo que es la intención de toda Constitución, que no es otra cosa que perpetuar los valores por lo que tanto luchó, muy particularmente por la libertad religiosa de los cristianos que fundaron a Estado Unidos. Oklahoma dice: ..."Invocamos la dirección del Dios Todopoderoso, para así asegurar y perpetuar las bendiciones de libertad, establecemos esta Constitución..." (*Invoking the guidance of Almighty God, in order to secure and perpetuate the blessings of liberty, establish this...*)

Igualmente New York (1868) visualizó el derecho constitucional como la manera de asegurar las bendiciones de Dios. ("*We the people of the State of New York, grateful to Almighty God for our freedom, in order to secure its blessings...*").

Minnesota (1857) usa expresiones análogas: "Nosotros el pueblo del Estado de Minnesota, agradecidos a Dios por nuestra libertad civil y religiosa, y deseando perpetuar sus bendiciones..." (*We the people of the State of Minnesota, grateful to God for our civil and religious liberty, and desiring to perpetuate its blessing...*)

Virginia (1776) usa directamente la palabra cristiano en su Carta de Derechos: "La religión o el deber hacia nuestro Creador solo puede ser dirigido por la razón, y es el deber mutuo de todos practicar la indulgencia, el amor y la caridad cristiana..." (*Religion, or Duty which we owe our Creator can be directed only by Reason and that it is the mutual duty of all to practice Christian Forbearance, Love and charity...*).

Colorado (1876), Maine, Missouri (1845) y Washington (1889) se refieren a Dios como "Gobernante Supremo del Universo" (*Supreme Ruler of Universe*).

Carolina del Norte (1868) le llama "...Todopoderoso Dios y Soberano Gobernante de las Naciones", y reconoce la total dependencia de Él para que continúen las libertades políticas y religiosas (*We the People of the State of North Carolina, grateful to Almighty God, the Sovereign Ruler of Nations, for our civil, political, and religious liberties, and acknowledging our dependence upon Him for the continuance of those.*).

Vermont (1777) reconoce que todo gobierno deberá permitir a cada individuo que forma parte de éste disfrutar sus derechos naturales y otras bendiciones que el Autor de la Existencia le ha conferido al hombre (*Whereas all government ought to ... enable the individuals who compose it to enjoy their natural rights, and other blessings which the Author of Existence has bestowed on man...*).

Otros Estados invocan a Dios en el preámbulo de sus respectivas constituciones, llamándole Dios Todopoderoso, entre ellos Alabama (1901), Arizona (1911), Arkansas (1874), y hasta el controversial estado de California (1879). Florida (1885), Idaho (1889), Illinois (1870), Indiana (1851), Kansas (1859), Kentucky (1891), Louisiana (1921), Michigan (1908), Mississippi (1890), Nebraska (1875), New Jersey (1844), New México (1991), Ohio (1852), Rhode Island (1842), South Dakota (1889), Tennessee (1796), Utah (1896) y Wisconsin (1848).

Mientras que Oregón (1857) incluye esa expresión "Dios Todopoderoso" (*Almighty God*) como parte directa del derecho sustantivo en la Carta de Derechos, en el Art. I Sec. 2, dice: "Se le garantiza a todo hombre el derecho natural de adorar al Dios Todopoderoso de acuerdo con los dictados de su conciencia..." (*All man shall be secure in the Natural right, to worship Almighty God according to the dictates of their consciences...*).

Pennsylvania (1776) usa un hermoso lenguaje de humillación y sumisión: "En gratitud al Dios Todopoderoso por las bendiciones de libertades civiles y religiosas, y humildemente invocamos su guía" (*Grateful to Almighty God for the blessings of civil and religious liberty, and humbly invoking His guidance*).

En el preámbulo de la Constitución de Delaware (1897) y de West Virginia (1872) se invoca a Dios como Divina Providencia (*Divine*

Goodness), y se hace una reafirmación de fe: "Ya que a través de la Divina Providencia gozamos de la bendición de libertad civil, política y religiosa, nosotros el pueblo de West Virginia reafirmamos nuestra fe y constante confianza en Dios" (*Since through Divine Providence we enjoy the blessings of civil, political and religious liberty, we, the people of West Virginia ... reaffirm our faith in and constant reliance upon God.*).

Otros Estados simplemente usan el nombre de Dios (*God*) en su invocación del preámbulo, como Alaska (1956) y Carolina del Sur (1778). New Hampshire (1792) incluye en la Carta Derechos, Parte I Art. I Sec. V: "Todo individuo tiene el derecho natural e inalienable de adorar a Dios de acuerdo a los dictados de su propia conciencia" (*Every individual has a natural and unalienable right to worship God according to the dictates of his own conscience.*).

Iowa (1857) invoca a Dios como Ser Supremo (*Supreme Being*), con un hermoso lenguaje de sujeción: "Establecemos esta Constitución en agradecimiento al Supremo Ser por las bendiciones hasta ahora disfrutadas y reconocemos nuestra dependencia en Él para continuar recibiendo estas bendiciones (*We, the People of the State of Iowa, grateful to the Supreme Being for the blessings hitherto enjoyed, and feeling our dependence on Him for a continuation of these blessings ... establish this Constitution*).

Hasta el desorientado Estado de Massachusetts (1780) fue uno de los primeros en reconocer a Dios: "Nosotros reconocemos con un corazón agradecido las bondades del Gran Legislador Del Universo... en el curso de su providencia, en esta oportunidad y devotamente imploramos su dirección" (*We ... the People of Massachusetts, acknowledging with grateful hearts, the goodness of the Great Legislator of the Universe ... in the course of His Providence, an opportunity and devoutly imploring His direction...*).

En resumen, estas constituciones, así también como la de Puerto Rico, se redactaron como una reafirmación de fe cristiana, en total dependencia al Dios Todopoderoso. Cabe resaltar que en modo alguno esta visión constitucional le ha impuesto creencia alguna a los que optan por ser ateos o profesar otras creencias. Todo ciudadano tiene derecho de igual acceso a servicios y oportunidades, y acceso para llegar al poder. Hasta ahora estas jurisdicciones habían sido pueblos donde cada individuo podía creer o no creer en lo que le pareciere, sin que sus gobiernos le faltaran el respeto al Rey de reyes. Ahora muchos de los gobernantes en esas mismas jurisdicciones repudian en sus administraciones al Rey de reyes, para ser "*politically correct*" entre los reyecitos de este mundo.

Estos son algunos datos del derecho constitucional norteamericano más elementales que el actual presidente Barack Obama parece olvidar o tal vez desconocer cuando dijo que Estados Unidos ya no es una nación cristiana; tal vez porque hizo sus grados primarios fuera de su nación[37], no las conoce. Entre sus argumentos para repudiar el cristianismo mencionó varias citas bíblicas sacadas de todo contexto. Por ejemplo, preguntó con ironía si deberíamos invocar al libro de Levítico porque este aprueba la esclavitud[38]. Obama parece desconocer que la famosa campana de la libertad, símbolo de la independencia de Estados Unidos, y también símbolo del movimiento de la abolición de la esclavitud, tiene por inscripción precisamente una cita de Levítico 25:10: "Declararéis santo el año cincuenta y proclamaréis en la tierra liberación para todos sus habitantes. Será para nosotros un año de jubileo, cada uno recobrará su propiedad y cada cual regresará a su familia". Es patentemente claro que Obama no ha entendido que la Declaración de Independencia de Estados Unidos invoca la sumisión a Dios:

> *"Nosotros, los representantes de los Estados Unidos de América, reunidos en Congreso general, acudimos al Juez Supremo del mundo para hacerle testigo de la rectitud de nuestras intenciones... Y para robustecimiento de esta declaración, confiados en la protección de la providencia divina, prometemos unos a otros nuestra vida, nuestra fortuna y nuestro sagrado honor".*
>
> *[We, the representatives of the United States of America assembled in Congress, we go to the Supreme Judge of the world in order to witness the rectitude of our intentions ... And for strengthening of this declaration, confident in the protection of the divine Providence, we pledge each other our lives, our fortunes and our sacred honor.]*

Si bien la Constitución de Estados Unidos no menciona a Dios en su preámbulo, no obstante usa lenguaje cristiano al referirse a "...asegurar las bendiciones de la libertad", y termina con la frase "en el Año de Nuestro Señor" (*Done in the Convention... seventeenth day of September in the Year of Our Lord...*). La Constitución de Puerto Rico también terminar con una frase análoga.

¿Y quién es nuestro Señor, nuestro Dios y Rey de reyes y Señor de señores? No hay que ser un erudito en historia de Occidente, de Puerto Rico, ni de Estados Unidos para saber que en la formación histórico-política de nuestros pueblos el Señor no es ni Buda, ni Alá, ni Mahoma, ni los miles de nombres de deidades, hindúes, ni afro caribeñas como el tal Changó, ni el barón de Samedi o señor de los cementerios demonio del vudú; ni la madre tierra o la Pacha Mama, etc., sino el Dios de dioses[39], el Rey y Señor Jesucristo es el Señor. Jehová de los Ejércitos, el Gran Yo Soy. Padre Hijo y Espíritu Santo, Dios en tres personas de la bendita Trinidad.

Los Padres de la Constitución federal de Estados Unidos preservaron la libertad religiosa, la libertad de culto por encima de todo como razón primordial de ser para la nación. Esa razón de ser que le dio una identidad de pueblo muy particular quedó plasmada en la Primera Enmienda. Por lo que se enumeró en primer lugar la libertad religiosa; en segundo lugar, la libertad de expresión, y por último la libertad de prensa.

La Constitución de Puerto Rico observa un orden de prelación análoga. La Carta de Derechos[40] establece en primer lugar la prohibición del discrimen por ideas religiosas. Luego garantiza la libertad de culto[41] y prohíbe al Estado aprobar leyes que interfieran con la libertad de culto. En cuarto lugar garantiza la libertad de expresión, y por último, la prensa[42]. Sin embargo, algo se interrumpió en nuestra relación como pueblos cristianos con Dios, en nuestras respectivas naciones. ¿Qué nos pasó?

En otras partes del mundo, como en la Constitución de 1987 de la República de Las Filipinas, se implora la ayuda de Dios de manera que se pueda construir una sociedad justa y humana. Varias naciones hispanoamericanas dicen en el preámbulo de sus constituciones: "... invocando a Dios", como por ejemplo Colombia (1991), Guatemala (1993), Honduras (1982) y Ecuador en el 1998.

Años después Ecuador cambia, y en la Constitución de 2008, así como en la de Bolivia en el 2009, hacen un "sincretismo religioso". En primera instancia invocan a la diosa inca Pacha Mama, y por otro lado se invoca a Dios, siendo reflejos de las grietas ideológicas en lo que se suponen son naciones evangelizadas. Por lo que urge que el pueblo cristiano despierte y retome el terreno ideológico de sus respectivas naciones.

En el caso particular de Centro y Suramérica, la marginación de las culturas indígenas clama ante el corazón de Dios. Toda esta sintomatología que está evolucionado en nuestro entorno nos debe estimular a todos los cristianos a retomar el pensamiento intelectual en nuestros respectivos países.

En Puerto Rico la crisis intelectual y jurídica ha llegado a actos ridículamente impensables en nuestra cultura. Por ejemplo, una de las más "ilustres" organizaciones, el Colegio de Abogados de Puerto Rico (CAPR) en 2007 se atrevió proclamar por voz de su entonces presidenta: "La moral y el derecho van por carriles separados", pretendiendo desinformar a la legislatura del país, porque a su juicio las leyes deben ignorar los valores morales del pueblo. La presidenta del CAPR les proponía a los legisladores que no consideraran las expresiones de los cristianos en torno al borrador del Código de Familia. Precisamente ese modelo de pensamiento o cosmovisión de separar la moral de lo que hagamos es lo que ha llevado a nuestro país a la rampante corrupción en el gobierno, en las empresas y aun en algunos llamados líderes religiosos. Después de todo, ya la moral y la administración pública o privada van por carriles separados, y sólo se ha conseguido empobrecer la calidad de vida del país y aumentar la criminalidad.

En lugar de hacer un llamado a la reflexión sobre esta bipolaridad cognitiva, lamentablemente el des ilustrado y desinformado Colegio de Abogados de Puerto Rico (CAPR) proclama, como la gran avanzada para el desarrollo de nuestro pueblo, que la moral sea eliminada del estado de derecho, y por consiguiente de la vida pública y privada. Si fuéramos a comparar esa propuesta del CAPR con la práctica de la medicina, el cuadro sería algo así: Puerto Rico es un paciente que está gravemente enfermo por una inmoralidad rampante; con el tratamiento adecuado lo podemos salvar, pero el CAPR propone "acabémoslo de matar".

SUPREMA DISCRIMINACIÓN

Si usted piensa que esto es un asunto complejo de altas esferas intelectuales, que nada tiene que ver con usted, le presento algo sencillo de la vida cotidiana. La eliminación de las Navidades. Desde el 2005 en nuestras conferencias veníamos alertando sobre este fenómeno. Es tan absurdo que la gente pensaba que eran bromas o exageraciones nuestras. Pero lamentablemente es una realidad.

Egoístamente[43] nos decían, "¡Ba!, eso no va a pasar en Puerto Rico", cuando contábamos sobre los pleitos que promueve la ACLU para erradicar las cruces en los lugares públicos y cementerios, y la Navidad en Estados Unidos. Como parte de esas corrientes se considera que no es "*politically correct*" decir *Merry Christmas* (Feliz Navidad), sino *Happy Holydays* (felices días feriados). En las Navidades de 2008 llegó la fanática moda de los cristofóbicos a Puerto Rico.

Puerto Rico tiene una fuerte tradición cristiana-navideña. Quizá es el país donde más larga son las festividades de la Navidad. Prácticamente comienzan el Día de Acción de Gracias a Dios, en el tercer jueves de noviembre, y terminan casi a fines del mes de enero, con las parrandas de las Octavas y Octavitas después del Día de los Santos Reyes. O sea, los boricuas en la isla se la pasan "reyando". Aunque sabemos que históricamente Jesús no nació en diciembre, Jesús es la principal festividad del país.

En casi todo el mundo occidental se celebra la Noche Buena y la Natividad, o sea el nacimiento del Rey de reyes, Jesús el Mesías. El municipio Juana Díaz es uno de los que más se destaca con las festividades de Reyes, así como en "La Fortaleza" (el palacio del Gobernador), donde se distribuyen juguetes a todos los niños que le visiten. Se usan fondos públicos y edificios públicos para estos eventos. Todos los edificios públicos y las calles principales son adornados con lemas alusivos al nacimiento del Rey de reyes.

En diciembre de 2008 unas profesionales de la cosecha de la ignorancia académica alegaron que les causaba sufrimiento, angustias y daño ver un tablón navideño que expuso el municipio de Cabo Rojo, el cual leía: "Jesucristo Rey de reyes y Señor de Cabo Rojo". Demandaron al gobierno municipal. Las autoridades municipales (la parte demandada) se dejaron intimidar y accedieron a eliminar el letrero navideño. ¿Acaso se indignó el pueblo cristiano? No. La inmensa mayoría de los puertorriqueños ni siquiera se enteró. Salvo un pequeño remanente expresó su preocupación ante la pérdida de valores y de nuestras libertades más preciadas.

En diciembre de 2009 la persecución ideológica contra los cristianos llegó al Tribunal Supremo de Puerto Rico, pero no como un caso para hacer justicia, sino como una confrontación entre los mismos jueces, cuando uno de los jueces decoró parte del pasillo donde está su área de trabajo con motivos navideños. Como la prensa *gayola* no nos publica ninguna expresión contra su agenda, publicamos por Internet en *Alerta Cristianos* el siguiente artículo, en reacción a aquel incidente judicial:

Supremo discrimen

Los alérgenos anti navideños y la cristofobia están de moda. La Lcda. Anabelle Rodríguez es parte del combo que confunde el término "navidad "con "nocividad". En las pasadas Navidades unas activistas homosexuales demandaron al municipio de Cabo Rojo, alegando que les causaba daños y sufrimientos ver un letrero con motivos de la Navidad que decía "Jesucristo el Señor de Cabo Rojo", bajo el palio de que hay separación de Iglesia y Estado. Este año la movida de ofendidos por la Navidad se mudó al Tribunal Supremo. Y la Juez Anabelle Rodríguez aparentemente desarrolló el mismo síndrome anti-navideño. So color de separación de Iglesia y Estado, Rodríguez pretendió imponer sus malos gustos y le exigió a otro de sus colegas jueces que removiera una estampa navideña del pesebre. Como todos sabemos, el pesebre ilustra el nacimiento del niño Jesús.

La Navidad o la Natividad significan nacimiento del Señor Jesucristo; María la virgen, José, los reyes y los pastores. Siguiendo las exigencias de urbanidad de la jueza, la fiesta de Reyes del pueblo de Juana Díaz es nociva, el receso escolar navideño es una perversión para los menores. El Estado no podría usar el presente calendario histórico A.C., y D.C., antes y después de Cristo. Y cuando Rodríguez siendo Secretaria de Justicia participó en el tradicional Día de Reyes en Fortaleza con la entonces gobernadora Sila Calderón, cometió una crasa violación a la separación de Iglesia y Estado, ¿por qué no actuó entonces?

Sin embargo, cuando la entonces "anabélica" Secretaria de Justicia (así la llamaba el comentarista de radio Dávila Colón) recibió recomendaciones para su nombramiento de jueza, por parte del entonces Director del Concilio de Iglesias de PR y otros pastores, ella no presentó oposición, ni alegó separación de Iglesia y Estado. Tampoco dijo que era falta de urbanidad que "los religiosos" apoyaran su nombramiento. Tampoco protesta cuando ella se va de asueto con paga por los feriados de Navidad.

Queda claro que esta funcionaria carece de temperamento judicial. El tiempo me dio la razón. Cuando yo trabajaba como fiscal en casos de maltratos a menores, me opuse a su nombramiento, ya que ella como Secretaria de justicia, amapuchó[44] un caso de narcotráfico, que surgió mientras yo trataba de investigar el proceso de maltrato a menores envueltos en ese trasiego. Rodríguez me negó los recursos de investigación, me removió del caso y devolvió a los menores a los narco padres, que operaban un punto de droga. Consta en record que denuncié el asunto ante el Senado durante las vistas de confirmación, lamentablemente enceguecidos por las cualidades políticas de Rodríguez, no se interesaron en investigar.

Como era de esperarse, aquellos menores siguieron el camino de la delincuencia; pero ese es el concepto de justicia para Rodríguez, a quien le resulta ofensivo un pesebre. Rodríguez es otra funcionaria del Estado que aprovecha su ilustre posición para abonar a la agenda sistemática de fomentar el crimen de odio y prejuicio contra los cristianos. ¡SUPREMO DISCRIMEN!

TENEMOS MUCHO POR HACER

Tenemos que retomar el territorio del pensamiento intelectual que por derecho nos pertenece. Cabo Rojo responderá por no atreverse a defender la dignidad de la majestad de Dios. Aquella ciudad está llamada a ser sal de la tierra, y allí Dios hará su soberana voluntad. El mundo ha de reconocer que Él es Rey de reyes, es el Señor de señores de Cabo Rojo, de Puerto Rico y del mundo entero. En consecuencia, Cabo Rojo en el plano material ha caído de la gracia de Dios. Sin embargo, Dios ha de usar esa caída para alumbrar los ojos de las naciones. Dios ha de levantar miles y miles de faros que reflejen la luz de su verdad infinita. Tenemos mucho por hacer.

El Lcdo. Faro, mi hermano en Cristo, es un gran ejemplo de lo que podemos hacer. Él junto a su ayuda idónea, su amadita esposa, vienen discipulando a varios profesionales conforme al privilegio del llamado que Dios les ha dado. Este amado matrimonio trabaja de manera voluntaria con una hermosa humildad y dedicación para hacer brillar a jóvenes profesionales como luz en medio de la corrupción intelectual de este siglo, cual faros que marcan el camino para llevar en su momento a puerto seguro a nuestro pueblo. Ellos tienen el llamado de retomar el pensamiento intelectual para Cristo. Igualmente todo profesional y trabajador cristiano está llamado a retomar para Cristo su área de saber.

La gesta silenciosa del Lcdo. Faro y su esposa me hizo pensar la manera callada, silenciosa y estratégica en que el Rey de reyes y Señor de señores penetró el campo enemigo, bajo el camuflaje de un insospechado humilde pesebre. Así también Moisés, el libertador de su pueblo, llegó a penetrar las cámaras más íntimas del palacio del faraón de Egipto. Entró al corazón de la hija de Faraón como un desvalido bebé, en una humilde cesta. No para quedarse de holgazán enriquecido en los palacios del faraón, sino para ser educado como líder y liberar a su pueblo.

Leyendo en el libro de Éxodo 2:3-6, el Espíritu Santo me hizo comprender que el Lcdo. Faro, al igual que hizo la familia de Moisés, viene preparando el arquillo de juncos, calafateando el carrizal y colocando sobre ese carrizal de la vida, la cesta; poniendo a aquellos jóvenes sobre las corrientes de este mundo. El Lcdo. Faro les va siguiendo y cuidando desde la orilla del río, tal cual lo hizo la hermana mayor de Moisés. Viéndoles flotar río abajo sobre la crisis social, económica, política e intelectual de Puerto Rico, hasta verles penetrar en el terreno, en los dominios y hasta en el propio palacio del faraón de este siglo.

La invitación que me hizo el Lcdo. Faro de impartirles aquella charla a sus discípulos, me hizo sentirme un poco nodriza de hermosas princesas y de hermosos príncipes, al compartirles algunas de mis vivencias personales y profesionales. Dios se sirvió de este testimonio, que es parte de este libro, para impactar sus vidas.

Cuando terminé la conferencia pensaba: *¡Ah! Si yo hubiera tenido una oportunidad así en mi juventud, cuantas desgracias me hubiera evitado en mi vida*. Para comenzar, ni conocía a Cristo. Conocía al niñito Jesús, pero no al Cristo resucitado. En mi temprana juventud, me dominaba la "soberbia intelectual" y tampoco reconocía que tenía la sed de esos jóvenes de estar a los pies de Jesús, para aprender la verdad que nos hace libres y nos hace crecer espiritualmente. Pagué el precio de mi ignorancia espiritual, de mis pecados, haciendo añicos mis mejores años.

Mas Dios es un maravilloso Padre que en su misericordia busca la manera de restaurarnos y levantarnos del fracaso y el lodo del pecado.

Ahora, en mi tercera edad, Dios me tiene fructificando. Me lleva de gloria en gloria, en una aventura maravillosa de vida intensa. Nunca es tarde para Dios. Él me rescató, y como dice el Salmo 40:2-3. "me sacó del lodo cenagoso", pero bien cenagoso. "Puso mis pies sobre la peña, enderezó mis pasos", pero pasos que estaban requetebién torcidos, y me hace estar firme sobre mis alturas (2 S. 22: 34). En las alturas en que a Él le place tenerme. Me sacó del pecado, me desató de un sentido de inferioridad, de baja autoestima, y de una pésima calidad de vida. Y también puede hacerlo en tu vida.

Segunda Parte

Un resumen de la obra realizada hasta el presente

Capítulo 5

Dios honra a los que le honran

La vida cristiana es muy ocupada, variada y una aventura divinamente divertida, aunque por momentos dolorosa, repleta de fuertes suspensos, pero llena de victorias. ¡Dios nos lleva de gloria en gloria! Deseo compartir al menos un resumen de la labor realizada hasta el presente, pues todavía me falta mucho por hacer. Entrar en detalles de cada labor realizada sería demasiado extenso. Les comparto algunos pormenores significativos de cómo llegué a ser Procuradora Especial de Relaciones de Familia, que son esenciales para que puedan ver cómo Dios me fue adentrando en su extraña obra para estos tiempos. Dios me fue adiestrando para la batalla, escalón por escalón.

Los oficiales jurídicos estábamos inmersos en el recién creado Tribunal de Circuito de Apelaciones. Parecíamos hormiguitas laboriosas. Era una rica experiencia profesional. ¡Extraordinaria! Todos los jueces y el personal estábamos muy motivados con aquel nuevo tribunal. Se hizo su inauguración oficial en octubre de 1992. En noviembre se celebraron las elecciones generales del país y el Gobernador entrante anunció que eliminaría el tribunal. En efecto, tan pronto tomó posesión en enero de 1993, firmó la ley derogándolo. Todos estábamos tristes. Aunque la Constitución les aseguraba la incumbencia a todos los jueces, el personal de apoyo quedaba fuera.

Esa noche fui a mi iglesia como de costumbre. Fui a orar al altar y dije: "Dios, tu supliste hasta aquí. Guíame a buscar otro empleo. Cuando regresé del culto, comencé a redactar mi resumé. Apenas había escrito el encabezado, cuando sonó el teléfono. Era Ivonne, una antigua amiga. Había conseguido mi teléfono a través de mi comadre Consuelo Quesada. Las tres habíamos sido compañeras de trabajo en la década de los setenta. Ivonne y yo nos convertimos juntas, en una campaña del famoso evangelista Yiye Ávila, en 1973. Cuando yo terminé mis estudios de Maestría en 1978, fui ascendida a Directora de Personal en otra agencia, y por muchos años nos dejamos de ver. Desde entonces había transcurrido alrededor de dieciséis años.

Fue una alegría inmensa escucharla. Así que tuvimos una larga conversación, para ponernos al día una a la otra y saber algo sobre nuestras antiguas amistades. Ella se había enterado por Consuelo que yo era abogada. Entre las noticias que me daba sobre las viejas amistades, me dijo que el esposo de una de nuestras mutuas amigas había sido nombrado Secretario del Trabajo por el nuevo Gobierno. Me dijo que precisamente el motivo por el cual ella me estaba llamando era que estaban buscando a alguien para dirigir la oficina de Personal y Recursos Humanos de dicha agencia. Le contesté: "Ivonne, hace tanto tiempo que estoy fuera del campo de administración de personal que de pronto no sé me ocurre a nadie para recomendarte". Ivonne me dijo: "No, nena[45], es que están pensando ti. Me encargaron que te buscara. Quieren a alguien con experiencia en personal y que además sea abogada. Porque es una agencia algo complicada".

¡Wo! No lo podía creer. "Ivonne, yo me hice abogada y no quiero trabajar en asuntos de administración. Quiero litigar", le dije. "Bueno, al menos ve a la entrevista. Quién sabe si te puedan subcontratar para presidir vistas de trabajadores o te den alguna iguala", me contestó. Eso me interesó, y coordinamos la entrevista. Llamé a mi comadre Consuelo para ponerla al tanto y pedirle oración antes de tomar una decisión al respecto.

Oré a Dios, y le dije: "Padre, me interesa conseguir una iguala; pero si es que tú quieres llevarme allí para esa posición de personal, te pongo por señal tres cosas. 1. Padre, yo como cristiana no me voy a prestar para "arrancar cabezas" (Frase común que se usa en Puerto Rico para los cambios de Gobierno. En un cambio de Gobierno usualmente en Puerto Rico se torna una casería contra los funcionarios de la administración saliente). 2. Por menos de $40,000.00 no acepto ese trabajo (En aquella época esa cifra era una un sueldo excepcional). 3. Y que de alguna manera sepa que el personal me acepta (Algo difícil de precisar sin estar dentro de una agencia; y aquella agencia en particular se ha caracterizado por ser muy controversial por politiquerías de todos los bandos y por hermandades hostiles de empleados)".

Durante la entrevista el señor Secretario me puso al tanto de la situación de la agencia, sus proyecciones como Secretario, y por supuesto del trabajo que me ofrecía. Me dijo: "Yo era asesor de la arquidiócesis de San Juan. Como hombre cristiano, vengo a trabajar con quien quiera trabajar conmigo. No vengo a 'arrancar cabezas'". Aquella expresión me pareció idéntica a mi oración. ¿Cómo lo supo? Pensé que Ivonne debió haberle comentado que yo era cristiana. Me preguntó cuáles eran mis expectativas de salario. Le dije que por menos de 40 mil dólares no lo aceptaba. Se sonrió y me mostró un pequeño papel donde previamente él había escrito esa misma cantidad para ofrecerme. ¡Dios mío! Me asombró la precisión de aquellas señales. Me sentí segura de que Dios me llevaba allí de su mano. Le pedí unos días para pensarlo, y nos despedimos. Cuando tomé el ascensor, me sentía como en una nube. No podía creerlo. Ya tenía empleo, antes de la fecha en que serían efectivos los despidos. El nuevo salario casi era el doble del que devengaba.

¿Pero cómo saber la última señal que le había pedido a Dios? En el ascensor iba un empleado. Me saludó y se quedó mirando mi nombre en la etiqueta que en la recepción de aquella agencia le colocaban a todo visitante en la solapa o en el cuello del vestido. Repitió en voz alta mi nombre y me preguntó: "¿Por casualidad es usted la comadre de Consuelo Quesada?" Sí, le afirmé. Para mis adentros pensé ¿y éste de dónde me conoce? Así que se lo pregunté. Él me contestó: "Yo conozco a la hermana Consuelo de la Iglesia Bautista de Carolina. Soy de su clase bíblica, y ella dio su nombre para orar por una entrevista de empleo en esta agencia. Nosotros tenemos aquí en la agencia un círculo de oración y llevamos muchos años pidiéndole a Dios que pongan a una persona cristiana en esa posición. Aquí hay mucha brujería y situaciones difíciles que sin Dios no se puede bregar".

Así mismo fue. Dios estuvo conmigo y cumplí su propósito allí, experiencias dignas de contar en otro libro. Uno de los lindos recuerdos que tengo fue cuando el famoso cantante cristiano Roberto Orellana estaba comenzando su ministerio de cántico; aquel joven fue a cantar alabanzas allí con nosotros y nos compartió su impactante testimonio. ¡Dios le continúe bendiciendo! Otra bendición muy especial lo fue el mensajero de mi oficina. Era un varón cristiano con un tremendo testimonio de cómo Dios lo había liberado de la homosexualidad. Me gozaba con su lindo testimonio. Aquel varón fue mi ángel guardián. Yo madrugaba bien temprano para orar en aquella oficina, y él me acompañaba a orar. Así pude sobrevivir muchas situaciones y asechanzas del enemigo. Actos de brujería y tonterías de ocultismo de todas clases.

Una experiencia fuera de lo usual fue el caso de una empleada sordomuda. Aquella joven endemoniada de quien decían que su cabello se llenaba de pétalos cuando rezaba a determinada deidad. Ella entraba en esos trances, sus admiradores comenzaban a adorarle, interrumpiendo los trabajos de la oficina. Comenzaban a llorar y a gritar alabanzas hacia la joven. La anterior directora de esa oficina era avisada y sus leales empleados paralizaban los trabajos para recibirla y participar de aquel extraño e inoportuno culto.

Entre las medidas que tomé, ordenaba que llevaran a la joven para su casa. Parte del personal se molestaba porque les interrumpía su culto en horas laborables. La ex directora se juntaba con aquella joven y otros empleados en la cafetería, conspirando sobre cómo tratar de sabotear mis trabajos. El Señor me decía: "Tranquila, yo estoy contigo". Un día Dios, me habló por Jeremías 10:5: "No tengáis temor de ellos, porque ni para hacer mal, ni para hacer bien tienen poder". A los seis meses de haber comenzado esta lucha, de pronto aquella señora ex directora desarrolló un cáncer fulminante y falleció. He aprendido que cuando Él dice estad quietos y conoced que Yo Soy Dios, no nos compete hacer más que orar y alabar. En su soberanía Él cuida de los suyos. Sería interminable compartirles tantas difíciles experiencias que allí tuve, pero de todas ellas me libró Jehová.

Un día de 1995 una compañera abogada que nos llevaba los litigios de personal me sugirió que solicitara el cargo de Procuradora Especial de Familia. En esos días estaban buscando abogados con experiencia. No le presté atención, porque mi meta era servir un tiempo más en aquella posición para completar los años de experiencia que requería un cargo de juez. Y regresar algún día a la rama judicial. Una semana después, volvió la colega con el mismo asunto. Esta vez me dijo: "La jefa de los fiscales y procuradores es mi comadre, le hablé de ti. Le queda una posición de procuradora, y algunas de fiscales. Ella quiere conocerte". Al día siguiente mi colega me trajo los documentos de solicitud y me insistió que solicitara. Se lo presenté en oración a Dios: "Señor, si esto viene de ti, lo voy a considerar". Sentí que era de Dios.

Comencé a llenar aquella extensa solicitud, cuando recibí una llamada de mi amiga Carmen. ¡Estaba eufórica! Me contó que había radicado para Procuradora Especial de Familia y que solo quedaba una posición. Ella deseaba saber si la podía ayudar y ponerme de referencia. "Claro que sí, cuenta conmigo", le dije. Sabía que aquello era el sueño de su vida profesional. Yo no podía competir con mi hermana del alma, así que le hice la recomendación que ella merecía y detuve mis papeles. Semanas después me llamó contenta de que ya su nombramiento había sido procesado en la Oficina del Gobernador y bajaría al Senado. Gracias al Señor, la nombraron.

Entonces opté por someter mi solicitud para el área de fiscalía general. Todo el proceso pasó con gran rapidez. Todavía me asombro cuando recuerdo aquellos tiempos. El Secretario del Trabajo me hizo una excelente recomendación al Gobernador. Carmen ya había sido asignada para trabajar como la primera procuradora en el recién creado tribunal de Aibonito.

Llegó el día de mi entrevista ante el panel de nombramiento del Departamento de Justicia. Debido a que ya estaban ocupadas las plazas de procuradoras del área de familia, presenté mi solicitud para la fiscalía en general, y en segunda instancia solicité para procuradora de menores para procesar casos de faltas criminales cometidas por menores de edad. Entre los miembros del panel estaba la directora que también tenía a cargo la supervisión de las procuradurías de familia.

El proceso de entrevista y la previa investigación que se les hace a los solicitantes son bien incisivos, tanto en lo profesional como en la vida personal. Por lo tanto salió a relucir la ardua lucha que estaba teniendo por los derechos de alimentos para mi hija mayor. La investigación en la comunidad arrojó datos sobre todas las dificultades que había tenido que superar para sacar adelante a mis dos hijas y mi madre. Hablamos de todas las tácticas fraudulentas a las que el padre de mi hija mayor había recurrido para evadir la pensión de alimentos, de la violencia doméstica a que fui sometida, de los problemas de salud de Anita y cómo ella se había superado por ser una niña sumamente brillante. Hablamos de cómo mi segunda hija quedó huérfana y los esfuerzos que hicimos para tratar de que Myrnita superara su triste experiencia.

En un momento dado el jefe de los fiscales me dijo: "Usted debe tenerle un gran odio a ese hombre", refiriéndose al padre de Anita. Le dije que no. Pues para poder vencer todas las artimañas, trampas y abusos de su parte me vi motivada a seguir superándome más y más, para así poder combatirle. Como dice un refrán que había escuchado: Tu peor enemigo viene a ser tu mejor maestro. Aquella respuesta hizo saltar a la directora, y dijo: "Esta es la mujer que necesito, ella va pelear como gata boca arriba los derechos de los niños". El supervisor de los fiscales le dijo a su vez: "No, ella viene para nuestra fiscalía, además ya tú no tienes plazas". En esos días se desocupó otra posición de procuradora, y esa fue la mía. Dios tiene abundantes bendiciones, su mesa es inagotable. Había espacio para Carmen y para mí también.

Llegó el día de la audiencia en el Senado para confirmar el nombramiento. Varias personas me advirtieron que me preparara bien. Me dijeron que la Honorable Senadora Velda González me iba a hacer la vida imposible. Según me informaron, ella no estaba de acuerdo con que el Gobernador siguiera llenando aquellas posiciones. Podrán imaginar que la noche antes no pude dormir.

Por muchos años yo fui alguien que me impresionaba muchísimo ante personas de autoridad. Era un respeto desmedido, al extremo que me infundían cierto temor y me sentía inferior. Oré hasta la madrugada, y cuando leí la palabra que Dios me dio se me fue todo nerviosismo. Mejor aún, Dios cambió para siempre mi manera de ver la vida. ¡Soy una Hija del Altísimo! Dios me habló en Romanos 13.1, 4 y 6: "Sométase toda persona a las autoridades superiores; porque no hay autoridad sino de parte de Dios, y las que hay, por Dios han sido establecidas… porque es servidor de Dios para tu bien… Pues por esto pagáis también tributos".

Cambié mi manera de pensar, y me dije: *Esos senadores están allí para hacer el bien que Dios tiene para mí. Y para eso pago impuestos, para que trabajen, para que hagan lo que mi Dios quiere que hagan conmigo.*

Fui a la audiencia con mi madre y mis hijas. Me llamaron a la mesa de los deponentes. Cuando me levanté y pasé al frente, me preguntaron quiénes eran mis acompañantes. Les dije "mi madre y mis hijas". El entonces presidente de aquella Comisión de Nombramiento, el senador Freddy Valentín, ordenó que pusieran más sillas en la mesa en la que yo iba a declarar, para que mi familia estuviera junto a mí.

Las primeras dos y únicas preguntas fueron que diera una biografía de mi vida y explicara por qué debía ser nombrada Procuradora Especial de Relaciones de Familia. La contestación que di me llevaría a escribir un capítulo más en este libro. Lo importante fue lo que pasó al terminar de contestar. No me hicieron más preguntas. Entonces le dieron el turno a la senadora Velda González.

Los años han pasado y todavía me impresiono. Cuando le pasaron el micrófono a la senadora, en mi pensamiento grité: *¡Padre, ayúdame, llegó el momento*! La senadora me dio las buenas tardes, hizo una pausa y me miró fijamente a los ojos. Dijo: "A una mujer como ésta no se le hacen preguntas. Con las vivencias que ha sufrido y sus excelentes cualificaciones de superación, está más que calificada para el cargo". Más sorprendente aún fue que sus ojos se llenaron de lágrimas y comenzó a darles un discurso de consejos a mis hijas, de cómo debían apoyarme y seguir mi ejemplo de lucha.

No tienen idea lo valioso que esa experiencia fue para mí como mujer sola criando hijas, y cuán valiosa fue para mis hijas. No solo se sintieron orgullosas de su madre, sino que luego se esmeraron más en sus estudios y me ayudaban más en la casa.

La senadora terminó dándole unas hermosas palabras de estímulo y reconocimiento a mi madre. Tuve que hacer un gran esfuerzo por no romper a llorar allí. Pensaba que si me veían llorar demostraba no tener la fortaleza emocional que requiere una posición de procuradora. De hecho es un trabajo donde el control emocional es vital. Porque se confrontan duras tragedias humanas, de niños huérfanos o maltratados, mujeres maltratadas, madres, padres y abuelos desesperados. Familias destruidas por diversas circunstancias.

Aquella tarde salimos del Capitolio, estupefactas. ¡Gozosas! Mi madre y yo lloramos de felicidad. Aquella experiencia fue bien importante para mi madre. Mami era una mujer muy acomplejada. Había sido el patito feo, la cenicienta de su familia, y luego cuando se casó fue víctima de violencia doméstica por parte de mi padre. La abracé y le dije: "A ninguno de tu familia le han dado una silla de honor en el Senado de Puerto Rico. A ti te la dieron. Dios quiere que sanes en tu interior". Y las cuatro nos abrazamos, llorando. Las cuatro éramos como una sola persona. Dios nos estaba sanando de tantas penurias compartidas.

El domingo siguiente después de ser confirmada para el cargo de procuradora, llegué a la iglesia con el documento del nombramiento y se lo mostré al pastor antes de comenzar la Escuela Bíblica. El pastor Terranova me dijo en su tono argentino: "Querida, eso no es un nombramiento, es un ministerio, donde Dios te va a usar grandemente". Hizo un alto en el culto. Me llamó al altar y llamó a los ancianos para que me impusieran las manos, comisionándome al llamado.

Efectivamente, Dios tenía un propósito insospechado por mí. Yo solo fui su vaso, para Él servir el rescate de muchas vidas. Él ha guiado mi pensamiento con su sabiduría, su revelación para dar la batalla, no tan solo por muchos niños y niñas en casos específicos, sino también para vencer las tinieblas que han marcado en esta generación a nuestra niñez como botín de guerra. En 1998 recibí el Premio Procuradora del Año, del Departamento de Justicia de Puerto Rico. Además, el Negociado de Investigaciones Especiales[46] (NIE) me hizo miembro honorario, por mi labor investigativa y jurídica como procuradora en el caso de la niña secuestrada Crystal Leann Anzaldi. A dicho caso se le llamó en Puerto Rico el caso del siglo, y por el cual al Departamento de Justicia de Puerto Rico le fue otorgada en 1998 la medalla del Congreso de Estados Unidos "Missing Children". Aquella experiencia trajo como resultado para el país que a partir de 1998 y hasta hoy en Puerto Rico exista el programa federal de "Missing and Exploited Children".

Quede claro, tal como lo dice la Palabra, que "...por la gracia de Dios soy lo que soy; y su gracia no ha sido en vano para conmigo" (1 Cor. 15:10). Y su gracia ha sido para bendecir a otros.

Capítulo 6

Así nació la AJC (Alianza de Juristas Cristianos)

En obediencia al llamado de Dios, en 2006 fundé la Alianza de Juristas Cristianos (AJC). Estaba realizando mis funciones como procuradora, y mientras trabajaba un caso de adopción Dios puso esta carga en mi corazón. Dejar el cargo de procuradora y la fascinante función de litigar no fue una decisión cómoda para mí; y luego levantar AJC no ha sido una tarea fácil.

La primera vez que Dios me habló sobre el retiro del servicio público y salida de mi país fue el 2 de octubre de 2002. El Espíritu Santo me dijo: "Las misericordias de Dios son nuevas cada mañana. Dios va a completar la bendición que te ha dado. Vete de tu tierra y de tu parentela. Ya creciste, hay nuevas metas para ti más allá de este trabajo". En aquel tiempo no comprendía ese aviso. Disfrutaba mi trabajo, amaba mi carrera. Pero no fue hasta el verano de 2005 cuando Dios comenzó a ponerme esta carga por organizar a los abogados cristianos, y debía retirarme.

Al inicio de 2005 había comenzado a pensar en mi retiro, pero me faltaban dos años de mi nombramiento de procuradora. Pasaron los meses y aquella inquietud era cada vez más intensa. Dios me estaba diciendo que me retirara de mi posición en el Gobierno.

Dios llama, Dios capacita

Sin darme cuenta, Dios me fue adentrando en temas y problemas que jamás había imaginado que serían su asignación para mi ministerio, "esta operación extraña". Él me llevó a prepararme sobre el nuevo terreno de sus conquistas para extender su Reino en medio de las tinieblas.

En 2005 mi pastor Dr. José Martínez comenzó a impartir una serie de estudios, con el propósito de preparar a nuestra iglesia para recibir y manejar las situaciones de almas que necesitan a Jesús y que están muertos en vida, cautivos de una conducta homosexual. Como médico y como pastor, el Dr. Martínez nos impartió interesantes charlas sobre esa conducta. Siendo sincera, la verdad es que tomé aquellas charlas porque el pastor es un excelente maestro. Martínez es un pastor y un profesional muy profundo, es autor de varios libros, y yo me deleitaba escuchándole, pero el tema de la conducta homosexual no era un tema que a mí me llamara la atención. Si bien entendía que como iglesia era importante estar listos para servirles a las familias y personas impactadas por la conducta homosexual, el tema no me interesaba. Pienso que lo mismo les sucede a miles de creyentes, apáticos a tocar ese escabroso tema. Sin embargo, es un grave problema que nos concierne a todos. Dios ama a los homosexuales y debemos alcanzarles para Cristo.

La verdad es que el pastorado es una línea directa con Dios para ministrar a las iglesias. Lo menos que imaginaba es que aquellas charlas del pastor Martínez fueran el comienzo de la preparación que Dios me estaba impartiendo; justo las iba a necesitar en las semanas siguientes.

En aquel entonces, el estado de derecho en Puerto Rico no presentaba posibilidad alguna a los reclamos de los *gayolas* sobre el matrimonio, y menos para adoptar. Todavía nuestras leyes no lo permiten, pero el Departamento de la Familia hace lo que le parece, a espaldas del pueblo.

Un día, como de costumbre, en mi trabajo me asignaron los casos. Nada de particular había en ellos, hasta que recibí el informe social de uno de los casos de adopción. El informe decía que el peticionario era un varón con un estilo de vida homosexual, abogado de profesión, y estaba solicitando la adopción de un varoncito. Así que utilicé toda aquella valiosa información que nos impartió el pastor Martínez para ampliar mi búsqueda sobre el tema desde una perspectiva social y legal.

Descubriendo la agenda *gayola*

Los resultados de aquella investigación jurídica sobre la agenda homosexual sencillamente me horrorizaron. No tan solo encontré que hay cantidad de libros y estudios que tratan sobre los problemas y tragedias que sufren los menores de edad cuando estos son expuestos durante su crianza a personas con problemas de identidad sexual o de conducta homosexual; ya sea por los propios padres biológicos, adoptivos, maestros, sicólogos, otros familiares, amigos o desconocidos. Descubrí también que se han publicado algunos supuestos estudios normalizando la homosexualidad y otros avalando la crianza de menores por este tipo de personas. Los tales "estudios" están viciados científicamente, siendo en su mayoría obras de encargo efectuadas por los mismos *gayolas*.[47]

Cada día siguen saliendo más publicaciones y datos, como las desgarradoras historias reales de hijas criadas por padres y madres homosexuales, de Dawn Stefanovichz[48] y Jakii Eduards[49], entre otras. Les recomiendo que lean sus libros para que constaten por ustedes mismos el daño que sufren los niños expuestos a ese tipo de experiencia. Dawn y Jakki fueron expuestas de niñas a las más bajas escenas y vocabulario sexual explícito, con lamentables consecuencias que aún perduran en sus vidas adultas. Muchos de esos niños son abusados sexualmente y hasta asesinados, como fue el caso de Jandré, en Suráfrica, una criatura de cuatro años que fue brutamente asesinada por la pareja homosexual[50] de su madre, porque el menor se negaba a decirle "papi" a aquella otra mujer.

Durante la investigación jurídica para trabajar aquel caso de adopción, encontré que existen organizaciones internacionales de hombres que promueven la relación homosexual con niños (NAMBLA)[51] y también de mujeres con niñas. A esas aberradas conductas le llaman "orientación sexual inter-generacional". Grupos *gayolas* luchan porque esas desorientaciones sexuales también les sean reconocidas como un derecho civil; y que se combata el "ageismo" o el prejuicio hacia la relación sexual limitada por la edad. Tales conceptos no son otra cosa que palabras sofisticadas de aparente sapiencia para referirse a la aberrada conducta del abuso sexual contra menores, o pedofilia.

Aunque los grupos *gayolas* niegan su vinculación con la pedofilia, encontré mucha información que corroboraba una fuerte vinculación de la pedofilia con el activismo homosexual. No solo encontré pruebas en escritos de defensores de nuestra niñez, como lo son organizaciones de prestigiosos expertos en la conducta humana y la medicina, entre ellos la *National Association for Research and Therapy of Homosexuality* (NARTH), sino también fuertes confesiones al respecto en escritos de los propios ideólogos homosexuales. David Thorstad, por ejemplo, en su discurso "Pederasty and Homosexuality" claramente promulga: "La liberación sexual de los niños, de las mujeres, de los amantes de niños (pedófilos), de los homosexuales en general son parte de un mismo sueño. La libertad es indivisible".

Otro ejemplo es Harry Hay[52]. Se le considera el padre del movimiento *gayola* en Estados Unidos, y al mismo tiempo fue uno de los fundadores de NAMBLA. También era un comunista radical que hábilmente introdujo los métodos de propaganda marxistas para hacer avanzar la agenda *gayola* y destruir el sistema democrático en Estados Unidos. Hablo de Estados Unidos por ser una nación de gran influencia ideológica en el nuevo continente. No obstante el movimiento homosexual proviene de Europa (Alemania, Holanda, Suecia, Reino Unido, España, etc.). Canadá recibe la influencia *gayola* como parte de su relación con el Reino Unido.

Descubrí cientos de terribles y explícitos escritos de organizaciones como *Dixploitation*, *Kannalratten* en Alemania, NAMBLA, y la vertiente femenina de NAMBLA llamada *The Buttlerflykisses*. También el Manifiesto Homosexual de un autor bajo el seudónimo de Michael Swift, escrito en 1987. Dicho manifiesto, en síntesis, expresa la amenaza de hacer una revolución y su intención de conseguir que se aprueben leyes que fomenten el amor entre dos hombres. Declara que nuestros hijos serán sodomizados en las escuelas, en las universidades, en los parques de juego, etc. Expresa que la familia es un semillero de mentiras e hipocresías y será abolida, los niños serán criados en laboratorios y enseñados por intelectuales homosexuales. Las iglesias que se opongan serán cerradas y los ciudadanos que persistan en ser "heterosexuales"[53] serán borrados de posiciones de poder y procesados criminalmente en cortes homosexuales, etc.

A raíz de haberse publicado esas grotescas amenazas, el Congreso norteamericano comenzó una investigación sobre aquel manifiesto, pero desistió del asunto, pues sus defensores adujeron que tan sólo se trataba de una reacción histérica de los religiosos ante una expresión literaria, ante un mero desahogo de los *gayolas*. ¿Realmente fue un desahogo literario? ¿O sus amenazas se han ido cumpliendo?

Cuando evaluamos hoy esas metas de odio y destrucción hacia los menores, la familia, la iglesia y al sistema de gobierno democrático recogidas en ese Manifiesto Homosexual de 1987, es forzoso concluir que no fue un mero desahogo literario, sino que se están cumpliendo al pie de la letra. Tenemos que hacer frente a esta revolución.

Veamos algunos ejemplos concretos de los logros de ese manifiesto *gayola*:

1. "LEGISLATION SHALL BE PASSED WHICH ENGENDERS LOVE BETWEEN MEN." [DEBERÁN APROBAR LEYES QUE FOMENTEN EL AMOR ENTRE VARONES].

En algunos países la conducta homosexual se ha elevado a rango constitucional. Ecuador, Bolivia, Suecia, Canadá, México, Inglaterra, entre otros países, la han decretado como derecho civil protegido. Argentina, Brasil y el estado de Nueva York recién aprobaron leyes desintegrando el propósito del matrimonio y desfigurándolo con los pares homosexuales. El Presidente de Estados Unidos Barak Obama viene impulsando tal conducta. Incluso decretó el mes de junio, en el cual tradicionalmente se celebra el Día de los Padres, como mes del orgullo de las relaciones homosexuales. En su criterio, la nación norteamericana debe estar orgullosa de que los varones se laceren mutuamente sus rectos. O que las mujeres se masturben unas a otras con sustitutos profilácticos de pene. Obama, además, ha convertido tales conductas en requisitos para recibir beneficios y privilegios, pagados con fondos de todos los contribuyentes. A su vez ha nombrado a varios funcionarios de ideología *gayola* como parte de su gabinete y de la judicatura en todos los niveles, incluso al Tribunal Supremo. También en posiciones clave dentro del Departamento de Educación para impulsar la enseñanza *gayola* en las escuelas.

Mientras Obama eleva la conducta homosexual a un valor nacional, ha despotricado sendos discursos de odio contra los cristianos. Ha expresado que "el sectarismo es peligroso", y que son pasajes oscuros donde en el libro de Romanos se advierte sobre la homosexualidad. Obama ha proferido interpretaciones grotescas sobre la Biblia, sacando citas fuera de sus respectivos contextos.[54]

2. El manifiesto homosexual dice: Sodomizaremos a sus hijos, los seduciremos en sus escuelas, en sus dormitorios, en los gimnasios, en sus seminarios, en grupos juveniles, en el ejército. Serán hechos a nuestra imagen.[55] Ellos nos desearán y nos adorarán.

En Massachusetts los *gayolas* ya han propuesto que el Estado asigne fondos para que ellos les quiten los hijos a los padres que se opongan a la práctica homosexual para sus hijos. Que el Estado pague hogares *gayolas* y subvencione la persuasión a los niños para que abandonen a sus padres "homofóbicos"[56], refiriéndose a los padres y madres que no respaldan comportamientos homosexuales.

En algunas jurisdicciones se ha impuesto a la fuerza la homosexualidad, al punto que se enseña ese estilo de vida en las escuelas, y los padres que se oponen a esas enseñanzas son arrestados, como fue el caso en Massachusetts del Dr. David Parker[57]. En Inglaterra el Estado le quitó un hijo de crianza a un matrimonio cristiano por negarse a enseñarle homosexualismo y por no llevarlo a clubes juveniles de homosexuales[58]. Se han diseñado currículos y libros para que los niños escojan si desean ser nenas o nenes[59]. En Massachusetts se impone el día del silencio, donde se obligan a todos los estudiantes a ser adoctrinados con dicha conducta, y no se les permite expresarse en contra[60]. Situaciones análogas se presentan en Canadá y España, donde se hizo compulsorio el adoctrinamiento homosexual. Recientemente en California se ha comenzado con esa enseñanza a niños desde el kindergarten.

En Puerto Rico hemos denunciado varios libros de contenido altamente erótico y homosexual. Libros como *Quiero saber*, *Mejor te lo cuento*, etc. Incluso cuentos donde la historia de la cenicienta se ha sustituido por el romance "King and King", dos varones que se enamoran y se casan. Hasta en aritmética, el librito para enseñar el concepto del número dos, termina con una lámina de "dos papás" abrazados. Seguimos dando la lucha para que nuestros hijos no sean contaminados con esa agenda *gayola*.

También tenemos que ponernos en la brecha por los niños huérfanos. Al presente, el Departamento de la Familia ha colocado *gayolas* en posiciones que controlan el reclutamiento de trabajadores sociales, asegurando así no dejar entrar a nadie que pueda proteger a los huérfanos de adopciones por *gayolas*. El gobernador Luis Fortuño se hace el desentendido del control *gayola* en su administración.

3. El manifiesto dice: *Todo hombre que insista en mantener sus valores estúpidos de heterosexualidad serán procesados en los tribunales por jueces gayolas. Y serán eliminados.*[61]

Ya se han aprobado leyes que le permiten al Estado perseguir a todo el que exprese no estar de acuerdo con la conducta homosexual, y acusarles bajo "crimen de odio". Sacerdotes[62] y pastores[63] han sido procesados criminalmente por decir que la homosexualidad es un pecado. Los capellanes del ejército de Estados Unidos al presente están en la disyuntiva de abstenerse de predicar en contra de tales pecados y validar dichas conductas, o salirse del ejército[64]. Los profesionales que se oponen a estas conductas son despedidos[65] y demandados.

4. El manifiesto dice: *La familia será abolida y en su lugar los niños serán producidos en laboratorios y criados por homosexuales intelectuales.*[66]

En su afán de abolir la familia, ya se han eliminado obras de arte que muestran el matrimonio entre un hombre y una mujer, por ser una imagen ofensiva.[67] Un tribunal en Estados Unidos ha decretado que las palabras "matrimonio", "familia natural", "valores familiares" son palabras ofensivas en el lugar de trabajo.[68] Figuras millonarias de la farándula, como los *gayolas* Ricky Martin y Elton Jones, son ejemplos de cómo se han confeccionado hijos por un sastre de laboratorio, aboliendo los lazos de familia y el amor hacia la madre. Lo mismo ocurre cuando dos mujeres practican dichos procesos y privan a la criatura artificialmente procreada de tener un padre.

¿Cómo ha sido posible que esta aberración de una minoría haya llegado a convertirse en una realidad, que hoy pone en riesgo nuestra seguridad e integridad de la vida familiar, individual y social? Tomas Jefferson dijo: "El precio de la libertad es la eterna vigilancia". Hemos dejado de vigilar y estamos desunidos, mientras los *gayolas* se han sabido colocar en organizaciones de poder intelectual en diferentes campos de control de ideologías como la sicología. Ellos han unido todos sus recursos y talentos. Nosotros no.

Por ejemplo, en 2005 los *gayolas* dentro de la Comisión de Derechos Civiles de Puerto Rico ofreció varias charlas para promover la educación transexual. ¿A quién trajeron de perito? A un psiquiatra que a su vez es transexual y que se hace llamar Melanie Spritz[69] como mujer.

Psicólogos de ideología *gayola* promueven que la pedofilia no es dañina cuando el menor consiente.[70] No hay que ser un experto en conducta para saber que los niños no tienen madurez suficiente para tomar decisiones complejas como la de consentir actos sexuales con un adulto ni con otro menor. La agenda homosexual ha logrado alterar la objetividad y validez de la ciencia médica, siquiátrica y psicológica, poniendo en peligro la salud y el bienestar público mediante políticas de desinformación.

A su vez muchos políticos mal informados vienen cediendo a la presión de activistas homosexuales que ejercen profesiones de Derecho, Psicología, Psiquiatría, etc.[71] Vemos cómo se lucha por bajar la edad para consentir tener relaciones sexuales a edades tempranas de 12 y 14 años. Todo para dejarle el campo libre a los pedófilos y lanzar al mercado sexual a millones de menores. En Holanda, en 2006, se llegó a organizar un partido político cuya única agenda expresa era la legalización de la pedofilia, la enseñanza de pornografía y la prostitución para menores.[72]

Bajo estilos acostumbrados de presiones indebidas, insultos y chantajes, los grupos *gayolas* lograron en 1973 que la APA (Asociación de Psiquiatría Americana) eliminara a la conducta homosexual del Manual de Diagnóstico de Desórdenes Mentales (DSM). El Dr. Robert Spitzer, quien tuvo a su cargo redactar la resolución para eliminar la homosexualidad del DSM, siguió estudiando ese fenómeno conductual y en 2003 publicó un trabajo donde se retracta de aquel error.[73] Naturalmente, los medios de comunicación masiva controlados por los *gayolas* han querido suprimir esa noticia tan medular; y la academia opta por ignorarla.

La teoría de género y de orientación sexual que se enseña en las universidades fue desarrollada por el homosexual pedófilo Doctor en Zoología Alfred Kinsey[74] y el psicólogo bisexual Dr. John Money[75]. Por lo que varias generaciones de profesionales, incluyendo los abogados, médicos, periodistas, etc. que se han graduado en los pasados sesenta años han seguido repitiendo en su jerga la palabra "género", "orientación sexual", "parejas", etc., sin cuestionarse cómo surgieron todos esos conceptos.

Los principales medios de comunicaciones están controlados por ideólogos homosexuales. En el mundo hispano la propaganda masiva sigue un patrón frecuente y consistente en los programas de mayor audiencia como Caso Cerrado, con la abogada Ana María Polo, Veredicto Final, de la jueza Cristina Pereira, ¿Quién Tiene la Razón?, de Nancy Álvarez, y hasta el ícono de la televisión internacional hispana Sábado Gigante, con Don Francisco, entre otros. Todos esos programas están regulados por las redes de empresas *gayolas*. Los conductores de esos programas están obligados a repetir el mismo libreto, para que los productores los mantengan en el aire.

El libreto es un estereotipo que presenta la conducta homosexual como pobres víctimas, a los incomprendidos seres que "son un hombre encerrado en el cuerpo de una mujer" o "una mujer encerrada en el cuerpo de un hombre", reencarnaciones y otras ideas espiritualistas y ocultistas, para explicar como "ciencia" a la homosexualidad. Exaltan la "maravilla" que es tener dos madres o dos padres homosexuales y la "sagrada" familia de laboratorio del *gayola* Ricky Martin y sus pasiones sexuales, desde sus orinadas llamadas "lluvias doradas" hasta su romanticismo con otro *gayola*, etc.

El bombardeo diario por la cadena Univisión y otras emisoras, repitiendo esas supersticiones y mitos, es lo que el pueblo hispano oye y ve día a día en la televisión. Desde que se levantan hasta que se acuestan. Así que cuando se aprueban leyes que restringen nuestras libertades como padres y madres, o contra la libertad de expresión y de culto, en aras de imponer a la fuerza la conducta homosexual, el pueblo está tan desinformado que no reacciona a las serias consecuencias que se van apoderando de los niños. La mentira que tanto le han repetido se ha convertido en verdad. No porque lo sea, sino porque es lo único que se les informa en los medios controlados por la agenda *gayola*; en algunos casos envuelta en una cara bonita con fachada de un macho guapo y exitoso como Ricky Martin.

En Puerto Rico, el periódico de mayor circulación *El Nuevo Día* es la gaceta oficial de la ideología homosexual; y es distribuido gratuitamente en las escuelas como material "didáctico".

Los profesionales y figuras influyentes de la farándula que no son homosexuales han seguido repitiendo como papagayos las proposiciones de los magnates de la intelectualidad gayola. Es impresionante ver a profesionales que toman con una fe ciega esos discursos, sin tomarse la molestia de cuestionarse de dónde y cómo salió toda esa cosmovisión supuestamente "intelectual".

Cuando investigué estos temas a profundidad, me percaté de cuán enajenado está el pueblo, incluyendo a las clases más educadas y los cristianos, en torno a la agenda *gayola*. Ya algunas denominaciones como los episcopales, entre otros, han apostatado de la fe creyendo en esas pamplinas. De aquella investigación concluí cuánto peligro encierra todo eso para los niños, para nuestras libertades de expresión y libertad de culto. De cómo los pilares de nuestra vida democrática se vendrían abajo si no desenmascaramos la verdad de la agenda *gayola* y la resistimos, hasta que el Señor venga.

En resumen, la agenda *gayola* es una revolución que se está tornando cada vez más agresiva y peligrosa. El Manifiesto Homosexual así lo advirtió: "*We too are capable of firing guns and manning the barricades of the ultimate revolution*" [Somos capaces de tomar las armas y atrincherarnos en las barricadas de la última revolución]. La revolución descrita en el Manifiesto Homosexual amenaza con derrocar nuestra vida de pueblo democrático, abolir la familia y seducir a nuestra niñez. El Manifiesto Homosexual no era un mero desahogo literario, como le hicieron creer al Congreso. No podemos callarnos, hay que seguir combatiendo la mentira con la verdad.

Aviso al Secretario de Justicia

Ante ese devastador cuadro y un análisis de Derecho realizado, le rendí el informe al Secretario de Justicia sobre aquella petición de adopción y el problema de la homosexualidad, en el que le recomendaba que no autorizara las adopciones de menores por personas con problemas de identidad sexual.

Yo me encontraba en otra disyuntiva, pues conocía que el entonces Secretario de Justicia era de ideología *gayola*. Por lo que le solicité que de él determinar que su política pública fuese que los procuradores consintieran a dar en adopción a los huérfanos a personas con tal desorientación sexual, emitiera por escrito una orden o carta circular con su criterio sobre el asunto. Y que también fuera de conocimiento público. Después de todo, eso es lo que procede en el estricto derecho administrativo de una democracia, donde el pueblo tiene derecho a conocer todas las normas que se usan en la toma de decisiones administrativas. Pero nunca lo hizo, nunca fue de frente al asunto. Los *gayolas* no van de frente, trabajan bajo cuerda su invasión invisible, pero real.

Como en Puerto Rico los procedimientos de adopción son confidenciales, los indefensos huérfanos están siendo entregados a los *gayolas*, sin que el estado de derecho lo autorice; y todo ello a espaldas del pueblo de Puerto Rico. El problema es que los procedimientos de adopción son muy confidenciales y son *ex parte*. Si el ministerio público, o sea el Departamento de Justicia, se allana, el menor es entregado a la parte adoptante. Los niños quedan en total indefensión y el pueblo no se entera que esto esté pasando.

En otras jurisdicciones, como por ejemplo Massachusetts, abiertamente se ha aprobado esa injusticia contra los desvalidos huérfanos. La Iglesia Católica, en vez de defender a los huérfanos, optó por cerrar sus ministerios de adopción para evitarse demandas y sanciones por discriminar contra los *gayolas*, cumpliéndose así otra de las metas del Manifiesto Homosexual: "Las iglesias que se opongan serán cerradas..."

En búsqueda de un defensor judicial

Aunque el secretario Roberto Sánchez Ramos no se había pronunciado abiertamente como un ideólogo de la agenda *gayola*, yo sabía que sí lo era, al igual que su homólogo Secretario de Educación, el Dr. Rafael Aragunde, y sus respectivos antecesores la Lcda. Anabelle Rodríguez (hoy jueza en el Tribunal Supremo); el Dr. César Rey, hoy presidente de la Fundación Ricky Martin, y el Gobernador de turno en aquel momento Aníbal Acevedo Vila. Por lo que era de esperarse que el Secretario de Justicia, haciendo uso de la amplia discreción que le confiere la ley, me sacara del caso y lo reasignara a alguna otra procuradora que se sometiera a sus instrucciones meramente verbales y no le cuestionara. En cuyo caso yo quería asegurarle a aquel menor un defensor judicial que lo defendiera contra el abuso de discreción del Estado.

Busqué desesperadamente un abogado o abogada que tomara el caso como defensor judicial del niño. Todavía como parte de mis funciones yo tenía la autoridad para que se le nombrara un defensor judicial, que diera la batalla contra el Estado a favor de aquella criatura. En el poco tiempo que me quedaba hice múltiples gestiones, llamadas, y nadie se interesó por dar la lucha por aquel pobre niño.

Por órdenes de arriba, trataron de sacar de mi oficina el expediente del caso sin que yo me diera cuenta. Por supuesto, con la doble intención de tratar de imputarme alguna negligencia en el manejo de aquellos documentos, los cuales por ley son altamente confidenciales. Cuando llegó el agente especial a cumplir con aquel encargo, su disimulada misión quedó frustrada. Ni él ni ninguna de las secretarias pudieron encontrar en mi oficina aquel expediente. Y los documentos estaban allí.

Dios me había avisado que disfrazara el expediente. Les revelo lo que hice. Yo lo había segmentado en varios cartapacios bajo un tema general y un código que sólo yo reconocía. Una vez frustrada su gestión, al agente no le quedó otro remedio que decirme lo que buscaba y quién lo había mandado. Le obligué a firmar por la entrega del expediente.

Volviendo al tema del defensor judicial, un viernes antes de la segunda vista de aquel caso logré reunirme con dos abogados que se interesaron por el caso, adujeron que podían traer un perito y desarrollar una buena estrategia. Uno de ellos iría a la vista el siguiente lunes, para proceder con su nombramiento como defensor judicial. De manera que aunque me removieran del caso, la controversia en defensa del menor quedaría asegurada. Llegado el momento de la vista, ninguno de los abogados apareció. Les llamé y no contestaron. Nunca más se comunicaron conmigo ni contestaron mis llamadas posteriores a la vista.

El Secretario de Justicia nunca me removió formalmente del caso. Ni tan siquiera verbalmente. Yo esperaba que me devolvieran el expediente con las instrucciones correspondientes, o que me relevaran formalmente del caso con algún señalamiento en mi contra. Un día compareció a puertas cerradas en el tribunal la procuradora de otra región, y el menor fue entregado en adopción a aquel varón de conducta homosexual, en una vista que duró menos de veinte minutos.

Dios usó aquella amarga experiencia del verano de 2005 para traer la carga en mi corazón de organizar un grupo de abogados cristianos que se atrevan a ser de influencia para retomar el derecho y defender los principios de la familia y a los huérfanos desvalidos. Una organización para abogados cristianos que sientan el llamado de defender los verdaderos derechos humanos que nacen de la semejanza de Dios que Él puso en el ser humano.

La dignidad del ser humano es el lugar[76] que Dios nos dio al hacernos corona de su creación y crearnos a su semejanza. Cuando decimos que la dignidad del ser humano es inviolable, no es otra cosa que el lugar que Dios le dio en su creación. Nadie lo puede usurpar ni mancillar. Abogados que se atrevan a recordarle al mundo que las personas somos libres e iguales, y que la dignidad humana es un principio que nace de la relación entre Dios y la humanidad.[77] La vaga idea sobre la dignidad humana de los griegos y los romanos fue perfeccionada por las ideas del cristianismo.[78] Tenemos que retomar el pensamiento intelectual que por derecho nos pertenece.

Pasaron algunos meses y continúe haciendo varios acercamientos para organizar a los abogados cristianos. Al ver la apatía de los abogados y de varios pastores sobre esta idea, desistí de lo que Dios quería que hiciera.

En octubre del 2005 recibí las copias de dos resoluciones del Colegio de Abogados de Puerto Rico (CAPR) que me despertaron del letargo. Una resolución expresaba que su agenda "era erradicar toda manifestación que aún persista en Puerto Rico contra la orientación sexual"; y la otra expresaba su defensa hacia el concubinato y las llamadas "uniones de hechos" o "sociedades domésticas".

Reconocí la fuerza que conlleva esa frase de "erradicar toda manifestación que aún persista"; es un claro frente de ataque a la libertad de expresión y de culto. Era el germen de tiranía que ya se está registrando en otros países para imponer la agenda *gayola*, que no es otra cosa que un sistema de gobierno homosexual. Ya era un peligro inminente. El CAPR abrió fuego contra el matrimonio entre un hombre y una mujer, fomentando con sus resoluciones el concubinato y las relaciones homosexuales. La política de una entidad como el Colegio de Abogados le impartía una apariencia de ética a la inmoralidad sexual. Aquellas resoluciones del CAPR proponen legitimar las peores conductas humanas y castigar las mejores opciones de vida civilizada. Y yo era parte de ese Colegio, porque la colegiatura era compulsoria. Ese tipo de lenguaje de corte dictatorial de los *gayolas*, era indicativo de que ya su política amenazante contra toda la población estaba dentro de Puerto Rico. De pronto me sentí seriamente intimidada por la posición oficial del CAPR, y siendo la colegiación compulsoria, desafiar aquel ordenamiento podía traerme serias repercusiones éticas, tal como viene ocurriendo a los profesionales en otras jurisdicciones.

Sabía que Dios me estaba apurando para organizar a los abogados cristianos, y me sentía consternada ante aquella política institucional del CAPR. Puse delante de Dios ese pensamiento de temor. La Palabra nos dice que llevemos cautivos nuestros pensamientos a los pies de Cristo.[79] Dios me llenó de indignación, fuerzas y determinación para hacer lo que debía hacer. Sentí en mi corazón su voz: "No te van a tocar, le voy a dar la victoria a Castell". ¿Castell? Esto último no lo entendía en aquel momento. Semanas después me percato que en las noticias se estaba hablando de un licenciado Castell, que estaba llevando un litigio contra el Colegio de Abogados, cuestionando la colegiación compulsoria por otras razones que no viene al caso mencionar aquí.

MI AMIGO MARDI

Dice la Palabra que en la multitud de consejeros está la victoria.[80] Dios puso en mi corazón que consultara este proyecto con un siervo de Dios excepcional. Cariñosamente le decimos Mardi, el diminutivo de Mardoqueo. Porque Mardi por mucho tiempo venía alertando a nuestro pueblo sobre la agenda de los pedófilos y los serios problemas de familia y violencia doméstica que genera la inmoralidad sexual rampante en el país.

En el libro de Ester se cuenta cómo Dios usó a Mardoqueo para rescatar el pensamiento intelectual del imperio persa a favor de su pueblo. En aquella época, Israel estaba sometido al imperio persa. La vida de Mardoqueo es una inspiración para los profesionales, los emigrantes y los pueblos sojuzgados. A pesar de que Mardoqueo era un extranjero, un judío, no se dejó oprimir por la desventaja social y política que estaba oprimiendo a Israel. Mardoqueo era un hombre preparado y llegó a ocupar un puesto de escribano en las cortes del rey persa. Este personaje es un ejemplo de lealtad para todo profesional. Usó su posición de letrado del rey, primero para evitar un complot contra el rey, y segundo para dar aviso y luchar contra el decreto de muerte emitido contra su pueblo.

En su vida privada Mardoqueo se hizo cargo de criar a una prima huérfana[81], Hadasa. Mardoqueo le dio a Hadasa una formación intelectual con los principios del reino de Dios y su justicia. Eventualmente, Dios transformó aquella niña judía huérfana en una preciosa mujer espiritual, y llegó a ser reina en Susa, la capital del imperio persa. Ester fue un vaso de Dios en aquel tiempo para salvar a su pueblo.

Así como Mardoqueo hizo, debemos defender y transmitir los valores del reino a las próximas generaciones, con particular atención a los niños olvidados, a los huérfanos. Tengamos presente que los huérfanos han pasado a ser presa fácil de la agenda *gayola*, so pretexto de que es mejor entregarlos a los "amorosos hogares de homosexuales" que dejarlos en los orfanatorios. Las dos alternativas son igual de lamentables para la niñez de cualquier ser humano.

Tanto en San Francisco como en Boston[82] las iglesias optaron por cerrar sus valiosos ministerios de adopciones, ante la presión del Estado de aplicarles fuertes sanciones si se negaban a entregar los niños en adopción a los homosexuales. El Estado se negó a hacer una excepción para las iglesias en las leyes que legitiman la homosexualidad o la desorientación sexual. Ese es uno de los efectos de leyes que elevan a derecho civil la actividad homosexual.

Mardoqueo, Ester y el pueblo se unieron en oración y ayuno, no solo rescataron el pensamiento intelectual de su época, sino que también lograron cancelar la sentencia de muerte que fuera decretada contra el pueblo por el rey, instigada por Amán. Eventualmente Mardoqueo llegó a ser segundo en el reino[83]. Mardoqueo y Ester retomaron el pensamiento intelectual y resistieron aquel otro pensamiento intelectual "amánico" (de Amán, el asesor del rey) que sólo producía decretos de muerte. Mardoqueo y Ester lo vencieron y les fue dada autoridad por el rey para reescribir decretos de vida para su pueblo.[84]

Tenemos que ser como Mardoqueo y como Ester. Usar nuestro intelecto, nuestras posiciones, profesiones, todo lo que somos y tenemos, para cancelar toda esa ideología y decretos de muerte; debemos procurar el bienestar de nuestro pueblo y sembrar paz para nuestro linaje. Repito, somos linaje escogido, real sacerdocio[85], familia de Dios. No es que seamos una casta superior. No, no es eso. Dios no quiere que ninguna alma se pierda. Jesús murió por la raza humana completa, incluyendo a sus enemigos. Incluyendo a los homosexuales cautivos por el maligno. También debemos trabajar para sanar y alcanzar a estos seres humanos que tanto nos necesitan.

Las personas de conducta homosexual, sus familiares, claman y gimen por ser liberados. Ellos necesitan nuestra amorosa intercesión e intervención para que reciban la verdad, y la verdad les hará libres. Pero cómo han de ser liberados, si el Estado quiere controlar la libertad de culto y dictar qué se debe o no predicar y las condiciones en que las iglesias han de ejercer sus ministerios con respecto a este fenómeno del homosexualismo. Se pretende que los cristianos no puedan abrir la boca pacíficamente.

El concepto de linaje escogido se refiere a que una vez hemos aceptado a Jesús como nuestro Salvador, el Padre nos adopta[86] como hijos y nos enviste de poder para testificarles a otros de su amor, de su reino. Nos ha llamado a ser de impacto donde quiera que vayamos y con todo lo que sabemos hacer, decir, pensar y crear. Sin embargo, muchos creyentes han optado por un nuevo ministerio, "ser de la secreta", cuando todavía estamos a tiempo para luchar e impedir que nuestros hijos caigan bajo la bota totalitaria de los *gayolas*. Algunos creyentes no quieren que nadie sepa que son cristianos, y tampoco realizan sus deberes como creyentes, dejándole el campo a los "Amanes" y allanándose a todo decreto de muerte. Pensando, equivocadamente, que ellos o sus hijos no serán tocados por los planes de la agenda *gayola*, prefieren no meterse en estos asuntos. Hacen como el avestruz, bajan su cabeza, entierran su autoridad pensante, y como no ven debajo de la tierra, se creen que nada pasa a su alrededor. Cuando les arranquen sus hijos será demasiado tarde.

Ante el temor, la indiferencia y vagancia de muchos cristianos, y el protagonismo entre muchos pastores, la Iglesia en consecuencia ha ido perdiendo presencia en la vida social. Cuando decimos iglesia no nos referimos al control institucional de alguna denominación, ni a los edificios de los templos, ni las estructuras eclesiásticas o grupos religiosos. Nos referimos al quehacer de cada cristiano como testigo de Jesús en donde quiera que estemos.

Nuestro amigo Mardi, a quien pudiéramos compararlo como un Mardoqueo boricua, un escribano en las cortes del rey, un erudito en los principios del reino de Dios y su justicia y un intelectual en las leyes humanas, ha sido un gigante de Dios en Puerto Rico para esta hora del reino. Dios lo ha usado grandemente para avisar al pueblo de Puerto Rico de las funestas consecuencias de la agenda *gayola* en la niñez, y ha sido mi mentor para darme formación en este raro ministerio. En esta extraña obra.

Dios me llevó a reunirme con Mardi y le expresé la carga que Dios había puesto en mi corazón. Con cuanta alegría Mardi recibió aquella noticia. Me dijo muy entusiasmado que por muchos años el anhelo de su corazón era que se levantara un grupo de abogados cristianos. Mardi me contó que en el pasado hubo varios intentos de organizar abogados cristianos pero en poco tiempo se disolvieron. No era una tarea fácil la que Dios me había dado. Dialogamos sobre el borrador del código civil, que para entonces se mantenía en secreto para la inmensa mayoría del pueblo. Solo unos privilegiados en el Gobierno teníamos acceso a ciertos documentos en proceso. Yo, como procuradora, conocía su contenido.

Aunque nuestras leyes hablan de derecho al acceso de información en asuntos públicos, lo cierto es que no hay tal acceso, amplio y abierto. Porque los funcionarios mienten, y la gente no se atreve a exigir sus derechos ante los tribunales. La maquinaria *gayola*, aprovechando esa indebida "secretividad", van infiltrando sigilosamente sus conceptos en el poder para lanzar su revolución, impulsando normas internas, leyes y decisiones para erradicar la relación hombre-mujer y proclamar un sistema de gobierno homosexual. Además, vienen utilizando la metodología de propaganda ideológica socialista radical.

Mardi me ayudó a establecer las estrategias de búsqueda, que eventualmente nos llevó a sacar a la luz pública la verdadera agenda detrás de aquel funesto borrador del código civil. Después de aquella reunión, la Alianza de Juristas Cristianos (AJC) quedó en la oración constante de Mardi.

LOS PODEROSOS DE DIOS

En 2005, como yo no era muy diestra en la computadora (todavía no lo soy), me pasó algo muy curioso como parte de mi impericia tecnológica. Un día estaba leyendo en el portal de internet de CADES (Catedral de la Esperanza). Me llamó mucho la atención una imagen de un círculo que parecía una bolita o un botón con un fondo en azul claro, que decía: "Los Poderosos de Dios". Quise leer aquello, así que "cliquee" en el recuadro, y la imagen se amplió en la pantalla de mi computadora. Como no decía nada más, intenté salir de esa ventana informativa. Yo no sé qué fue lo que hice pero aquel mensaje se quedó fijo en el *screen* (la pantalla de mi computadora). En vano traté de eliminarlo, una y otra vez, pero no sabía cómo hacerlo. Después de pasar mi reacción de coraje y frustración ante mis limitaciones cibernéticas, volví a intentarlo, sin éxito.

De pronto entendí que era la manera en que Dios estaba llamándonos a los que se irían sumando a AJC: "Los Poderosos de Dios". Desistí de borrar esa pantalla, y me arrepentí ante Dios de mi coraje y frustración.

Dios quitó todo impedimento

Según les he mencionado, la decisión de retirarme no era tan sencilla. Quedarme hasta finalizar mi nombramiento en junio de 2007 significaba retirarme con una pensión un poco más alta para mi vejez. Así se lo dije a Dios. Me contestó: "Te vas ahora". La diferencia en dinero se la dejé en sus manos. Por lo que le pedí que me abriera nuevas alternativas para ejercer mi carrera y ganar más dinero. Aún no entendía que Dios me estaba llamando a dedicarme a tiempo completo en este poco usual ministerio.

Dios se encargó de facilitarme el retiro. Aunque yo tenía los treinta años de servicio, no tenía acreditados varios de esos años en el sistema de retiro, porque mis primeros años de servicio fueron trabajos temporeros y no cotizaban para el sistema de retiro. Más Dios en su perfecto plan cambió aquel impedimento para mi retiro. ¿Habrá algo difícil para Dios? Meses después el Gobierno aprobó una ley especial que me permitiría retirarme y seguir pagando las aportaciones que me faltaban. En efecto, me aprobaron un plan de pago de $700.00 mensuales durante los tres primeros años de mi retiro. No era la primera vez que Dios cambiaba una ley para moverme en su voluntad. En alguna otra ocasión les contaré sobre esto.

También necesitaba la ayuda de Dios para resolver un acuerdo previo con mi esposo. Cuando nos casamos en 1997, Michael y yo habíamos acordado que él se mudaría de Florida hacia Puerto Rico, hasta que yo me retirara. Le había prometido que cuando me jubilara nos iríamos a Florida, donde viven dos de sus hijas y algunos familiares míos. Dios es muy respetuoso de los pactos, así que le presenté ese asunto a Dios, pues su asignación implicaba que debía seguir en Puerto Rico, y yo no debía romper aquella promesa. Mi esposo Michael y yo constantemente hablábamos de nuestros planes y hasta buscábamos información por internet sobre las compraventas de casas en Florida. Yo no le podía romper sus sueños sin que ello afectara nuestra relación.

Dos semanas después de presentarle este asunto a Dios, un día mi esposo sorpresivamente me dice que él deseaba quedarse dos años más, porque sus papás estaban viejos y no se sentía preparado para dejarlos solos en Puerto Rico. Para ese tiempo Michael no hubiera comprendido que en su cambio de planes era Dios dirigiéndole como cabeza del hogar. Tampoco me hubiera comprendido esta experiencia de que "Dios me dijo"; su fe no estaba en ese nivel. Entonces por primera vez le hablé de que me iba a dedicar a organizar un grupo de abogados cristianos. Michael estuvo de acuerdo, y a partir de ese momento ha sido mi más decidido colaborador. Para diciembre de 2005, Dios había eliminado todo obstáculo, para que me dedicara a levantar este ministerio.

Me reuní con mi pastor Dr. José Martínez y le expliqué todo esto que estaba bullendo en mi vida. ¡Gracias a Dios por mi pastor! Él autorizó a que se anunciara en el boletín de la iglesia un modesto aviso, donde se exhortaba a todos los hermanos de la iglesia a que invitaran a todo abogado cristiano que conocieran para que viniera a una reunión. Con la ayuda de la hermana Delma, convocamos para el 18 de enero de 2006 la primera reunión para reclutar abogados cristianos. En aquella primera reunión estuvo presente la Presidenta de Mujeres por Puerto Rico, quien luego de expresar su más decidido apoyo a esta nueva gesta, me regaló el versículo de Ester: "...¿y quién sabe si para esta hora has llegado al reino?" (Ester 4:14). También estuvo presente el pastor Reynaldo Arroyo. Aunque él no era abogado fue un asiduo asistente de nuestras reuniones durante el primer año, y comenzábamos con su bendición pastoral en cada reunión. Arroyo tuvo un rol espiritual protagónico y muy querido en AJC.

Me retiré el viernes 30 de marzo de 2006, y el lunes siguiente, por invitación del pastor Reynaldo Arroyo de las Iglesias Pentecostales MI, ya me encontraba junto a un grupo de pastores en las escalinatas del Capitolio, apoyando al entonces presidente de la FRAPE[87], el Hno. Torres Velázquez, en protesta por unos proyectos de legislaciones anti familia que se perfilaban. Entre ellos el *P del S 1585*, que pretendía declarar la conducta homosexual como un derecho civil.

Sin darnos cuenta, Dios nos estaba llevando a destruir una genial estrategia al enemigo. Aunque no nos demos cuenta de lo que hacemos o decimos en un momento dado, cuando estamos bajo su dirección, debemos confiar. Dios sabe muy bien lo que hace y cómo mueve a sus guerreros.

Aquella maquiavélica estrategia de los *gayolas* consistía en lograr la aprobación de una ley mordaza a través de aquel proyecto *P del S 1585*, antes de que bajara el borrador del código civil. De manera que las personas tuvieran temor de ser demandadas o acusadas por violar aquella propuesta ley, al hablar en contra del contenido de aquel borrador de código civil cuando saliera a la luz pública. Pues el libro de derecho de familia estaba predicado sobre los postulados de la agenda homosexual. El *P del S 1585* presentado por el entonces presidente del Senado Kenneth McClintock (PNP)[88] por arte de magia legal (*Fíat legal*), convertía la conducta homosexual en un derecho civil. Establecía unas consecuencias legales contra toda expresión, creencia y acciones que se hicieran hacia la conducta homosexual. De manera que el estado de derecho hubiera inhibido a la gente de expresarse en torno al contenido anti familia del código civil, porque resultaría ofensivo contra los proponentes *gayolas*.

Dios conocía las maquinaciones que existían antes de que bajara el borrador del libro de derecho de familia. Nos estaban preparando una mordaza jurídica para desalentar las críticas contra el cambio revolucionario y dictatorial de la agenda *gayola*, contenida en aquel borrador y preparado para sojuzgar a nuestro pueblo bajo un "sistema homosexual", para abolir la familia, según lo disertado en el Manifiesto Homosexual de Michael Swift, fundamentado a su vez en la ideología engeliana-marxista[89].

Muchos desconocen que la agenda homosexual es una ideología impulsada por los radicales socialistas, que les permite dar un golpe de estado a las libertades democráticas y someter a los países democráticos sin disparar un solo tiro. Esta es la revolución que fue pronosticada por el Manifiesto Homosexual desde 1987.

Es irrisorio como Estados Unidos invierte millones y millones de dólares en seguridad nacional para velar por sus libertades contra regímenes totalitarios, cuando ya el propio gobierno de Obama y varios Estados vienen impulsando la agenda dictatorial socialista radical de los *gayolas*. Tienen el caballito de Troya en el centro intelectual, con el enemigo dentro.

El juguete de la lasciva sexual enceguece el entendimiento hasta de los más conservadores, y van cayendo en las redes de ideologías represivas. El libreto de que los homosexuales son tristes víctimas del discrimen se está usando para empoderar la más siniestra agenda e imponer un sistema homosexual compulsorio, con el objetivo inmediato de dañar a nuestra niñez, quitándoles todo derecho a los padres para defender a sus hijos, tal como lo pronosticó el Manifiesto Homosexual.[90]

En el caso de Puerto Rico, AJC pudo detectar y alertar a la legislatura que el borrador del código copiaba expresamente la visión del código de la vieja Checoslovaquia comunista[91]. Estaba disfrazado de un liberalismo sexual, con un juego de palabras a favor de homosexuales y relaciones extramaritales[92] para seguir debilitando la institución de la familia. Solo con la dirección de Dios fue que pudimos darnos cuenta de algo que no se veía a simple vista en el borrador del código.

Invitaciones para el próximo nivel

Durante aquella manifestación de pastores de la FRAPE conocí al señor Aníbal Heredia, que me invitó a asistir a unas reuniones de programas con fondos federales de base de fe. Él me invitó con tales propósitos y para buscar adeptos para su candidato a la Gobernación, en aquel entonces el Comisionado Residente en Washington Lcdo. Luis Fortuño. Pero Dios tenía otros propósitos.

Para los meses de mayo y junio de 2006 y por invitación de Mujeres por Puerto Rico (MPPR), di mis primeras conferencias denunciando parte del contenido del borrador del código civil. MPPR me dio el privilegio de ser parte de un panel junto a invitados internacionales, entre ellos, de *Focus On the Family*, el Lcdo. Yuri Mantilla, de Colorado, y el pastor Sixto Porras, de Costa Rica, y por supuesto, la presidenta de MPPR, la psicóloga Yolanda Miranda. La primera conferencia se hizo en La Catedral de la Esperanza, la segunda en el Senado de Puerto Rico y la tercera en el Colegio de Abogados.

De aquellos dos eventos, el de la FRAPE y el de MPPR, surgieron dos invitaciones, para que fuera en el mes de junio de 2006 a Washington DC junto a varios pastores, liderado por el señor Aníbal Heredia, al desayuno de oración anual del entonces presidente Jorge Bush, y a la oficina del entonces comisionado residente Lcdo. Luis Fortuño, actual Gobernador de la Isla. Simultáneamente, Dios puso en el corazón de los hermanos de *Focus On The Family* que nos invitaran a Costa Rica a la

Hna. Yolanda Miranda y a mí. Dios era y es quien me hace la agenda. Aquellos viajes tuvieron un propósito jamás imaginado por mí.

¡Cuán valiosa es la función pastoral! No fue hasta el 2006 que supe de la existencia de la *Alliance Defense Funds* (ADF), cuando un día mi pastor, el Dr. Martínez, me hizo llegar una solicitud para la Academia Nacional de la ADF. Esta prestigiosa organización ofrece anualmente becas para adiestrar abogados en defensa de la libertad de expresión, de culto, valores de la familia y santidad de la vida humana. Aquello era un regalo del cielo, sumamente importante para el desarrollo de la Alianza de Juristas Cristianos (AJC). Las fechas establecidas para aquella academia me coincidían con la invitación que había aceptado previamente de parte de Transforma Latinoamérica, en Costa Rica, y no podíamos perder ninguna de esas dos preciosas oportunidades.

El Dios que nos llamó nos estaba preparando. Así que les presenté esa oportunidad a dos de las jóvenes abogadas que estaban asistiendo a las reuniones de AJC en aquel entonces. La Lcda. Ester Segunda aceptó. Ella fue nuestra primera enviada a ADF en el verano del 2006. Cuando regresó de aquella fabulosa experiencia, la Lcda. Segunda se convirtió en una reclutadora entusiasta de AJC. Ella reclutó al Lcdo. Blue. Ya para el mes de octubre de 2006 habíamos enviado al Lcdo. Blue a otra de las academias de ADF. El Lcdo. Blue, aquel brillante joven abogado, precioso vaso del Señor, vino a ser el redactor principal del borrador del proyecto de enmienda constitucional en defensa del matrimonio entre un hombre y una mujer.

El viaje a Washington, DC

Durante el viaje a Washington, en junio de 2006, tuve el privilegio de conocer al Honorable Representante Norman Ramírez, de Puerto Rico. Él representa una zona distante del suroeste del país, la cual yo no frecuentaba. Yo vivía en la zona metro, más próxima del noreste de la isla mayor del archipiélago de Puerto Rico. Prácticamente al otro extremo. ¡Qué cosas se ingenia Dios! Fui a Washington, DC a conocer a un legislador de Puerto Rico.

Aquel viaje coincidió con la discusión del proyecto de enmienda a la Constitución federal para elevar a rango constitucional el matrimonio entre un hombre y una mujer. La enmienda no pasó, porque algunos políticos, como la senadora Hillary Clinton[93], usaron como pretexto que el matrimonio era un asunto de familia, del ámbito doméstico de cada Estado.

Dios usó aquella experiencia en Washington para abrir mis ojos. Me dio la convicción de trabajar por una enmienda constitucional en Puerto Rico. De pronto me di cuenta que allí Dios nos hizo una cita divina. Él nos llevó allá, no solo a tomar conocimiento sobre la enmienda, sino a encontrar su conexión con el representante Ramírez. Dios me indicó que le dijera a aquel Representante que debía presentar ese tipo de enmienda constitucional en Puerto Rico. Yo no sabía cómo él iba a tomar mis expresiones, pero se lo dije. El Honorable Representante sin vacilar me expresó su más decidido apoyo. Me dijo: "¡Claro que sí! Vamos a trabajar, y la presentaremos". Dios también le puso esta carga en su corazón. Sigo aprendiendo que cuando Dios te envía a decir algo no hay que temer. Solo hay que decirlo, y Él hará lo demás.

Unas semanas después de regresar de Washington salí para Costa Rica. Cuando regresé comencé a trabajar en lo de la enmienda. Dios me dijo: "Tú, no". ¿Por qué? Me sentía súper entusiasmada con hacer la investigación jurídica y redactar aquella enmienda. Comprendí que ese privilegio le tocaba a otro. Así que lo delegué a una de las jóvenes abogadas, pero luego ella no quiso seguir con la encomienda. Seguí orando, y meses después ingresó a AJC el Lcdo. Blue. Este tiene una excelente experiencia investigativa y de redacción jurídica. Con un corazón agradable a su Dios. Como Dios solo sabe seleccionar, era el abogado que trajo para hacerse cargo de aquel proyecto, junto a otros colegas. En diciembre de 2006 estuvo listo el proyecto de enmienda para elevar el matrimonio a rango constitucional.

Esta experiencia me enseñó que aun cuando Dios nos hace un llamamiento tenemos que respetar el ámbito de su llamado. Hubiera disfrutado en hacer yo el estudio y redacción de la enmienda. Quería hacerlo. Después de todo Dios me había puesto en medio de aquel escenario. Él me había llamado a organizar a AJC. Y me desesperaba ver pasar el tiempo sin que se redactara.

Tenemos que aprender que Dios quiere que trabajemos como un cuerpo, que no seamos egoístas con los ministerios. Otros tienen que ser bendecidos en el plan de Dios, como le pasó a David con Salomón.

David como rey tenía toda la capacidad, los recursos y todo el poder para construirle el templo a Jehová. Sentía celo por las cosas de Dios, amaba a Dios. Dios le hizo rey, y David deseaba agradarle; pero tuvo que hacerse a un lado cuando Dios mismo le dijo: "Tú, no"[94]. La bendición de la construcción le tocó a su hijo Salomón.

El apóstol Pablo, un hombre brillante y doctor de la Ley, escritor de las cartas del Nuevo Testamento y quizá el más prolífero de los apóstoles, tuvo que depender de Ananías[95] para que lo instruyera en su ministerio. Como hijos de Dios, no importa los títulos que se tengan, tenemos que aprender a trabajar como un cuerpo, incluso con hermanos con menos experiencia o preparación académica, llamados por Dios; sometiéndonos los unos a los otros en el temor de Dios (Ef. 5:21). Porque Él no hace acepción de personas.

Para retomar el quehacer intelectual hay que entender que no podemos ser "casa sola", egoístas, arrogantes ni profesionales omniscientes. Cada profesional cristiano debe reunirse con colegas de sus respectivos campos, bajo la dirección de Dios, y poner sus coronas y títulos a los pies de Cristo, rompiendo fronteras políticas y de denominaciones. Luego hay que hacer alianzas interdisciplinarias, porque ninguna especialidad es suficiente por sí misma para dar esta batalla, para resistir en esta guerra cultural.

Cabe preguntarse: ¿Están los profesionales cristianos conscientes de que estamos en una guerra cultural? Charles Colson, en su libro *La fe* dice: "Tenemos dos comisiones debidamente autorizadas. La primera es la Gran Comisión de ir y haced discípulos y bautizarlos (Mateo 28:19). Y la segunda e igualmente importante consiste en llevar la justicia de Dios para que impacte a todo en la vida, ejercer nuestro dominio, realizar las tareas que se nos dan en los primeros capítulos de Génesis, llevar la influencia redentora a una cultura caída". A esto Colson le llama la Comisión Cultural[96].

Podemos decir que la comisión cultural se menciona en el libro de Daniel, dentro de un panorama sombrío. La Palabra lo llama tiempo de angustia, cual nunca fue desde que hubo gente hasta entonces. Y la gran comisión cultural para los creyentes dentro de ese caótico cuadro es que no nos rindamos, sino que hagamos resplandecer su reino. Como dicen las Escrituras, los entendidos resplandecerán como el resplandor del firmamento; y los que enseñan la justicia a la multitud, como las estrellas a perpetua eternidad[97]. Tenemos que enseñar la justicia a la multitud. Justicia no es otra cosa que aplicar en todo lo que hacemos los principios que Dios ha decretado. Impactar e invadir al reino de las tinieblas con el reino de la luz.

El primer viaje a Costa Rica

Apenas mi bebé AJC estaba en la cuna, y para el mes de mayo de 2006, MPPR me otorgó un reconocimiento por la defensa de la familia, junto a otros distinguidos hermanos que vinieron de Costa Rica, el pastor Sixto Porras, y desde Spring, Colorado, el Lcdo. Yuri Mantilla, abogado en Derecho Internacional de la organización *Focus on the Family*. Dios usó a la organización Mujeres por Puerto Rico para confirmar una vez más este llamado, esta "operación extraña".

Aquellos hermanos informaron a su organización de nuestro humildes pininos[98] en AJC, y nos invitaron a Costa Rica. Apenas llevaba unos seis meses tratando de interesar a los juristas cristianos para la defensa de los valores de la familia y la libertad religiosa, cuando me notificaron la invitación. Yo les decía: "Pero es que no sé nada de las leyes de Costa Rica, ¿de qué puedo hablarles allá?" Ellos me dijeron: "No se preocupe, hermana, solo venga". Dios no me llevó allá a dar, sino a recibir.

Dios nos había llevado a un retiro espiritual de Transforma a Latinoamérica, con los evangelistas internacionales Alberto Mottesi y Luis Bush. Estar junto a esos gigantes del evangelio ha sido un lujoso y exquisito regalo del cielo. Ha sido una inagotable bendición, que ciertamente marcó mi vida y sigue influenciando mi presente cada día. Tuve el privilegio de hacer aquel viaje junto a la presidenta de MPPR, la psicóloga Miranda, mujer de dulce y serena voz. A ambas allí el Señor nos dijo que nos usaría grandemente en Puerto Rico. Dios le dio la encomienda a Miranda de interceder por una alta figura de la política de Puerto Rico. A mí Dios me dio el nombre del Lcdo. Castell, y me ordenó que al llegar a Puerto Rico lo buscara, le diera un mensaje que me dio y que fuera a orar por él. Era la segunda vez que Dios me mencionaba a esa persona.

Fueron tres intensos días de retiro espiritual de un grupo selecto de unas quince personas de varios países latinoamericanos. Orando, adorando a Dios y escuchando su Palabra por medio de aquellos gigantes varones de Dios, dando inicio al llamamiento de Transforma Latinoamérica. Allí se reunieron otros reconocidos pastores y líderes de sus respectivos países. Yo estaba en la gloria, me sentía más que privilegiada de estar allí. Pero le decía a Dios: "Señor, ellos son hijos prominentes en el evangelio, varones y mujeres de oración, de vida profunda, de conocidas gestas del evangelio. ¿Quién soy yo entre ellos? Yo no soy pastora, ni líder espiritual. ¿Para qué estoy aquí?"

Precisamente Transforma Latinoamérica (TLA) es la visión de la Comisión Cultural. Es el llamado a impactar en todas las esferas políticas, profesionales, deportes, medios de comunicaciones, salud, educación, economía, leyes, etc. Todo. La Palabra bien claro dice que de Dios es toda la tierra y todos los que en ella habitan[99]. TLA es un llamado al sacerdocio universal. Cada creyente tiene que impactar su ámbito de familia, su trabajo, su profesión, su Gobierno, la economía, la educación, el ambiente, las leyes y la política de su país. Todo el quehacer humano. Todo le pertenece a Dios.

Como creyentes estamos llamados a retomar el pensamiento intelectual. Sencillamente porque, como dicen las Escrituras, el anhelo ardiente de la creación es ver la manifestación de los hijos de Dios[100]. Tenemos que manifestarnos en todo lo que sabemos hacer, para la gloria de Dios.

Aquel retiro en Costa Rica fue una confirmación contundente del llamamiento de Dios a esta "extraña operación". Dios nos dijo a Miranda y a mí por voz del evangelista internacional Alberto Mottesi que nos usaría para una gran obra en Puerto Rico y otras partes del mundo. Que toda Latinoamérica vería como en una ventana lo que Dios haría en la isla del Cordero. Desde entonces estoy a la expectativa de ver eso tan especial que Dios ha de hacer en Puerto Rico, para su gloria. ¿Qué será? ¿Cómo? ¿Con qué? Pues yo no soy pastora, ni líder espiritual, ni predicadora, ni figura pública. En mi iglesia yo era solo una maestra de Amistades Bienaventuradas, constituido por un grupo de personas solas. Apenas estaba comenzando un pequeño grupo de abogados, con una asistencia bien irregular y de poco compromiso, en aquel entonces. Hoy Dios ha reunido verdaderos hombres y mujeres de Dios, que toman en serio su llamado, y Dios les seguirá sumando a AJC.

Aquel impensado viaje a Costa Rica fue la preparación espiritual para afrontar los desafíos en que Dios me pondría. Desde entonces le llamo a Costa Rica la embajada del cielo.

Orar por un extraño

A la hermana Miranda Dios la comisionó a ungir a una conocida figura pública de Puerto Rico. Si ella lo hizo no lo sé, nunca se lo he preguntado. A mí Dios me instruyó a que buscara al Lcdo. Castell y fuera a orar por él. En aquel entonces, ese abogado tenía un programa de radio con comentarios de asuntos políticos. Así que me interesé en saber más sobre ese caballero, y a veces escuchaba su programa, tratando de descifrar lo que Dios quería.

En los días siguientes a aquellos viajes a Washington y Costa Rica, Dios comenzó a mostrarme proyectos, ideas, visiones que no entendía entonces. Seguí reuniendo a los abogados, pero no me atrevía a procurar al Lcdo. Castell. Levantaba todos los argumentos habidos y por haber para no obedecer a Dios. Los temores y las excusas para no hacerlo fueron mi mecanismo de defensa para prolongar ese momento e inclusive olvidarlo. Mi ego u orgullo me detenía, pues me decía: *Ese hombre va a pensar que soy una loca, de seguro me va a rechazar. Qué va a pensar de mí. Si llamo a su oficina, no me van a dar cita, a menos que les diga para qué quiero verle. Si digo para lo que es, me van a ignorar.* Así que preferí seguir buscando excusas y postergando el encuentro.

Una tarde, luego de terminar una reunión en la oficina del pastor Arroyo, salí en mi auto rumbo al centro Río Piedras. Tomé el tramo de la carretera de Caguas hacia Río Piedras. Mientras guiaba iba escuchando el programa de radio en que participaba el Lcdo. Castell junto a otro abogado. De pronto les fue interrumpido su programa para dar paso a un boletín de emergencia anunciando una tormenta para Puerto Rico. En efecto, era la temporada de huracanes en el Caribe. Mientras, iba acercándome a la luz de la intersección; justo a la derecha se llega a aquella emisora. Cuando me detuve en la luz, sentí en mi corazón que el Espíritu Santo de Dios me estaba redarguyendo, y me dijo: "No va a haber tormenta; interrumpí el programa para que vayas ahora a orar por Castell. Dile que no habrá tormenta y que lo hice para que cumplas con lo que te mandé en Costa Rica".

Me puse fría del susto. Avergonzada por mi desobediencia, giré a la derecha y entré al estacionamiento de aquella emisora. Me estacioné y entré corriendo a la recepción. "Necesito ver al Lcdo. Castell", dije. La recepcionista me indicó que ya se había marchado. "No es posible, si le acabo de escuchar en la radio", le dije. "Sí, pero ellos se van enseguida que terminan", contestó. Pensé: *Dios, estoy loca. No te escuché nada. Pero vine, y ya te cumplí.* En cierto modo me sentí aliviada, ya no tenía que ver al licenciado Castell. La verdad que los seres humanos a como dé lugar buscamos pretextos para no hacer lo que Dios desea que hagamos.

¡Ups!, pero al salir del edificio noté a dos hombres hablando. Decidí hacer un último intento. Reconocí a uno de ellos, porque estudió en mi escuela de Derecho y además había corrido para un cargo público. Así que por eliminación deduje que el otro joven era el Lcdo. Castell. Me le acerqué y le pregunté si era Castell. Me dijo que sí. Entonces le dije: "Necesito hablar con usted". "Como no, permítame terminar y enseguida la atiendo", me contestó.

Yo estaba nerviosa, pero allí debía cumplir con aquella encomienda. Tan pronto él se desocupó le dije: "Usted sabe que no le conozco, ni usted a mí. No sé si le moleste lo que vengo a decirle, pero Dios me envió aquí a orar por usted". Le conté lo que Dios me había dicho cuando fui a organizar AJC, lo que Dios me ordenó en Costa Rica, y que luego cuando llegué a Puerto Rico no hice. Por lo que Dios había propiciado que su programa le fuera interrumpido para que llegara donde él en ese momento. Y que le dijera que no pasaría aquella anunciada tormenta (En efecto, días después se deshizo en el mar.).

Le pregunté que si me permitía orar por él y me permitía poner mi mano sobre la de él. Aquel varón de alta estatura me miraba, como era de esperar, extrañadísimo. Accedió a que le tocara su mano y orara por él. Fue una oración breve, pero llena de humildad y de obediencia, que Dios puso en mi corazón. Cuando terminé, le di las gracias por su tiempo. El tenía sus ojos húmedos, emocionados. A pesar de su alta estatura, lo sentí como un pequeño niño. Sentía lo mucho que Dios le amaba. Hubiera querido decirle más. Pero se me fue la voz de la emoción. Dios no quería que abundara. Tal vez hubiera dañado el efecto que el Espíritu Santo tendrá para la vida de ese hombre.

El Lcdo. Castell me dijo, con voz pausada, en reverente calidez y algo emocionado: "Señora, en lo que pueda ayudarle estamos a su orden". Apenas me salía la voz, y le dije: "No vine a buscar nada, sino a orar por usted". Les confieso que yo estaba sobrecogida por aquella experiencia. Traté de hablar algo más pero no pude. Seguí mi camino en un gran silencio luego de la misión cumplida. En mi mente no dejaba de preguntarle a Dios qué se traía con esto. Qué le pasaba a aquel abogado. No me contestó. Sólo que orara por él.

La pesca de la presidenta de AJC

En agosto de 2006, participé en otra conferencia en la Catedral de la Esperanza junto a otros distinguidos conferenciantes y predicadores de la talla de mi pastor Dr. José Martínez, quien expuso sobre la homosexualidad desde el punto de vista médico. El pastor y a su vez juez, Honorable Jorge Lucas Escribano, expuso sobre el derecho constitucional y la libertad de culto, y el Dr. Dennis Paris, catedrático y escritor de varios libros, dio su testimonio sobre la persecución religiosa dentro de la Iglesia Episcopal por objetar la falsa doctrina sobre las uniones homosexuales. Yo expuse sobre el contenido del borrador del código civil.

Entre la audiencia estaba una joven abogada. Lo menos que ella esperaba es que aquella conferencia le cambiaría el curso de su vida. Entre tanta gente que asistió, yo no la vi. Y si la vi no me acuerdo, pues no la conocía. Dios la llevó allí. Él la reclutó y vino a ser mi sucesora en AJC, la Lcda. Ivette Montes. Una hija espiritual muy amada. ¡Una Deborah de estos tiempos!

AJC otra vez frente al Capitolio

Semanas después de aquella conferencia, un medio radial denunciaba que el Departamento de Educación estaba usando un libro titulado *Quiero Saber*, de contenido pornográfico, para los menores en la escuela elemental. El libro era parte del currículo autorizado en el sistema escolar, controlado silenciosamente por *gayolas* en posiciones clave. Otra de las aliadas de AJC, La Lcda. Rosita Sellés, y yo nos unimos a aquel clamor del pueblo y seguimos propagando el asunto. La FRAPE, junto a otras organizaciones de pastores, nos invitó como oradoras frente al Capitolio en otra manifestación de pastores de varias organizaciones y concilios.

Dentro de aquella demostración de pastores, reconocí al pastor Siniestro. Estaba bastante cerca de la tarima. Aunque él vivía fuera de Puerto Rico y ya no era líder en la isla, hizo acto de presencia. Cuando me tocó el turno de dar mi discurso, mientras yo les daba una descarga a los políticos de la legislatura, entonces controlada por el PNP[101], todo estaba bien. Mas cuando comencé a descargar contra el gabinete del Gobernador de turno del PPD[102], pues el Departamento de Educación está bajo el Gobernador, y mencioné la responsabilidad que le tocaba al Gobernador en todo aquel asunto, me percaté que Siniestro le hizo una señal a uno de los moderadores del evento. Este se acercó para tratar de retirarme del micrófono, dando por terminada mi participación. Me aseguré de decir lo que tenía que decir para que la gente despertara, antes de soltar el micrófono.

EL ESLABÓN PERDIDO

Dios había puesto en mi corazón que existía una relación entre aquel libro *Quiero Saber* y el borrador del libro de derecho de familia para el nuevo código civil que aún estaba en etapas preliminares[103] y no se había divulgado. Cuando yo comentaba que había una relación entre ambos libros, la gente me miraba como si les dijera tremendo disparate. ¿Qué tiene que ver aquel librito malsano, dirigido a niñitos de escuela elemental, y la seriedad que envuelve un Código de Familia en el campo del derecho? A mí tampoco me parecía lógico, pero era lo que Dios puso en mi corazón. Y Dios no se equivoca. Así que en la siguiente reunión de AJC ese fue el tema de discusión que les presenté a los colegas que asistieron. También me miraban atónitos, parecía una locura mi propuesta.

La Lcda. Ester Segunda nos había conseguido un salón en su iglesia, y convocamos la reunión para reclutar más abogados y tratar el asunto. Allí reclutamos a uno de nuestros más aguerridos colaboradores, el Lcdo. Johannes Nommen. Cuando lancé el reto de quién deseaba trabajar en ese asunto, hubo un gran silencio, ante lo que les parecía algo absurdo. El Lcdo. Nommen rompió el silencio: "Esa idea no es descabellada. Definitivamente Dios me trajo aquí, porque esa investigación me toca a mí. Yo lo voy a conseguir". Yo dije para mis adentros: *Gracias, Dios, yo no estoy loca. O este es tan loco como yo*. Nommen ha sido uno de los más efectivos "Poderosos de Dios". Varios días después el Lcdo. Nommen nos trajo la prueba que corroboraba la sospecha que Dios había puesto en mi corazón. Dios usó a aquel intrépido aliado para encontrar el eslabón perdido. O sea, el nexo entre aquel librito escolar y el borrador del código civil.

El eslabón era una circular del Departamento de Educación del 3 de agosto de 2004, firmada por el Dr. Cesar Rey, sobre educación sexual, que establece:

1. Que se ha de revisar y armonizar el currículo con los nuevos cambios en el sistema legal relacionados con la sexualidad.

2. La circular tiene varias disposiciones que están predicadas sobre la teoría de la sexualidad del pedófilo Alfred Kinsey, doctor en Zoología, a quien le llaman el padre de la sexología humana. Kinsey desarrolló una teoría animalista y amoral, o más bien inmoral, del sexo humano. Entre otras premisas de Kinsey, la circular declara que la sexualidad es un continuo entre heterosexualidad, bisexualidad, homosexualidad.

El libro de la Dra. Judith A Reisman *Kinsey: Crime and Consecuences* revela cómo la mentalidad enfermiza y maquiavélica del pedófilo Kinsey lo llevó a hacer experimentos inhumanos, masturbando a bebés desde poco meses de nacidos, a niños y adolecentes. Durante sus experimentos Kinsey reclutaba a criminales pedófilos y padres incestuosos para que le narraran las reacciones de los niños que ellos abusaban. En otras de sus supuestas investigaciones científicas su población de control fue un grupo de convictos que estaban en cárceles por delitos sexuales. Usando la data que recogió en esas circunstancias, concluyó que aquellas aberraciones son normales para la población general. Que las víctimas de abuso sexual disfrutan esos actos, que los niños disfrutan el sexo y que el problema son los padres y los policías histéricos quienes le enseñan a los niños que nadie les debe tocar, y los inhiben de un deleite natural; por lo tanto no hay que criminalizar la pedofilia, el incesto, el adulterio, etc. De ahí se inventó que así se debe enseñar a los niños en las escuelas, que "la sexualidad es un continuo entre heterosexualidad, homosexualidad y bisexualidad".[104]

La ideología de Kinsey se ha diseminado en la enseñanza de varios países como, por ejemplo, España, México, Canadá, y en varios estados de Estados Unidos, entre ellos Massachusetts, California y otros. La ideología de Kinsey está plasmada textualmente en el contenido de las cartas circulares del Departamento de Educación que hemos denunciado en Puerto Rico. El libro *Quiero Saber* proyecta ese tipo de enseñanza, para estimular precozmente las prácticas sexuales en los menores; preparándoles el paraíso a los pedófilos. Dicho libro es una publicación hecha en Uruguay. Debemos de orar por nuestros hermanos de Uruguay. Les recomiendo que lean los libros de la Dra. Reisman sobre esos escabrosos supuestos estudios en que se fundamenta toda esta ola de la mal llamada educación sexual, para deformar menores con esta ideología de Kinsey. Reisman descubrió que los supuestos experimentos de Kinsey han sido auspiciados con dinero del imperio de la pornografía de *Playboy*.

Por un lado teníamos aquella circular dentro del Departamento de Educación emitida bajo la administración del PPD con la ideología de Kinsey, que a la vez dice que "se estaba esperando los cambios en el sistema legal para enseñar"... [105] aquella inmundicia. Aunque de facto ya las están enseñando, esto a pesar de que no se ha aprobado el nuevo sistema legal *gayola*. El Gobierno había comprado aquel tipo de literatura, entre ellos el libro *Quiero Saber*, bajo las premisas filosóficas de educación contenidas en aquella circular. ¿Cuáles eran los cambios en el sistema legal al que se refería aquella carta circular? Los cambios propuestos para el código civil, el derrotado *P del S 1585*, etc.

Estaban esperando la aprobación del borrador del Código de Familia, mediante el cual incluían normas legales para legitimar "la liberación sexual de los niños" y dar paso al homosexualismo institucionalizado, entre otras conductas impropias para menores. El borrador del código expresamente establecía que los padres (usa la palabra progenitores) no tendrán autoridad sobre el derecho a la privacidad y la sexualidad de sus hijos.[106] Además, bajaba la edad para la emancipación de menores a 16 años. Autorizaba el cambio de sexo en el certificado de nacimiento, para legalizar el engaño contra terceros, legitimando así las relaciones entre personas del mismo sexo desde otra modalidad.

La redactora de aquel Código de Familia estableció que para ella el término madre, aunque literariamente hermoso, es confuso. Por tanto propuso que se eliminara la palabra madre y en su lugar proponía usar la frase "mujer gestante"; los padres son meros progenitores, y a los hijos se les llama "material genético producto del nacimiento".

Cuando yo daba charlas sobre este tópico, le decía a la audiencia: "Imagínense cómo ha de ser el trato madre e hijo de ahora en adelante". Buscaba a alguna madre en la audiencia y le preguntaba: "¿Se imagina a su hijo presentándola a usted a algún amiguito, diciéndole, te presento a mi mujer gestante? ¿Cómo se sentiría usted? O usted le va a presentar a su hijo a la maestra en el primer día de clases y le diría: "Maestra, este es mi material producto del nacimiento, trátelo bien. Totalmente deshumanizante. ¿No le parece?" Aquel código daba por hecho que la familia está abolida, bajo un régimen de gobierno homosexual.

Aquel código les reconocía a los niños capacidad plena desde que nacen[107], lo que incluye obviamente el derecho a tener relaciones sexuales desde que nacen. Tal como Kinsey proponía, que sientan placer sexual desde la cuna. No hay que saber Derecho, ni de ciencia para entender que ninguna criatura en la cuna, ni en su minoridad tiene ni el desarrollo pleno de sus órganos reproductores, y aun en la adolescencia carecen de madurez para obrar y tomar decisiones tan serias como las que conlleva la sexualidad humana, y mucho menos afrontar sus consecuencias. Este tipo de ley sería la panacea de los homosexuales y de los pedófilos, para que los menores puedan ser manipulados por los adultos que vienen impulsando esas tendencias; tal como lo hizo Kinsey en sus pretendidos experimentos científicos.

Si piensa que estas expresiones son un grito de histeria de mi parte, aquí les informo un dato reciente de la revolución *gayola* para destruir la familia en Massachusetts: El movimiento *gayola*, determinó que los padres "homofóbicos", o sea todo padre y madre que quiere proteger a sus hijos de esas prácticas sexuales, son el verdadero problema. Y han propuesto que el Gobierno asigne dinero para que les paguen a los hogares de homosexuales para recibir niños; y que le financien una campaña para incitar a los menores a que abandonen a sus padres si estos no le permiten tener sexo con homosexuales.[108]

El especialista en animales Kinsey, junto con los pedófilos perversos que él reclutaba como "científicos", estimulaban sexualmente y masturbaban a los niños. En eso consistían sus alegados "experimentos". Como la reacción de los genitales de las criaturas se da por el mero estímulo, sin importar si es un varón o hembra el perpetrador, elabora toda esa teoría homosexual, y a su vez concluyó que las víctimas de violación disfrutan el acto, por lo que no se debe penalizar como un crimen algo que es "natural" para Kinsey[109]. Por el contrario, se debe promover en la enseñanza a los niños y a la comunidad en general, según los planes de la agenda *gayola*.

En fin, aquel código estaba preparado a la medida de toda la revolución *gayola* para imponer su régimen totalitario, tal como lo establece el Manifiesto Homosexual de Michael Swift.

Una de las estrategias es despertar en los niños una lascivia precoz, de manera que los menores sean fácilmente seducidos y queden en manos de intelectuales homosexuales, a través del sistema escolar, sin que los padres puedan impedirlo legalmente. Es por ello que aquel funesto borrador del código establecía que el derecho a la intimidad de la persona prevalece sobre los intereses del grupo familiar.[110] O sea, las personas que componen la familia básica o nuclear son los padres y los hijos, por lo tanto, el derecho de intimidad de un niño iría por encima de la autoridad de sus padres.

El efecto de ese lenguaje queda bien claro cuando se lee esa disposición en conjunto con el *Art 352 AP 18*, donde dice que el progenitor (ya no se usa padres) no tiene facultad para representar al hijo (estamos hablando de niños, menores de edad) cuando se trate de actos y atributos de la personalidad u otro acto que el hijo pueda realizar por sí mismo, y que la ley autorice al hijo a actuar por sí mismo, sin asistencia parental. ¿Y cuáles son los atributos de la personalidad? Cuando vamos al libro *La persona*, el Art. 8 establece que los atributos de la personalidad son la libertad de pensamiento, de acción, de credo, de intimidad y de inviolabilidad de morada. Estos atributos son loables en el adulto, pero reconocerlos en plena capacidad para un menor frente a la autoridad paterna, es tan dañino como reconocerle al menor derecho de portar armas.

Cuando unimos las mencionadas disposiciones del código propuesto, podemos contestar la pregunta: ¿Cuándo la ley puede darle algún ámbito de libertad de actuación a un niño, libertad de pensamiento, libertad de acción y de intimidad? La respuesta se hace obvia. La escuela.

Cuando volvemos al famoso eslabón perdido, o sea la circular sobre educación sexual del 2004, encontramos la conexión entre aquel librito *Quiero Saber* y el propuesto código. Y si quedaba alguna duda, luego el Secretario de Educación emitió la circular #3, de julio del 2008, estableciendo la enseñanza de perspectiva de género, donde se proponía adoctrinar a estas criaturas diciéndoles que pueden escoger ser nene o nena. Dicha carta tomaba como fundamento la Ley Número 108 del 26 de mayo de 2006. La ley 108 solo va dirigida a educar a los niños para reducir los patrones de violencia doméstica contra la mujer. La ley no impulsa la homosexualización de nadie, como pretendió forzar el Secretario de Educación con su ideología *gayola*. Solo que al Secretario, de mentalidad *gayola*, le dio la regalada gana de decir lo que la ley no decía.

El problema de interpretación está en que en dicha ley el legislador usa la palabra "género" como sinónimo de sexo, refiriéndose en la ley a que la violencia doméstica es mayormente un tipo de discrimen contra la mujer por su género. Nada dice el legislador que género conlleva que los niños escojan ser del sexo contrario a su naturaleza. Es interesante señalar que durante las audiencias para que se aprobara dicha ley la entonces Procuradora de la Mujer –quien impulsaba la agenda *gayola*– proponía que se especificara en dicha ley que los padres no podrían intervenir sobre la enseñanza de género que se desarrollara en su día como efecto de dicha ley.

Gracias a Dios que la legislatura tuvo un grado de lucidez y no dio paso a aquella recomendación maquiavélica de aquella pasada Procuradora; no obstante los *gayolas* al menos lograron intercalar el lenguaje ambiguo "género". Como parte de su estrategia, los *gayolas* han lanzado el término género como sinónimo de sexo para ir acostumbrando el oído a esa palabra. No obstante, ellos están en pleno conocimiento de que ambos vocablos no son sinónimos. Pero ha sido parte de sus maquinaciones bien programadas.

Muchos legisladores y la mayoría de la gente, ingenuamente entienden que género es sinónimo de sexo; pero para los *gayolas* es escoger el rol sexual de uno u otro sexo y cambiarse la apariencia de su sexo biológico por el del sexo opuesto al cual nació. No obstante "la enseñanza de género" es solo para sembrar en la mente de cada menor problemas de identidad sexual e ir creando una efervescencia de confusión sicológica masiva, para dar cumplimiento al Manifiesto Homosexual.

El código propuesto además destruía las bases del matrimonio entre un hombre y una mujer y legitimaba las uniones civiles entre homosexuales; así también las relaciones fuera del matrimonio entre hombres y mujeres. Permitía el matrimonio entre suegros con sus hijos políticos.[111] A las disposiciones de aquel código en torno a las uniones de hecho le dejaron intencionalmente varios defectos de derecho, de manera que eventualmente un tribunal pudiera declarar que sería inconstitucional negarles el matrimonio a los homosexuales, ya que el nuevo código en efecto le otorgaba todos los derechos excepto usar el título de matrimonio.

Precisamente esa fue la estrategia que los *gayolas* fueron desarrollando en California, y fue el hecho que dio base a que los tribunales de aquella jurisdicción declararan inconstitucional que el matrimonio sea únicamente entre un hombre y una mujer. En California se fue legislando, dándoles los mismos derechos económicos, así como derechos de adopción de niños, etc., bajo otro nombre a tales uniones. Aunque jamás una relación homosexual es comparable a un matrimonio, jueces de ideología *gayola* decidieron deformar el matrimonio para redefinirlo con este tipo de conducta.[112]

Les he estado compartiendo de situaciones en Puerto Rico, pero nuestras luchas en la isla no son un evento aislado. Esto es una agenda internacional muy bien orquestada. Los *gayolas* están en posiciones clave dentro del Departamento de Educación de la actual administración de Obama; entre ellos, Kevin Jennings, quien es el fundador de GLSEN.

GLSEN no es una empresa, ni una academia, ni una marca de autos, es otra organización *gayola: Gay, Lesbian, and Straight Education Network* (GLSEN). Su líder fue nombrado como Asistente en la Subsecretaría del Departamento de Educación federal. GLSEN promueve una filosofía educativa dirigida a adoctrinar la afirmación de la homosexualidad en las escuelas, comenzando en kindergarten. Por ejemplo, GLSEN ofrece talleres con actividades graficas y "prácticas" para edades de 14-21 años, induciendo a los jóvenes al homosexualismo. Jennings, a través de GLSEN, han sido los auspiciadores del *Day of Silence at Schools*, donde se obliga a los estudiantes a escuchar toda la propaganda homosexual y mantenerse callados, so pena de sanciones en las escuelas.[113]

La manipulación política a la Iglesia

Mientras estas situaciones avanzan, ¿qué pasa en medio de los cristianos? Cuando se denunció el libro *Quiero saber* en AJC, estábamos dando la lucha por desenmascarar la pornografía de aquel libro y la agenda completa del gobierno. Mas el adversario tampoco se estaba quieto. Buscó la manera de neutralizar nuestras denuncias contra el gobierno ante el gasto en fondos públicos incurrido y el contenido pornográfico del libro. Lo que se perfilaba como un escándalo legal con acciones criminales contra funcionarios del gobierno, se deshizo. El gobierno astutamente usó la estrategia que yo le llamo "no hay peor cuña que la del mismo palo", como dice el refrán.

Para evitarse una acusación de distribución de material pornográfico a menores, el gobierno usó a un viejo aliado suyo, y muy efectivo, al pastor Siniestro. Él no era cualquier fulano, lamentablemente se trataba de una figura que llegó a ocupar una prominente posición dentro del liderato evangélico del país. Uno de los tantos líderes que nos mencionó el político Charlie Rodríguez (asunto que explico en **Cómo nace** CCEDFA) para demostrarnos que estábamos huérfanos de liderazgo cristiano. Por causa de líderes como el pastor Siniestro, Charlie Rodríguez nos recriminó fuertemente por la fragilidad moral de algunos líderes en la Iglesia.

El gobierno muy hábilmente utilizó al pastor Siniestro para que le lavara la cara al asunto, o le sacara las castañas del fuego[114]. En los medios masivos de comunicación, el pastor Siniestro expresó que en su opinión si bien el susodicho librito no era adecuado, a él no le parecía que fuera un material pornográfico en sí. Esta estrategia, muy bien orquestada por los políticos en el poder, puso en entredicho uno de los elementos cruciales de los delitos, que el ministerio público tiene que probar cuando se trata de delitos sobre exposición de menores a material pornográfico. Hay que probar el elemento de que la pornografía es aquello que la comunidad entiende como pornográfico. Así que aquellas expresiones en los medios, emitidas por un prominente líder del ala más conservadora de la iglesia, afectó la teoría criminal de la pornografía, o al menos hacía cuesta arriba probar el delito más allá de una duda razonable, que permitiera encausar criminalmente a los funcionarios del gobierno implicados en la decisión de adquirir y circular aquel material obsceno. Por otro lado, por el hecho de que el Secretario de Justicia era *gayola*, difícilmente éste se iba a ocupar de encausar a sus colegas.

A la misma vez, con las expresiones del pastor Siniestro, el gobierno lograba manipular y neutralizar la voz de muchos otros pastores que no habían tenido la oportunidad de ver personalmente aquel material. Es decir, si aquel prominente líder religioso, con el libro en sus manos, decía que no era pornográfico, los que no lo habían leído asumían como cierto que no era pornográfico. Por eso es bien importante que cada líder o pastor, padres y madres, lean por sí mismos los libros y materiales escolares a que están sometiendo a los niños.

Yo había conocido aquel pastor Siniestro en 2005 cuando todavía él era una figura de alta jerarquía en el evangelio en Puerto Rico. Me reuní con él, precisamente, para alertarle sobre la adopción de menores por homosexuales, cuando me surgió aquel caso de la adopción. Le mostré parte del material que había encontrado en mis investigaciones sobre el tema de la agenda *gayola*. Su reacción inicial e impensada fue de horror, de indignación, de coraje. Apenas podía creer todo el material que le estaba mostrando sobre la pedofilia organizada y su nexo con la agenda *gayola*, y de los estudios sobre el daño de este tipo de conducta en la crianza a menores. Sin embargo, su inicial indignación se disipó tan pronto le dije que el gobierno estaba dando a menores en adopción a personas de conducta homosexual, y que la iglesia debería denunciar esto.

El cambio de actitud de aquel hombre no se debió a que no le importaran los menores huérfanos, sino porque aquella situación ponía en juego sus lealtades políticas con el gobierno de turno (El PPD). Quiero dejar bien claro que el gobierno actual, bajo el PNP, salvo varios legisladores y algunos funcionarios, hasta ahora está en el mismo juego que el PPD.

La situación con el pastor Siniestro es un buen ejemplo de uno de los problemas morales más serios que los creyentes confrontamos, en un país tan politizado como Puerto Rico. ¿Cuál ha de ser el balance entre la lealtad a los principios del reino de Dios y su justicia, que incluye la santidad de la inocencia de los niños y la defensa de los huérfanos, vis a vis con la lealtad a las ideologías político partidista? Aquel líder prefirió callar a tener que denunciar públicamente aquella práctica. Él entendió que a su partido preferido o a sus "amigos" en el poder no le convenía.

No señalo esto contra un partido en particular, porque es la misma historia en cada bando. Lo que señalo es que el fanatismo partidista de líderes de iglesias es un serio problema. En el presente cuatrienio está en el poder el partido PNP, principal opositor del PPD. La actual presidenta de AJC viene confrontando las mismas presiones en su contra, cuando ella hace expresiones que no le acomodan a los pastores que son partidarios de la actual administración política. Es decir, hay pastores y sacerdotes Siniestros rojos, azules, verdes y anaranjados. Mas hay un remanente fiel de pastores y sacerdotes que no doblan las rodillas ante los baales, ni ante los colores partidistas.

Así fue que aprendí la primera lección de por qué nuestro evangelio se ha hecho silente, en términos de ejercer una sana influencia en la vida fuera de las paredes del templo. Somos un país altamente evangelizado, pero lo arropa la corrupción, la criminalidad, el suicidio, el maltrato, la homosexualidad, la violencia doméstica, la pobreza, etc. Puerto Rico no es el único país con este problema. ¿Qué es lo que está pasando?

Cualquiera que sea el país de ustedes, amados lectores, este recuento de sucesos es un llamado a reflexionar y reconocer la manera sutil con que le damos la espalda a Dios como cristianos, o cuando nuestros líderes se dejan dominar por otros intereses o por la politiquería del César. Es lamentable ver cómo algunos venden su primogenitura por el sabroso beneficio de un guiso de lentejas.

Dios no nos ha dejado aún, porque en su infinita misericordia todavía escucha el clamor de un remanente fiel. "Si el Señor de los ejércitos no nos hubiera dejado descendencia, como Sodoma y Gomorra seriamos semejantes" (Rom. 9:29). Hay pastores, sacerdotes, abogados, profesionales en todos los campos y un pueblo que no doblan las rodillas a la figura de la politiquería de faraón. No debemos confundir el principio bíblico que nos ordena respetar a las autoridades con un servilismo incondicional que nos lleve a someter y rendir los principios de Dios. "Es necesario obedecer a Dios, antes que a los hombres" (Hech. 5:29).

PREPARANDO A LOS PODEROSOS DE DIOS

La Lcda. Ester Segunda se encargó de tramitar más referidos a la próxima academia, y la ADF la premió, dándole la oportunidad de regresar a una segunda academia en el 2007. Yo también había solicitado aquella academia del 2007. Llegaron las notificaciones de aceptación para los miembros de AJC, incluyendo la segunda oportunidad para la Lcda. Ester Segunda. La mía quedó pospuesta para otra próxima academia. Yo estaba conforme pues era ya una gran bendición que escogieran a seis de los aliados de AJC.

La Lcda. Segunda llamó a ADF y trató de que yo fuera con el grupo, ya que yo era la presidenta para entonces de AJC. No había cupo. ¿Sabe lo que hizo esta joven abogada? Le pidió a ADF que el espacio de ella me fuera concedido. Tan pronto lo logró, una noche me llamó.

¡A grito boricua! Llena de júbilo y eufórica me dio la noticia de sus gestiones. Yo podía asistir. Fueron sentimientos encontrados para mí. Por un lado me alegraba la noticia, y a la vez me entristeció saber que ella se sacrificó por mí y no iría con sus compañeros de AJC. Ella es todo corazón. Le di las gracias y la sigo bendiciendo por su gesto.

Pasaron los días, y una noche recibo otra alborotosa llamada, llena del júbilo boricua de la Lcda. Segunda. Riendo y llorando a la vez. Cuando se calmó me dijo que le acababan de informar de ADF que había sido seleccionada para una Academia de ADF ¡en Roma, Italia! La Lcda. Segunda me contagió. Ahora éramos dos quienes en el teléfono estábamos gritando y llorando de alegría; alabando al Señor por aquel inesperado regalo. Así una vez más la Lcda. Segunda se convirtió en la pionera de los aliados de AJC en asistir a las academias de ADF. Esta vez en Europa. Dios premió su desinteresado amor. Ni ella ni yo jamás lo hubiéramos imaginado. ¡Cuán pronto Dios le restituyó al ciento por uno! Como dice la Palabra: "Dios bendice al dador alegre".

Mientras ella se fue para Roma, los demás asistimos a la academia en California. En el avión quedamos en asientos separados, así que aproveché para meditar en las grandezas de Dios, en todo aquel proceso que estábamos compartiendo como hermanos en la fe. Y anoté en mi cuaderno: *Aquí voy junto a los Poderosos de Dios.*

Durante aquellas cinco horas de viaje, iba alabando a Dios y leyendo el libro de Tommy Tenney *En busca del favor del rey*[115], donde el autor hace la pregunta: ¿Cómo pasas de no tener poder a ser poderoso? El corazón me dio un vuelco de asombro y de gozo ante aquel pensamiento en el libro, y el lema Los Poderosos de Dios. Así fue que Dios les ha llamado a los abogados en AJC desde 2005; o sea, antes de que se formara la organización. En Dios no hay casualidades. Dios estaba preparando a mis sucesores en la obra que seguirá AJC, y a mí para las nuevas encomiendas que me esperan.

Llegamos a un precioso hotel frente a las costas del Pacífico, en California. Era la primera vez que veía el océano Pacífico. Tiene un azul añil intenso, hermoso y enrizado de sendas espumas blancas, congeladas apenas comenzando el mes de octubre. Tan distinto a las aguas cálidas de color esmeralda intenso del mar Caribe en el sureste de Puerto Rico, y al azul pastel del Atlántico que rodea el norte, y los variados matices en las demás zonas de las costas de la Isla del Cordero[116]. Toda la creación de Dios es hermosa e irrepetible.

Durante la cena de bienvenida nos recibió el presidente de ADF, el Lcdo. Allan Sears, junto a su esposa, nada más ni nada menos que una elegante dama de origen puertorriqueño. ¡Bendita sea! Día a día fue una bendición cada devocional, cada apologética cultural, cada taller, cada hermano que conocimos allá. Adoramos, lloramos y reímos juntos. Dios nos estaba extendiendo las estacas de nuestras tiendas. En uno de los cultos yo veía cómo el Señor estaba rompiéndonos y haciéndonos de nuevo. Aquel viaje nos unió de manera especial, tanto entre los boricuas como con ADF. En particular con el hermano Lcdo. Gleen Levis, de Arizona, quien ha sido nuestro pronto auxilio en las luchas que seguimos dando.

Durante los meses siguientes trabajamos hasta el cansancio en toda la lucha titánica que se desencadenó en Puerto Rico. Logramos junto a muchos otros padres y madres, obreros, profesionales, sacerdotes y pastores, cientos de organizaciones, CCEDFA, y AJC detener aquel funesto borrador del código civil. Logramos impulsar la enmienda constitucional en la palestra pública. ADF nos aprobó otra academia en junio del 2008 y llevamos nuevos miembros de AJC.

Por primera vez mi esposo me pudo acompañar a uno de los viajes de AJC fuera de la isla. Aquella experiencia lo integró más y más en esta extraña misión. Luego que terminaban los talleres, nos reuníamos con la delegación de AJC para discutir nuestros asuntos. Cuando dimos aquel viaje ya la discusión sobre la enmienda constitucional (Resolución 99) había terminado, y no se logró aprobar (En el próximo capítulo le doy los detalles de lo que pasó con la R99). Fue durante esas reuniones en que el Señor me ordenó decirles dos cosas. Primero, que la Resolución 99[117] no ha sido enterrada, sino sembrada, "háganla germinar"; y segundo, que al regresar a Puerto Rico preparásemos una conferencia para maestros sobre la agenda gayola en el sistema escolar. Además, Dios nos confirmó pasar el batón de CCEDFA a la Lcda. Ada Henríquez para los meses que se avecinaban, mientras yo terminaba de prepararme para mi mudanza final hacia Georgia.

La tarea de desarrollar la Alianza de Juristas Cristianos no ha sido fácil. Después de la primera convocatoria para levantar un grupo de abogados el 18 de enero de 2006, les seguí reuniendo mayormente en casa. El primer obstáculo fue que la asistencia del grupo era inconsecuente. No siempre asistían los mismos. Por lo que cada vez tenía que comenzar de nuevo y no podíamos darle formalidad administrativa como organización AJC. Entre reunión y reunión, nos debatíamos si el nombre debía dejar claro que éramos una organización cristiana o, por el contrario, si era mejor ponerle un nombre neutral.

Oramos a Dios, y sin duda Él quería que quedáramos expuestos tal como somos: cristianos. Se le puso Alianza por dos razones. Primero, porque proveníamos de distintas denominaciones y de diversas ideologías políticas. Por encima de todo somos aliados y hermanos en Cristo. Y segundo, como un recuerdo de que AJC nació en mi iglesia Alianza Cristiana y Misionera (La Catedral de La Esperanza). Decidimos usar la palabra juristas por la naturaleza de nuestra profesión. Aunque desde sus inicios se han aceptado estudiantes de Derecho, pastores y hermanos comprometidos, a quienes Dios les ha llamado a respaldarnos. Conscientes de nuestra diversidad doctrinal, hemos celebrado retiros en distintas iglesias y con distintos recursos, ministros y evangelistas. De manera que ninguna denominación tenga el control de la organización.

Debo confesarles que vivía enamorada de "mi criatura" AJC. Según mis planes, me dedicaría el resto de mi vida a seguir desarrollando AJC. Hasta que un día al comienzo de 2007, Dios me dijo "AJC no es para ti; no es tuyo, es mío. Tienes que entregárselo a otra persona, que yo te diré". ¿Cómo? ¿Dios, por qué me haces eso? Yo amaba AJC. Que atrevida yo, cuestionándole a Dios. Sentí dolor en dar "mi bebé", quien sabe a quién. No fue hasta mi segundo viaje a la embajada del cielo, Costa Rica, que Dios me reveló a quién.

Capítulo 7

Cómo nace CCEDFA

EL RETO

La Coalición Ciudadana en Defensa de la Familia es una misión que nació de un reto que me hizo un político. El 1 de diciembre de 2006, Dios me había dirigido a escribir como presidenta de AJC una carta abierta para circularla cuando Él me dijera. Contenía una síntesis de alerta sobre el dañino código civil que se proponían aprobar. Hice un escueto resumen, escrito en una página por ambos lados. Conseguí que tres hermanos me imprimieran en sus copiadoras poco más de mil copias. Las guardé hasta que Dios me dijera. Mientras tanto pensaba cómo la iba a distribuir, a quiénes se las enviaría. Se requería una inversión para el envió por correo, además de preparar el listado de envió. AJC no levantaba fondos, por lo que no tenía dinero para tales gastos. Ni personal para hacer esa tarea.

Llegó el nuevo año 2007, y al comienzo de la sesión legislativa los rumores eran fuertes de que en ese año se iban a celebrar las audiencias sobre el código civil. No se sabía cuándo. Pero ya era inminente. En AJC entendíamos que era el momento de acercarnos a los legisladores dentro del Senado. Así que un amigo nos consiguió una cita con un prominente asesor del Senado de Puerto Rico, el Lcdo. Charlie Rodríguez, que es un político muy experimentado y ex presidente del Senado de Puerto Rico por el PNP.

Fui a aquella reunión acompañada de uno de "Los Poderosos de Dios" de AJC, el Lcdo. Nommen. Nos presentamos como miembros de la AJC, y cándidamente comenzamos a exponerle nuestros hallazgos sobre el propuesto código civil y la agenda *gayola*. Confieso que nos tomó de sorpresa descubrir que estábamos en la boca del lobo. Aquel líder político resultó ser un defensor *gayola*, y como era de esperarse comenzó a refutar nuestras posiciones. En un momento de acaloramiento, solo se me ocurrió decirle: "Si esa ha de ser la postura de su partido, sepa que ya en AJC tenemos un borrador de proyecto para elevar a rango constitucional el matrimonio entre un hombre y una mujer. Y vamos a invalidar ese código".

Todavía tengo vivo el recuerdo de aquella cara y su risa llena de un excelso cinismo, y sus interminables acusaciones sobre la moralidad de muchos líderes religiosos. "Ja, ja. ¿Con qué líder? Ustedes los cristianos no tienen un líder que los reúna y puedan hacerse sentir. Si bien lo decía en tono de burla, lamentablemente el liderazgo del pueblo cristiano estaba muy dividido. Era una verdad a medias dentro de la realidad del país. Pero no fue lo que dijo, sino cómo lo dijo.

Como buen acusador que es Satanás, comenzó a usar aquel hombre para echarnos todo el lodo que se le ocurrió, enumerando las faltas, pecados personales con nombre y apellido de muchos de los altos líderes religiosos, y la clásica división que hay entre las iglesias tanto evangélicas como la católicas, y dentro de cada grupo.

"A menos que traigan ante el capitolio un millón de personas, quizá algún político les haga caso. (Por su puesto no le mencionamos al representante Norman Ramírez). No hay ambiente político para eso y ningún político les hará caso. ¡Ustedes no tienen líder!"

Aquella última expresión me indignó. Dios me dio fuerzas de donde no tenía y le dije: "¿Ese es el problema? ¡Líder tenemos, se llama Jesucristo, y el millón de gente también! Nos veremos". Nos despedimos con la fría cortesía entre adversarios. Mi colega poderoso de Dios siguió dándome ánimo, él estaba tan agitado y tan molesto como yo. Mientras yo me sentí tan impotente, la reacción de mi colega, el Lcdo. Nommen, fue como si le hubieran dado cuerda; él se sentía retado y ¡listo para la guerra! Él me reanimaba. ¡Gracias a Dios por él! Hablamos un buen rato de lo que acabábamos de presenciar y escuchar. Nos despedimos en el estacionamiento, y les confieso, comencé a llorar de coraje e impotencia. Me preguntaba a mí misma: *¿Por qué dije eso? ¿Dios mío, quien me va a hacer caso? Soy una desconocida, ¿quién querrá escucharme? ¿A dónde voy? ¿Qué hago?*

La división, la intriga en el pueblo de Dios, nos avasallaba, y la sumisión de los valores del reino a la lealtad partidista nos dividía.

El político nos hizo avergonzar de culpas ajenas. Ajenas, pero estaban ahí en el cuerpo de la iglesia. Llamé a mi pastor Martínez para que orara por mí. Me sentía abrumada y muy triste.

El domingo mi pastor me llamó a su oficina. "Myrna, varios pastores amigos me han llamado. Estuvimos dialogando sobre todo esto del código civil y esta agenda contra la familia; llegamos a la conclusión que tú eres la persona indicada para tratar de unir a las iglesias y hacer algo por esta situación". ¿YO? No pastor, eso es algo muy grande y serio. Yo no sé qué se hace, nunca he hecho algo así. Sentí que el mundo entero me pesaba. Me temblaba la voz; bueno, toda yo temblaba de la impresión que me dio aquella inesperada noticia.

"Myrna, la división entre pastores es una realidad que nos limita, tú no eres pastora y conoces el problema muy bien. Alguien como tú tal vez pueda ayudar en esta crisis", me dijo mi pastor, muy angustiado. Guardamos silencio.

"Si no hay nadie más, y si es lo que Dios quiere, heme aquí". Y comencé a llorar.

Al día siguiente hablé a mis colegas, Los Poderosos de Dios de AJC, sobre esta asignación. Ellos y otro hermano en la fe se encargaron de llamar a varios amigos y también líderes de distintas denominaciones, y así pautamos una primera reunión para la noche del 11 de enero de 2007. Nos reunimos un buen grupo; más de treinta personas, y comenzamos a evaluar la situación. Ya en la tercera reunión determinamos organizarnos bajo el nombre de Coalición Ciudadana en Defensa de la Familia. El pastor Arroyo me propuso Presidenta, y básicamente toda la directiva quedó constituida.

El 13 de enero de 2007 bajó ante la consideración pública el funesto borrador del código civil. Como eran muy cercanas las audiencias, comenzaban el 14 de febrero, y aún no habíamos desarrollado una estrategia, decidimos que cada integrante de la nueva coalición debía exponer en las audiencias por separado. CCEDFA aún estaba en ciernes y no compareció. Pero si AJC.

El domingo siguiente distribuimos la carta de AJC del 1 de diciembre de 2007 que ya tenía lista esperando el momento que Dios me indicara. Llegó el momento. Varios voluntarios nos reunimos en casa y llevaron copias a sus vecinos y amigos. Así comenzó la voz de alerta.

Semanas después recibí llamadas de personas del interior de la isla, pidiendo más información. Lo que me comprobó cómo aquella modesta carta penetró. Y la seguían multiplicando donde quiera que llegara. Aquella sencilla, pero poderosa carta, cual piedrita de David, llegó lejos, a pueblos del interior de la isla y a cada extremo de la isla.

En los meses siguientes y antes de finalizar la sesión legislativa, CCEDFA y AJC seguimos aunando esfuerzos. Dios trajo a una mujer de Dios experta en relaciones públicas, la hermana María A. Pérez. Nos diseñó un plan de acción y comenzamos a hacer caravanas por distintas partes del país, dando talleres y participando en foros; educando al pueblo, a cada alcalde, a los legisladores de todos los partidos, y culminamos con una marcha el 11 de junio de 2007, con más de veinte mil personas durante un día lunes. ¡Gloria a Dios!

La gente se sacrificó. Decidieron perder un día de trabajo, para demostrarle al gobierno la determinación de defender a su familia. Ese era el mensaje que queríamos llevar allí, frente al capitolio. Dios nos abrió las puertas de manera providencial y conseguimos al Dr. David Parker como orador principal, quien con su impactante testimonio despejó toda duda de cómo en Estados Unidos, en particular el estado de Massachusetts, la agenda totalitaria de los *gayolas* estaba afectando. Están destruyendo la inocencia de la niñez, la familia, las libertades de lo que una vez Estados Unidos fue.

Los políticos no entienden que la agenda *gayola* es un cáncer en etapa de metástasis, más desastroso que el ataque del 911 centrado en la Zona Cero y en el Pentágono. El daño del tan temido Bin Laden traspasó la seguridad nacional, donde murieron miles de personas inocentes, se laceró la economía y el orgullo nacional. Toda aquella terrible experiencia será apenas una picada de mosquito frente a la demolición de los fundamentos sobre los cuales descansa toda la estructura de la libertad y los derechos humanos del pueblo. Bin Laden tumbó dos torres y un pedazo del Pentágono. Los *gayolas* están derrumbando la nación. Lo mismo a cada una de nuestras respectivas naciones. Tenemos que retomar las armas del pensamiento intelectual y la armadura del cristiano.

La presencia de David Parker en Puerto Rico fue una bendición para la lucha. El Dr. Parker narró cómo había sido arrestado por oponerse a que su niño, en el nivel de kindergarten, se le estuviera enseñando el estilo de vida homosexual como algo lindo, bello y normal, sin que se diera aviso previo a los padres de que se iba a exponer a estas tiernas mentes a información sobre esas difíciles experiencias que algunos adultos optan por practicar en su intimidad.

En CCEDFA decidimos traer al Dr. Parker para comprobarle a la gente el peligro que se avecinaba. Puerto Rico es un pueblo donde estamos acostumbrados a hablar con libertad en contra del gobierno, y del tema que sea. La discusión política es el deporte nacional de este país. Por eso se nos hacía difícil convencer a la gente de que esto puede pasar. ¡QUE YA ESTÁ OCURRIENDO!

Nuestra humilde gesta no solo ganó las primeras planas aun de la prensa que nos es adversa en el país, sino que fue conocida en otros países y estados. *Massachusetts Resistance* lo usó como ejemplo para reanimar a su estado a ser más combativo y a no dejarse vencer. Hermanos de Hispanoamérica y de otros estados de Norteamérica nos escribieron dándonos ánimo y felicitándonos por la valentía de levantarnos como pueblo en defensa de la familia.

Dr. David Parker en Puerto Rico

Recientemente, en el año 2011, el proyecto de ley David Parker se ha convertido en la pesadilla para la agenda gayola en Massachussetts [*Parents' Rights Opt-In Bill – "The David Parker Bill" An Act Regarding Parental Notification and Consent Docket #: HD01944*]. En el cual no sólo se defiende los derechos de los hijos y los padres frente a un sistema escolar corrompido por la promiscuidad ideológica de involucrar en la actividad sexual a los menores, sino también se defiende el derecho de ser objetores por conciencia y religión a los maestros y otro personal escolar.

El Dr. David Parker llegó a Puerto Rico el domingo 10 de junio de 2007; Michael y yo le fuimos a buscar al aeropuerto. Desde luego él no nos conocía. Nosotros sí le reconocimos, pues le habíamos visto en la famosa foto de su arresto en el 2005. Es un hombre alto, de pelo castaño claro, de tez blanca y mirada noble. Un ser dulce, un varón de Dios. Firme en sus convicciones. Para ser anglosajón, nos resultó muy expresivo y familiar. Nos sentimos como ver un viejo amigo.

¿Cómo conseguimos al Dr. David Parker? Todo comenzó durante la investigación jurídica que hice para aquel caso de adopción de un niño por un abogado homosexual en 2005. Leí sobre el caso del arresto de David Parker[118], que había ocurrido en aquellos días. Se me hacía imposible creer que algo así estuviera pasando en "la tierra de la libertad de expresión, libertad de religión y supuesto paladín de derechos humanos". ¿Qué en Estados Unidos estén arrestando a los padres como vulgares delincuentes por ser buenos padres y vigilantes del mejor bienestar de sus hijos y oponerse a que a un menor de kindergarten le enseñen homosexualismo? No lo podía creer. Si a mí se me hacía increíble, más increíble se le hace al ciudadano que no ha leído ese caso. De hecho, cuando mencionábamos el caso Parker en nuestras conferencias de AJC y de CCEDFA, se nos hacía difícil vencer la incredulidad de la gente. Algunos pensaban que era una exageración nuestra. Un ardid para sembrar histeria.

Aquella noticia del caso Parker me dolió en el corazón. Me dio fuerzas para salir a alertar al pueblo cristiano. ¡Despierten! ¡Despierten! Así fue que el Dr. Parker y su familia quedaron en mi lista de oración y en la de varias hermanas de mi iglesia, desde 2005. Aunque los Parker eran unos extraños, ellos eran y son nuestros hermanos que están sufriendo, junto a miles de familias y niños en Massachusetts, en California, en España, en Canadá, etc.

Desde 2005 Dios puso en mi corazón la idea de traerle a Puerto Rico algún día. Cuándo y cómo podría conocerle personalmente no tenía la más leve idea. Y mucho menos cómo dar con su paradero. De su vida personal no sabía mucho. En aquel entonces, ni siquiera sabíamos si él era creyente o no. Solo lo que decía el internet sobre el aspecto oficial del incidente del arresto por proteger a su hijito. Cuando lo contactamos entonces supimos que los Parker son cristianos y además él es un brillante un doctor en química. Es necesario recalcar este dato profesional de Parker, pues una vez más refuta la propaganda de que los cristianos somos gente sin educación.

Una noche, en el año 2007, cuando estábamos reunidos en CCEDFA comenté la idea de invitar a Parker a Puerto Rico para que fuera parte de aquella marcha que estábamos organizando para el 11 de junio. El reto era dar con su paradero. Por lo que lo mencioné como una mera idea. Era mucho soñar. Faltaban pocos días para la marcha. Así que en el comité timón de CCEDFA no hicimos plan alguno.

La Lcda. Montes calladamente comenzó a trabajar en la idea y a orar por los Parker. Según me contaron después, Montes llamó a una vecina suya, quien le había acompañado a escuchar unas de mis conferencias en el 2006. De esas "casualidades" de Dios aquella vecina le había comentado sobre lo que estaba ocurriendo con la educación en Boston, pues ella viajaba constantemente a Massachusetts a visitar a unos familiares. Ambas se sintieron retadas a conseguir a David Parker. Una noche me llamó Montes, dándome la sorpresa de que contactaron al Dr. Parker, y estaba deseoso de venir a colaborarnos con su testimonio gratuitamente. De primera intención creí que era una jovial broma, pero no, ella estaba hablando en serio. ¡Grité de la alegría! ¡No lo podía creer! Pues así somos. Le estamos pidiendo a Dios por algo, y cuando se manifiesta no lo podemos creer.

La gira del Dr. Parker comenzó de inmediato. Tan pronto llegó a la isla, lo llevamos a tres iglesias que lo estaban esperando. Cuando el Dr. Parker les daba un breve resumen de su testimonio y mostraba alguno de los libritos "educativos", entre ellos *King and King*, dejaba a las audiencias sencillamente apabulladas. La gente comenzó a despertar a la realidad de la injusticia de la agenda *gayola*, y que ciertamente era un peligro real e inminente en el propuesto código civil para Puerto Rico, que instituía a la agenda *gayola* como sistema en el país.

Luego nos reunimos a almorzar con varios miembros de CCEDFA y AJC. El Dr. Parker no salía de su asombro de cómo se mencionaba su nombre en un país que él no conocía hasta entonces. Le expresamos nuestro amor y cómo su dolor nos había impactado. Aunque éramos gente extraña para él, su dolor era y sigue siendo el nuestro.

Su visita a Puerto Rico fue un alivio para su pena. Cuando pensó que tal vez estaba solo sin apoyo, Dios le mostró que había levantado un grupo de clamor y oración por él y su familia acá en Puerto Rico. Después del almuerzo, otros hermanos se lo llevaron corriendo para un canal de televisión secular que la hermana María A. Pérez había coordinado, con el "Top Show de Marcano", un canal controlado por Univisión. Allí fue entrevistado y se dio el anuncio para la marcha al siguiente día, donde Parker sería el orador principal. Su caso comenzó a ser noticia en Puerto Rico. Todo fue tan rápido que los ideólogos de Univisión no tuvieron tiempo de censurar la participación de Parker en aquel canal.

Llegó el lunes de aquella gloriosa marcha, magistralmente coordinada por el hermano Héctor Febres, el Dr. Emid Nuñez y el hermano Raúl Colón. El Dr. Parker quiso estar desde el amanecer, mientras coordinábamos el arranque de la marcha. Desde las 5:30 AM estaba con nosotros en el parque Luis Muñoz Rivera. Le explicamos que nuestra cultura es bien bulliciosa, que no se fuera a asustar por los altos decibeles de música, y algo bien típico de los boricuas: que todos hablamos a la vez, pero nos entendemos perfectamente; que nos gritamos, pero no estamos peleando.

Uno de los rostros más gozosos de aquella marcha era el de Dr. Parker. Jamás pensó recibir tanto amor y admiración de los alborotosos boricuas. La marcha se convirtió en una fiesta de pueblo, que exhibía a un héroe de la fe del siglo 21. Al son de nuestra música vivaracha, liderada por una gigantesca bandera puertorriqueña, seguida por arlequines montados en sancos y varias chicas y chicos vestidos de novias y novios para resaltar el matrimonio entre un hombre y una mujer. Así también una parodia del concepto que usaba el borrador del Código de Familia para referirse a las madres como "mujeres gestantes" y a los hijos como "material genético producto del nacimiento", creando así una generación sin afecto natural[119]. Varias mujeres se vistieron de madres embarazadas, empujando un cochecito de bebé; en lugar de una criatura llevaban un zafacón o bote de basura pequeño, forrado con un afiche del símbolo que se usa para deshechos biológicos en los hospitales.

A juicio de los redactores de aquel funesto código la palabra "madre" es "literariamente hermosa pero confusa", por lo que proponía sustituir "madre" por "mujer gestante". Así que varias voluntarias de CCEDFA optaron por protestar contra aquel aberrante concepto que atenta contra la dignidad humana y destruye la familia.[120]

Luego seguía una ruidosa caravana con bocinazos de portentosos camiones. Varios miembros de la unión de camioneros se nos unieron, así como una alegre caravana de los hogares CREA[121], madres y padres con sus hijos, pastores evangélicos y sacerdotes, con su gente de distintas iglesias. Algunas Iglesias se unieron a CCEDFA, portando sus propios banderines muy creativos. Marchaban al compás del estribillo de un rap compuesto por JUCUM (Juventud con una Misión). Aquello fue una fiesta de pueblo, mientras la caravana era recibida frente al Capitolio por una orquesta de la delegación de CCEDFA de la región de Mayagüez, con música de salsa alusiva a la defensa del matrimonio.

Decidimos abrir el acto frente al Capitolio con una oración por un niño. Fue la estrategia que usamos para dar por terminada ciertas discusiones entre pastores aliados a CCEDFA. Cancelamos la puja por el protagonismo entre ellos con un niño. Dimos unos cuantos discursos, siendo el Dr. Parker el orador principal con su testimonio. Le demostramos a los políticos como Charlie Rodríguez que el líder que tenemos se llama Jesucristo, y con unos veinte mil ciudadanos derrotamos los planes de la agenda *gayola*. Muchos senadores y representantes salieron a expresarse y cancelaron aquel funesto código. Mas aún, dimos inicio al cambio en el pensamiento intelectual de este país. Y seguimos dando la batalla.

En la tarde el Dr. Parker quiso ir a una de nuestras hermosas playas, así que le llevamos a la playa del Escambrón. Emocionado, el Dr. Parker le preguntaba a Michael sobre el escudo de Puerto Rico y sobre el nombre de la Isla del Cordero. Michael le contestaba, y Parker más deseaba saber sobre aquel simbolismo maravilloso que nos ha regalado Dios como pueblo: El Cordero sentado sobre la Biblia.

Con lágrimas en sus ojos, el Dr. Parker se inclinó hacia el suelo y con una varita que encontró en la playa escribió en la arena "Massachusetts". Aquello nos conmovió a Michael y a mí. También nos hizo llorar por su pueblo. Así, como gemimos por nuestra isla, Dr. Parker gime por su Massachussetts, y miles de personas alrededor del mundo gimen por Inglaterra, Canadá, Suecia, Suráfrica, Holanda, Argentina, Brasil, Nueva York, California y otras partes del globo terráqueo que padecen persecución y saqueo de los valores sobre la familia y a la verdadera identidad del ser humano.

Al siguiente día Dr. Parker continuó la gira por varias emisoras de radio seculares, y terminamos con una invitación en el canal de televisión de los pentecostales. Para Michael y para mí fue un privilegio servirle de chofer a un héroe de Dios, que no negó su fe ni sus valores y supo pagar el precio en defensa de la inocencia de sus hijitos. ¿Y tú, lector, qué estás dispuesto a hacer?

Cambios en la arena política

CCEDFA consiguió varias victorias. El representante Norman Ramírez presentó el proyecto de enmienda a la Constitución en defensa del matrimonio entre un hombre y una mujer, el R de la C 108, con un respaldo inicial de 34 firmas de representantes. Es decir, la cantidad de votos necesarios para que la enmienda pudiera ser aprobada en la Cámara. El representante Ramírez llamó a conferencia de prensa para hacer el anuncio de la entrada de la enmienda a discusión legislativa. Él había solicitado, y le fue confirmado por el personal correspondiente de la administración del Capitolio, que la conferencia se llevaría a cabo en el Salón de la Constitución, y así se le comunicó a la prensa y a todos los invitados a tan histórico evento.

El sabotaje de los *gayolas* y algunos de sus familiares que trabajaban en aquel momento en el Capitolio no se hizo esperar. Cuando llegamos al lugar en la fecha y hora convenidas, aquellas facilidades estaban llenas de exposiciones de otros eventos. Por lo que redirigieron nuestro acto para el anuncio de la enmienda al segundo piso, al Salón de los Próceres. Tal vez para humillarnos y desorientar a los asistentes, a quienes se les había indicado que los actos serían en el Salón de la Constitución. ¡Bueno, después de todo, si existe una Constitución es porque hubo padres y madres de la patria! Los próceres que la hicieron y la defendieron. Allí estábamos defendiendo nuestras más sagradas libertades de expresión y de culto, y la familia, junto a otras organizaciones como Matrimonios Unidos de la Iglesia Católica, de La Gruta de Lourdes en Trujillo Alto y su párroco padre Felices, *Morality In Media*; Mujeres Por Puerto Rico y varias otras organizaciones, pastores de distintas denominaciones y personalidades que no me alcanza la memoria enumerar.

El Senado por su parte presentó el proyecto *R del S 99* con la misma intención pero con otro lenguaje. Al advenir la enmienda constitucional como asunto en la arena política, se logró desviar el tema del código civil, y eventualmente lo descarrilamos. ¡Gloria a Dios!

A pesar de la abrumadora cantidad de legisladores que respaldaban el proyecto *R de la C 108*, éste no prosperó porque las presidentas de las comisiones de gobierno y de lo jurídico son ideólogas de la agenda *gayola* y obstruyeron la discusión del proyecto, dejándolo engavetado y con ello evitar que sembráramos la semilla de la enmienda constitucional en la arena política.

Ante este panorama, nos reunimos con el Honorable Representante Ramírez, para hablar de la situación y solicitarle permiso para abogar porque el contenido de su proyecto *R de la C 108*, se pudiera incorporar en la *R del S 99*. La humildad de un político es una cualidad en extinción. Pero aquel varón dio cátedra de visión del Reino de Dios. No le importó que otro político pudiera llevarse los méritos de su propuesta si con ello salvaba el propósito de defender el matrimonio entre un hombre y una mujer.

Los planes de Dios nadie los detiene. La *R del S 99* del Senado fue reformulada para que expresara textualmente la redacción de la *R del CR 108*. Los senadores proponentes, Honorable Lucy Alce y el entonces vicepresidente del Senado Honorable Jorge De Castro Font, tan pronto abrieron a discusión las audiencias sobre su proyecto, sin nosotros llegar a articular palabra, vertieron para record que estaban en la disposición de que el proyecto recogiera el lenguaje que quisiéramos recomendar. ¿Es esto normal en la política de Puerto Rico? No.

LA GRÚA DE WILLIE

Desde marzo de 2007 habíamos comenzado a recoger cartas con firmas de los ciudadanos en apoyo a la enmienda constitucional.[122] Aquel movimiento en cada pueblo fue alertando a los políticos. CCEDFA consiguió que varios alcaldes PPD y PNP y asambleas municipales emitieran resoluciones y proclamas en apoyo del matrimonio y en repudio al funesto código civil de contenido *gayola* y comunista. ¡Cruzamos banderas y barreras políticas! ¡Ya eso era un milagro! Políticos de todos los partidos comenzaron a respaldar aquella causa por el bien de Puerto Rico. Nuestra labor voluntaria fue totalmente gratuita. Podemos decir que pagábamos por hacer nuestros trabajos y con modestos recursos fuimos llegando a distintos pueblos. Llegamos a recopilar alrededor de unas 263,000 firmas.

En la mañana de las audiencias, en agosto de 2007, nos tocaba exponer; llegué a eso de las 7:30 AM. Allí estaba uno de los voluntarios de CCEDFA, el creativo Willie, con una espectacular grúa elevando a varios pies de altura las cientos de cajas blancas que contenían las miles y miles de cartas de ciudadanos exigiendo que se celebrara un referéndum para elevar a rango constitucional el matrimonio entre un hombre y una mujer. También de la grúa pendían dos gigantescos afiches con los nombres de los legisladores que apoyaban la enmienda, los que no se habían expresado y los que se estaban oponiendo.

Poco a poco fueron llegando algunos amigos y hermanos para acompañarnos a la declaración en las audiencias ante el Senado.

La primera en llegar fue la amada pastora Wanda Rolón y con ella algunos hermanos de su iglesia. Recuerdo que me abrazó y me dijo: "Te dije que iba a venir. No estás sola, Dios está contigo". La pastora Rolón siempre me recibía en su iglesia y en sus programas de televisión para promover nuestra lucha.

Luego llegaron otros pastores y más voluntarios de CCEDFA. Durante nuestra ponencia, le solicitamos a la senadora Lucy Arce que saliera al exterior para que tomara conocimiento de las miles de firmas que pendían de la famosa grúa. Junto a ella salieron otros senadores y allí comenzaron a firmar los afiches dando su aprobación públicamente.

En otra ocasión varios pastores y pastoras de diversas denominaciones organizaron y presentaron el programa especial de televisión "Una Sola Voz por Puerto Rico". ¡Valioso y hermoso! Esa noche nos quedamos en casa para ver de qué se trataba. Cuando mi esposo y yo vimos aquello, nos abrazamos de gozo, lloré de alegría, y le dije a Michael: "Ahora sí nos podemos marchar de Puerto Rico; ya cumplimos nuestra misión de despertar y unir al pueblo de Dios". A la vez que le expresaba esas palabras a Michael, tuve una visión. Vi un barco blanco gigante, con bordes dorados y transparentes en su fondo. Abajo, en el cuarto de máquinas, había un motor pequeño. La nave es el pueblo creyente y no creyente y CCEDFA era sólo aquel pequeño motor.

Entiendo que la misión de CCEDFA es de carácter temporero. Así como fue la casa de Obed-edom; que tuvo temporeramente el arca, hasta que David enderezó lo torcido dentro de su reino y pudo retomar el arca. Mientras tanto seguíamos visitando toda la isla. Aunque soy evangélica, tuve el privilegio de que varias iglesias católicas me recibieran con gran amor. Yo no predico, pero les llevaba el aviso de lo que es esta agenda gayola. En una ermita católica ubicada en el área de Cupey, en Río Piedras, el sacerdote me sorprendió al presentarme como una profeta para estos tiempos. El padre Felices nos recibió en La Gruta de Lourdes y me abrió paso con varios sacerdotes de la capital. Padre Felices me decía: "Usted es una mujer de esperanza contra toda esperanza, y eso me gusta". Yo tan solo seguía el mandato de Dios. Realmente fui muy bendecida por miles de puertorriqueños que nos dieron su apoyo. En otra ocasión, en una reunión en el pueblo de Naguabo, se me acercó un joven profeta de nombre Eliseo. Era la primera vez que nos veíamos. Me abrazó diciéndome que Dios me había dado corazón de madre para este tiempo y que en noventa días comenzaría a ver el fruto de tres años de trabajo. Los noventa días se completaban el 24 de enero del 2008.

CCEDFA no fue el único batallón que Dios levantó. CCEDFA fue solo una especie de "tug boat"[123], barca remolque, que Dios usó para levantar el ánimo combativo y la creatividad de la gente. Otros grupos de ciudadanos y de pastores se unieron en otras partes de la isla para orar y ungir por aire, tierra y mar a toda la isla. Se levantaron cadenas de oración, ayunos, misas, rogativas, vigilias, etc. Cada cual conforme a su fe y diversas doctrinas. Ese año la actividad anual Clamor a Dios, que por muchos años viene realizando el pastor y evangelista internacional Jorge Rashkie, tuvo un matiz muy particular y hermoso. Pastores de diversas iglesias se pedían perdón públicamente por viejas diferencias. Sanar nuestra tierra conlleva someternos los unos a los otros, amarnos como Dios merece y que le adoremos y amemos a Él.

El enemigo trató de detener aquella gesta en el Senado, pues la senadora Honorable Lucy Arce de Ferrer, quien presidía aquellas vistas, se enfermó súbitamente y tuvo que ser recluida en intensivo, lo que atrasó el envío final del proyecto hacia la Cámara. Redoblamos nuestras oraciones al Altísimo, y la senadora Arce se recuperó, y *La R del S 99* fue aprobada por el Senado en noviembre de 2007 con 21 votos, tal como lo requiere la Constitución. Por fin salió el proyecto hacia la Cámara de Representantes, donde estaban los representantes activistas de la agenda *gayola* que habían engavetado el proyecto 108.

El Presidente de la Cámara interpretó aquella demora como un acto intencional del Senado para presionarlo a aprobarles el proyecto sin discusión. En vano tratamos de convencerle que no hubo tal intención, y que la situación de salud de su compañera, Honorable Lucy Arce de Ferrer, fue algo fuera del control humano. Nada le persuadió y no accedió a trabajar con el proyecto antes del cierre de la sesión legislativa. No obstante se comprometió a abrir la sesión en enero con dicho proyecto. Cosa que tampoco cumplió.

En la Navidad del 2007 vimos otro milagro. El especial de Navidad del pastor-obispo Idelfonso Caraballo, de las iglesias Mission Board, junto a padre Willie de la Iglesia Católica Santa Bernardita de Country Club, celebrando la familia del pesebre: "José, María y Jesús". Una familia fundada en el matrimonio de hombre y una mujer, con su niño. ¡El diseño de Dios para la familia! Para muchos países latinoamericanos y algunos europeos, esta unidad entre evangélicos y católicos les puede parecer extraña y para otros hasta ofensivas. Los puertorriqueños estamos aprendiendo a trabajar juntos como hermanos, con respeto y amor, para levantar a nuestro pueblo, sin ser ecuménicos. Ha sido una experiencia gloriosa.

Los Sambalat y los Tobías

En la Biblia, Sambalat y Tobías trataron de impedir que Nehemías reconstruyera los muros de Jerusalén. Son el prototipo de actitudes que asumen algunos líderes, quienes por medio del ridículo, la intimidación y las amenazas, tratan de impedir el llamamiento que Dios le da a alguno de sus hijos. En aquella historia, fue contra Nehemías; en esta historia fue contra CCEDFA.

No siempre recibíamos respaldo de todas las instituciones religiosas. Hubo una petición de parte del liderato de una organización, que se levantaron cuales Sambalat y Tobías. Trataron de detener a CCEDFA, pretendiendo negociar; nos ofreció levantarnos el millón de firmas a favor del proyecto de enmienda siempre y cuando CCEDFA suspendiera la marcha que veníamos anunciado y promoviendo desde que se formó CCEDFA al comienzo de 2007. Por más que les expliqué la visión que Dios nos impartió, insistieron que suspendiera la marcha pautada para el 11 de junio de 2007, porque ellos acababan de determinar que harían otra manifestación básicamente para el mismo tiempo.

Como no accedí a su pretendida negociación, entonces trataron de intimidarme. El portavoz de aquel grupo de varones me trató de ridiculizar, y en tono de mofa machista dijo: "La hermana parece que no entiende. Esa marcha ha de ser un fracaso, y sin nosotros no podrán recoger el millón de firmas". Para este tipo de hombres, las mujeres somos incompetentes, brutas e incapaces. El machismo rampante en nuestra cultura boricua es un espíritu de pecado que muchos líderes religiosos todavía siguen arrastrando; no le han entregado esa área del viejo hombre a Dios.

Aquí no se trataba de un negocio personal, ni de la fama de CCEDFA, ni de ninguna otra organización. En el comité de CCEDFA teníamos claro que respondíamos a un llamado del Altísimo y no a intereses particulares de nadie, de ninguna denominación, ni siquiera de nuestros propios intereses.

Les quiero contar sobre las artimañas que usaron para que yo fuera a aquella reunión sola, sin alguno de los asesores en asuntos religiosos de CCEDFA. Los Sambalat y los Tobías "religiosos" me invitaron a aquella reunión bajo engaño, indicándome que sería una reunión con otros abogados de su organización para hablar sobre la enmienda. En aquella reunión no fue ningún otro abogado. Eran líderes de diversos sectores evangélicos, que por varias razones veían en CCEDFA algún tipo de amenaza, a pesar de que nuestro ámbito era estrictamente civil.

De las múltiples preguntas que me hicieron, pude concluir que sus temores eran más de índole políticos que doctrinales. Les repetía hasta la saciedad que la recolección de firmas era estrictamente para impulsar la enmienda, y sus preguntas me sorprendieron sobre posibilidades jamás pensadas por CCEDFA. Por ejemplo, me cuestionaron una y otra vez si contemplábamos crear un nuevo partido. Expresamente me preguntaron "si alguno de nosotros, en particular usted (yo) aspiraba a lanzarse en carrera política". Una y otra vez les daba el testimonio de cómo Dios nos lanzó a aquella extraña encomienda. A esta extraña operación. CCEDFA no tiene dobles intenciones, si no cumplir el llamado muy particular que Dios nos ha dado.

El único argumento que me parecía relacionado, de sus motivaciones para tratar de detener la marcha, era que ellos estaban pensando hacer otra actividad cercana a la fecha que CCEDFA había anunciado meses antes. Sin embargo, ni siquiera tenían una fecha final, y estaban improvisando una actividad, a sabiendas de que CCEDFA ya había anunciado su fecha, hora, lugar y motivo para la marcha del 11 de junio de 2007. Ellos insistían en que una de las dos actividades sufriría, fracasarían porque sería mover gente en fechas cercanas.

Les contesté que yo soy incapaz de decirle a ninguna otra organización que no haga sus eventos, o de inmiscuirme en sus asuntos. Les indiqué que su actividad iba dirigida a gente de ciertas iglesias exclusivamente, mientras que la de CCEDFA era para la ciudadanía en general, no creyentes, y creyentes de todas las denominaciones. Como en efecto lo fue. Les explicaba que su idea de hacer otra demostración, lejos de ser una desventaja, era loable que más organizaciones se levantaran y se hicieran sentir con respecto al peligro que enfrentábamos como pueblo con aquel propuesto código civil. Me recalcaron en tono poco amistoso, y con mirada desafiante, que si quería el millón de firmas desistiera de la marcha del 11 de junio de 2007.

Hay momentos en la vida como esos que si no tenemos clara la visión y la certeza de quién nos llamó, el enemigo se sale con la suya, aun usando a seres queridos, amigos o hermanos en la fe, o demonios con corbatas. Es el momento de pararnos en la brecha sin titubear. Nuestra mayordomía no es negociable. Yo le creí a quien me llamó y estoy plenamente convencida que Dios y yo somos mayoría. La marcha fue un éxito y ellos se perdieron la bendición. Ante los Sambalat y los Tobías, solo se puede declarar que: "No temáis delante de ellos, acordaos del Señor, grande y temible, y pelead por vuestros hermanos, por vuestros hijos y por vuestras hijas, por vuestras mujeres y por vuestras casas" (Nehemías 4:14).

No obstante, en aquella reunión inquisidora también reaccionó una minoría de sus miembros, dándonos su respaldo. Los pastores espirituales escucharon la voz del espíritu que daba testimonio de nuestra entrega sincera. Por el contrario aquellos otros pastores, motivados por intereses políticos, servían como marionetas de la administración del gobierno de turno, que solo se interesaban en asegurar que ninguna manifestación se saliera del lenguaje "politically correct" que fuera a debilitar la imagen del liderato en el poder. A esos no les interesaban los valores del Reino, a pesar de la apariencia religiosa bajo la cual operan. Si bien no comulgan con la agenda *gayola*, no quieren que se denuncie que sus políticos favorecidos llevan al país en esa ruta. No se dan cuenta que sus "amigos" políticos solo vacilan con ellos. Los políticos les sirven a dos señores, les dan una cara a los cristianos y hacen otra cosa. Y los *gayolas* los intimidan con sus chantajes y avanzan su agenda contra los cristianos.

Conocía que algunos de aquellos líderes religiosos todavía eran los alter-ego incondicionales del pastor Siniestro. A pesar de que aquel líder ya no estaba en Puerto Rico y había salido de la presidencia de aquella organización, todavía tenía sus tentáculos. Ellos solo buscaban proteger el partidismo político.

Otros de aquellos pastores estaban motivados por el protagonismo y el machismo. Su organización tenía que representar ante los políticos que tenían algún control de fuerzas políticas entre los creyentes. Ellos percibían que CCEDFA, una organización desconocida y dirigida por una menuda mujer, era algo inútil y menospreciado, intolerable para sus egos. Esos fueron los que más se reían burlonamente cuando les contaba mi testimonio de cómo Dios me llamó a esta lucha. Sí, así como lo oyen, varios líderes con títulos de pastores se reían de mis testimonios.

Al salir de aquella reunión le comuniqué la situación al comité timón de CCEDFA. Nuestros asesores en asuntos religiosos, al día siguiente concertaron una segunda reunión con aquella organización, con la esperanza de tratar de conciliar los esfuerzos. Pero fue en vano. Aunque nada detuvo la exitosa marcha de CCEDFA, la postura de varios de aquellos líderes tuvo su efecto en la cantidad de firmas que estábamos recogiendo. No obstante, la cantidad de firmas fue más que suficiente para asegurar el interés político sobre el tema de la enmienda, y más que suficientes para influir en las elecciones generales del país. Porque a los planes de Dios no los detiene nadie. Podemos decir sin lugar a dudas que ¡Dios y yo (donde dice "yo", puede decir el lector su nombre) somos mayoría!

Dios usa a quien le parece

El año 2008 fue crucial para sembrar la semilla de la enmienda en defensa del matrimonio en la política pública y combatir la imagen peyorativa que los *gayolas* han venido desarrollando contra los ciudadanos cristianos en Puerto Rico. A fines del 2007, CCEDFA hizo una invitación al liderato pastoral para que estuvieran listos a movilizarse en el 2008, vislumbrando las actitudes de ningún compromiso con la causa ya demostradas por el entonces Presidente de la Cámara de Representantes.

Enero de 2008 comenzó con un acontecimiento jamás visto en el país. Por primera vez en un acto público ante el capitolio se unieron pastores evangélicos y sacerdotes católicos, bajo la convocatoria de una Pastoral Unida, liderada por el pastor Miguel Cintrón. Fue una demostración de alrededor de mil pastores y sacerdotes en defensa de la familia y la enmienda para elevar a rango constitucional la defensa del matrimonio. Denunciando los dos elementos que son igualmente de perjudiciales a la familia y el matrimonio: 1. el concubinato entre hombres y mujeres, conocidas como las relaciones de hecho o sociedades domésticas, y 2. los pares homosexuales exigiendo que sus actos sexuales sean equivalentes a un matrimonio.

Los medios siguieron hablando del tema. Aunque en la mayoría de los medios seculares lo hacían para desacreditar nuestra posición o despotricar un discurso de odio y de ridiculización contra los cristianos, llamándonos ignorantes, fundamentalistas, criminales, brutos, morones, gente sin educación y un interminable listado de epítetos groseros, demostrativos de la carencia de argumentos sólidos por parte de los opositores influyentes en el control de los medios. Los medios de comunicaciones masivas intencionalmente desvirtúan nuestras expresiones, y se nos hace bien difícil conseguir un balance de información para el público en general. Orábamos para que algún medio nos diera una justa oportunidad para exponer el mensaje. ¡Por fin nos llegó la oportunidad!

Un día me llamó la hermana que voluntariamente nos hacia las relaciones públicas, María Ángela Pérez. Yo estaba en cama con fiebre, con una fuerte monga y un gran agotamiento físico. Casi sin voz. María Ángela me dio la tan anhelada noticia de que por fin un medio de televisión secular y en uno de los principales "top show", nos estaban invitando para grabar esa tarde. El Dr. César Vázquez, entonces vicepresidente de CCEDFA también estaba en cama con su espalda lastimada. María Ángela y yo nos afligimos al ver que ninguno de los dos altos líderes de CCEDFA podíamos asistir a un programa de TV, por lo que tanto habíamos luchado por conseguir. Y que particularmente María Ángela había trabajado duro hasta lograrlo.

Después de terminar aquella llamada de María Ángela, lloré con dolor: "Señor, tanto que hemos luchado para que se nos abriera esta oportunidad, y ahora no podemos ir. Sánanos, ayúdanos". Reclamé sanidad para César y para mí. Nada pasó, al menos como yo lo esperaba. El Dr. César Vázquez y yo seguimos enfermos. César había trabajado más allá de sus fuerzas y su cuerpo no resistió más. Dios tiene poder para sanar, pero en aquel momento, Él quiso detenernos. No me hacía sentido, pero sus planes son más altos que nuestros pensamientos.

En aquel momento yo no entendía a Dios, y mayor era mi pena. Pues aquella apertura en los medios coincidía con el día noventa del que me había hablado el hermano Eliseo, en aquella reunión de pastores en Naguabo, meses atrás. Me preguntaba a mí misma, *¿sería ese evento los frutos que íbamos a comenzar a ver? ¿Y ahora dejamos ir esta oportunidad?* Pero este cuerpo enfermo ya no podía más. Junto a otros voluntarios, llevábamos noche y día por meses esta lucha, viajando por toda la isla. Y la máquina del cuerpo dijo, ¡basta, no puedo más! Ese día a duras penas podía fijar la vista, la fiebre me consumía. En la noche hice un esfuerzo para ver la televisión. Y ver que iba a pasar sin nuestras comparecencias en aquel programa.

El moderador del programa había cambiado el formato del programa, pero no el tema. En lugar de opiniones entre ciudadanos, el moderador trajo un portavoz de los tres partidos principales del país a hablar sobre la *R de la S 99*. Lamentablemente, los portavoces del PPD y del PIP se expresaron abiertamente contra la enmienda. Digo lamentablemente, pues la mayoría de los ciudadanos que militan en dichos partidos son firmes defensores de la familia; pero sus lideratos les abandonaron. Cuando vi y escuchaba la defensa de nuestra posición por parte de portavoz del PNP, no lo podía creer. No salía de mi asombro. Su defensa era más elocuente que la nuestra. Pero mi asombro más que por el contenido era por la persona de quien se trataba.

Dios me sorprendió una vez más. Allí estaba aquel varón que en 2006 Dios me había llevado a orar por él, el Lcdo. Castell. Ese día, en enero de 2008, recibí una lección magistral de Dios. ¡La obra es de Dios!, no me pertenecía a mí. Yo solo fui un vaso para iniciar sus planes. Él levanta y usa a quien le parece, cuándo y cómo le parece, para eso es Soberano, el Gran Yo Soy. El Lcdo. Castell no tiene idea de cómo Dios le escogió como el instrumento para conquistar la arena política a un nivel que ciertamente el Dr. Vázquez ni yo éramos las personas adecuadas. Ya para entonces Castell se había convertido en una personalidad de la arena política.

Si los líderes religiosos entendieran que la obra no son sus particulares asignaciones en una iglesia o ministerio, sino que la obra es del Soberano Dios. Que todos somos parte de un solo fin. Extender el reino de Dios y su justicia. Otra seria la situación social de Puerto Rico y del mundo entero. Por estar defendiendo con tanto celo cada uno sus villitas o sus particulares egos, solo han logrado obstaculizar la obra de todo un Reino. Que importa quién se destaque, si todos nos gloriamos en Dios. Esa fue la extraordinaria lección de humildad que nos impartió el representante Ramírez. Él no escatimó que otros políticos se destacaran, si con eso se podía sacar a la discusión pública la enmienda y su eventual aprobación.

Aquel programa con portavoces partidistas cambió el giro de nuestras gestiones. Dios usó aquel programa para lanzar la enmienda de lleno al ruedo político, en pleno año eleccionario. El asunto se tornó un dolor de cabeza para el gobernador de turno. Él era de ideología *gayola*, y como era de esperar, se oponía a dicha enmienda. Al ver que la enmienda ganaba terreno en la arena política, cometió el error de expresar que era obra de unos politiqueros. Esas expresiones del gobernador de entonces puso más furioso al pueblo, pues la gente sabía que CCEDFA trascendía colores de partidos y de denominaciones.

Ninguno de nosotros en CCEDFA buscaba ni buscó posición política alguna. De hecho al comienzo de nuestras gestiones como CCEDFA, algunos líderes se mostraron recelosos y suspicaces en que se levantaran las firmas en pro de la enmienda, y me abordaron para cuestionarme si aquellas firmas eran con la doble intención de formar otro partido o de lanzar mi candidatura. Me dio un santo coraje, o un coraje santo. Lloré del coraje. (Pero no delante de ellos.) Por más que les aseguraba que esa no era ni es mi misión; y por mucho que les testificaba una y otra vez cómo Dios me llamó a esta batalla durante los últimos dos años antes de irme de Puerto Rico, para atender asuntos de nuestra familia y alcanzar otros derroteros que ya Dios me ha mostrado. Mas no me creyeron, y decidieron no apoyar a CCEDFA.

El tiempo fue mi mejor testigo. Con todo y ello, algunos se mantuvieron escépticos a mi palabra. Pero con ellos o sin ellos seguí. Nunca me detuve porque alguien no me quisiera seguir. Dios siguió uniendo a los que sentían el llamado a trabajar por amor. Seguía con quien me llamó, sin importarme las aparentes imposibilidades. Estaba y estoy segura que Dios y yo somos mayoría.

Por encima de la firme oposición del Gobernador, logramos que algunos políticos de su propio partido tomaran el asunto en serio. Aunque una facción grande dentro de un partido (PNP) se mantuvo interesada en la enmienda, lo cierto es que todos los partidos estaban divididos en términos de *gayolas* y pro familias, incluyendo el PNP.

La agenda *gayola* había dividido a todos los partidos; aquella división hacia vacilar al entonces Presidente de la Cámara de Representantes, José Aponte. Por un lado él se pronunciaba pro familia, en su plano personal, pero no como un asunto de importancia política. Cuando puso en la balanza la defensa de los valores de la familia, *versus* el poder, optó por el poder. Aun siendo pro familia, no tuvo las agallas de ejercer el poder de su cargo, por tratar de mantenerse a flote con las facciones *gayolas*. El creyó que así podía retener su eventual re nominación a la presidencia, de resultar reelecto. Aunque logró la reelección, sus colegas no lo respaldaron para la ambicionada presidencia de la Cámara. Precisamente fue desbancado por una de sus "aliadas" *gayolas*. Si hubiera usado el poder sin titubeos a favor de los valores de la familia, Dios lo hubiera honrado.

Aponte primero ofreció que se discutiría la enmienda en enero al comenzar la nueva sesión legislativa de enero 2008. No lo hizo. En ocasiones extraordinarias, los presidentes de la Cámara han ejercido su facultad de reasignar los proyectos de leyes a otras comisiones que no son las usuales para la evaluación de un proyecto. Aun así el optó por someterle el proyecto a una de las comisiones presididas por representantes *gayolas*, a sabiendas de que ésta obstaculizaría el proceso y rendiría un informe negativo a como diera lugar. Liza Fernández (Aholiba), una de aquellas representantes *gayolas*, sin tapujo y burlándose, le decía al pueblo, "el presidente puede enviarle ese proyecto a otro, ¿por qué no lo hace?" Obviamente, aquellas *gayolas* tenían una carta baja su manga para controlar el criterio de aquel Presidente de la Cámara.

El Presidente aseguró que el proyecto se votaría antes que se celebrara la primaria del PNP, en febrero de 2008. Tampoco lo cumplió. Su Vicepresidente, Epi Jiménez, con su oficina olorosa a intensos sahumerios y los símbolos santeros que él mismo portaba, propuso al caucus del PNP posponer el asunto para después de las primarias, con el propósito de que la enmienda no creara presión sobre los candidatos en las primarias. No se discutió la enmienda antes de las primarias.

El entonces vicepresidente de la Cámara Epi Jiménez en aquellas elecciones generales corría para alcalde de Carolina por el PNP. Aunque el PNP prácticamente barrió en las elecciones en casi toda la isla, Carolina fue uno de los pocos pueblos donde el PNP perdió las elecciones generales del 2008. Epi fue el único candidato a alcalde que incluía un transexual en su plancha de asambleístas. Los ciudadanos simpatizantes de CCEDFA y otros aliados hicieron bien su trabajo educando al pueblo de Carolina. No podemos decir lo mismo de los precintos de San Juan, donde reeligieron a dos de los *gayolas* principales. ¿Qué pasó? Sencillamente, los creyentes "lentejas" venden su primogenitura[124]. Por ejemplo, tuvimos el caso de un pastor de una iglesia en uno de esos precintos, a quien por más que se le explicó toda la situación de la agenda *gayola*, dijo que seguiría apoyando a la representante *gayola* del PNP porque era la de "su partido" y además ella le había conseguido unas ayuditas para su iglesia. En esos precintos el PPD tenía candidatos que no apoyaban la agenda *gayola* de su propio partido; pero los creyentes lentejas vendieron sus principios por un plato de lentejas. Para ellos era más importante ser PNP que cristianos.

Tan pronto pasaron aquellas primarias, el representante Norman Ramírez se proponía lanzar la enmienda a discusión. Todo estaba listo para provocar el debate de la enmienda en la Cámara. Minutos antes de abrirse la sesión en el hemiciclo, Ramírez tuvo que salir de emergencia. Su hijo adolecente cayó en coma por un inesperado problema cerebral. Las semanas que le siguieron fueron de gran angustia para todos. El pueblo se tiró de rodillas a orar por aquel jovencito. Hasta algunos adversarios políticos también imploraban a Dios. La prognosis era que de sobrepasar aquella lesión cerebral, el joven podría quedar con limitaciones motoras y/o en sus capacidades cognoscitivas. CCEDFA había dado el aviso a una de las emisoras cristianas y en cuestión de minutos se unieron otras emisoras y el pueblo. Aquel jovencito se pudo reincorporar con todas sus facultades motoras, mentales y cognitivas. El poder de las tinieblas no prevalece contra los hijos de la luz. Aquel inesperado suceso que parecía un aparente atraso, fue un instrumento de más unión y fe entre todos. ¡Gracias a Dios por ese milagro! ¡Nos unimos por un niño! Mis lectores, tenemos que unirnos por el futuro de los niños.

ANTE LA COMISIÓN DE LO JURÍDICO

Mientras tanto CCEDFA siguió la lucha. Durante los trabajos en la Cámara, la presión del pueblo fue tal que no le quedó otra alternativa a Aholiba[125], la Presidenta de la Comisión de lo Jurídico, que celebrar audiencias. Aquello fue un espectáculo de la bipolaridad moral de algunos representantes, en particular de Aholiba.

Previo a esas audiencias, en el 2008, la primera vez que hablamos con Aholiba fue durante las audiencias el código civil en febrero de 2007. Para entonces ella se encontraba en estado avanzado de embarazo. Fuimos a su oficina con una delegación de ciudadanos. Se le presentó pruebas contundentes de la enseñanza homosexual para niños; varios libros con láminas explícitas, preparados para niveles preescolares y grado elemental, los cuales se usan en otras jurisdicciones. Su reacción visceral, impensada, la hizo llamar a una empleada suya, quien también estaba embarazada, y prácticamente llorando y espantada, le decía: "¿Mira esto lo que nos espera? ¿Lo que le espera a nuestros bebes?" Se tocaba su vientre en un gesto de protección a su criatura. Nos aclaraba que si bien le preocupaba unos derechos económicos de los pares homosexuales y de personas en convivencia concubinaria, jamás pensó que ello tuviera alguna repercusión en la educación de menores tan pequeños. Se mostró afligida. Lágrimas asomaron a sus ojos. Manifestó una reacción bien maternal, o fue una actuación digna de un Oscar. De aquella escena fuimos testigos al menos una docena de personas, entre ellas miembros de organizaciones de MPPR, AJC, CCEDFA y FRAPE. Las ciudadanas de MPPR habían sido las portadoras de aquel material, que aparentemente le movió las entrañas a Aholiba.

¿Qué la hizo cambiar de una madre protectora a una posición extremista y radical *gayola*? El asunto que nos llama la atención no fue que la representante meramente optara por defender a los *gayolas*, lo cual podía hacerlo con un estilo mesurado y con fina etiqueta propio de una persona en un alto cargo de poder; sino que Aholiba parecía más un demonio despotricando insultos contra todos los pastores cristianos, totalmente fuera de lugar para el cargo que desempeña.

Durante las audiencias sobre la *R de S 99*, Aholiba pretendía acallar a los defensores de la niñez y la familia de manera destemplada y arrogante. Hizo viciosas acusaciones a los pastores en general (sin mencionar algún caso en particular) de que eran unos adúlteros, y le expresaba a la prensa que no iba oír "a los religiosos", despotricando otros improperios de odio contra los cristianos y escudándose en su inmunidad parlamentaria. Sabemos que los *gayolas* saben extorsionar muy bien a los políticos y a las figuras públicas. Estos buscan sigilosamente en la vida íntima de sus víctimas y cuando encuentran algo que les pueda comprometer, les obligan a callarse o a unirse a su causa o de lo contrario los "tiran al medio"[126]. ¿Qué paso? Allí estaba Aholiba unida en cuerpo y alma a la agenda *gayola*, como fiera portavoz del odio *gayola* contra los cristianos.

Aunque CCEDFA es un movimiento civil amplio de ciudadanos que creen firmemente en los valores de la familia, sean o no ciudadanos religiosos, Aholiba tampoco nos quería recibir en sus audiencias. La presión del pueblo fue tan fuerte que el Presidente de la Cámara se vio en la obligación de requerir a dicha legisladora que le diera audiencia a lo que ella llamaba "los religiosos", en lugar de pro familia. Ella solo quería oír a los expertos *gayolas* del partido de arcoíris. Profesores, psicólogos y otros ciudadanos y profesionales, propulsores todos de la agenda *gayola*, que a juicio de la legisladora eran los únicos conocedores de derecho constitucional y conducta humana. Ella cerró sus oídos, como hizo faraón ante los reclamos de Moisés por liberar a su pueblo de la esclavitud. Mas ¡ay!, ya sabemos lo que le pasó a faraón por su negativa de escuchar al mensajero de Dios.

La presión pública no se hizo esperar y eventualmente no le quedó más remedio a la legisladora que reconocer el derecho a ser escuchado, que también tiene el sector pro familia, los religiosos y todo ciudadano. Mientras ella efectuaba aquellas audiencias sobre la enmienda constitucional dentro del salón de audiencias con otros grupos deponentes, afuera en los pasillos CCEDFA esperaba su turno; y por allí pululaba el esposo de Aholiba, quien también era representante y cabildeaba a la inversa.

Digo a la inversa pues de ordinario son los cabilderos profesionales o los diversos sectores del pueblo quienes van a los legisladores para sugerir o recomendar determinadas propuestas de legislaciones, ya que al fin y a la postre los legisladores ejercen su discreción de rechazar, modificar o aprobar una medida legislativa sin tomar en consideración lo que le haya propuesto algún sector. Pero aquí teníamos un legislador buscando el favor de los sectores pro familia para que fuera el propio grupo pro familia quienes pidiéramos una modificación al texto de la enmienda tal como él deseaba. (Mejor dicho, como su esposa le indicó.) Aholiba decía que si eliminaban la segunda oración de la enmienda, ella votaría a favor de dicha enmienda. Total, ella tenía la facultad de recomendar la eliminación de la segunda enmienda sin que nadie se lo solicitara.

La eliminación de aquella segunda oración le dejaba al Estado la opción de reconocer las uniones *gayolas* que provengan de otros países, y de igualar el concubinato al matrimonio. El marido de Aholiba se paseaba por los pasillos como un niño de mandados, con la encomienda de dividir o al menos debilitar el respaldo de los aliados de CCEDFA. Nunca se dirigió a mi persona ni a nuestros abogados. Nos pasaba por el lado y estábamos allí accesibles, observando su movida. Su estrategia era tratar de engañar a algún lego en Derecho de entre los pastores aliados para que no respaldaran a CCEDFA. Irónicamente, aquel representante había sido uno de los originales 34 votos que apoyaron el *P de la C 108* del representante Ramírez en el 2007, que impulsaron el primer proyecto de enmienda pro matrimonio entre un hombre y una mujer. ¿Qué lo hizo retractarse? Él creía en la enmienda en defensa del matrimonio, hasta que alguien lo atesó.

Aholiba y su marido, siendo ambos representantes y llamados a darle un buen ejemplo a la juventud de nuestro país, vivían en concubinato, y al salir embarazada ella, se casaron. Ahora el representante buscaba el aval de todo un cuerpo pastoral de manera que fueran los pastores y sacerdotes que les solicitaran un cambio a la enmienda que favoreciera las relaciones extramaritales.

No les bastaba que el periódico *El Nuevo Día* –que es la prensa del país que lleva la propaganda escrita para hacer avanzar la agenda *gayola*– les estuviera haciendo una campaña gratuita exaltando la imagen de la legisladora para la Semana de las Madres, como gran ejemplo de maternidad para las jóvenes. *El Nuevo Día* le había dedicado toda una página con el pretexto del Día de las Madres, haciéndole una tremenda publicidad, gratuita, burlando así las donaciones reglamentadas para la campaña electoral que se aproximaba. Bien advierte la Palabra a los que están en eminencia que el soborno ciega los ojos y pervierte las palabras de los justos, y por lo tanto se tuerce el derecho.[127]

Mientras Aholiba vociferaba sendos improperios contra los pastores, su marido trataba de inspirar simpatía entre los pastores, apelando a que era hijo de pastores y se había criado en el evangelio. Aquel representante decía que era cristiano entre los cristianos. Mas pretendía convertir a los cristianos al pensamiento intelectual de su moral de convivencia fuera de matrimonio, y además dejarle una posibilidad a las relaciones homosexuales. Esas actitudes de aquel legislador nos sirven para ilustrar la crisis valorativa a que todos estamos expuestos. Sí, digo: Todos estamos expuestos. Porque la Palabra bien claro dice que justo no hay ni uno...[128] "¿Qué pues? ¿Somos nosotros mejores que ellos? En ninguna manera".[129]

Somos una generación que claudica en dos corrientes. En las corrientes del príncipe de este mundo, donde unos las promulgan abiertamente y están conscientes de todas las implicaciones de tales corrientes; son los que tienen sus mentes cauterizadas y sin ningún tapujo practican creencias, desde el más inhumano y explícito satanismo, hasta el más radical culto al secularismo. Hay otros que, de manera vedada, influidos por un intelectualismo cuyo fundamento son la fantasía y los mitos, hacen una mezcla de creencias seculares con los valores del reino de Dios y su justicia. Algunos llegan al sincretismo religioso de mezclar el cristianismo con mitos orientales y prácticas de yoga, budismo, hinduismo, de la masonería pagana, la pacha mama, espiritismo, etc.

El intelectualismo ateo que se sirve en las universidades tiene como fundamento el placer irracional y la fantasía, como probaremos más adelante, produciendo un retroceso del saber, retornando la inteligencia humana a creencias mitológicas y supersticiones, al grado que aun la ciencia y el derecho han sucumbido a la subjetividad de las fábulas. No es de extrañar que los profesionales, producto de esa falsa ciencia y errónea interpretación del derecho, cuando llegan a posiciones de poder ya sea como gobernantes, legisladores, jueces, etc., reproducen este tipo de pensamiento en el estado de derecho y en la política pública de un pueblo; muchos de manera inconsciente y otros a sabiendas y premeditadamente.

La lucha por eliminar la segunda oración de la enmienda

¿Y cuál era la proposición de aquel representante? Para que puedan entender de qué se trataba la proposición del representante, es necesario leer la propuesta enmienda de la Resolución 99:

> *"El matrimonio es una institución civil que se constituirá solo por la unión legal entre un hombre y una mujer, en conformidad con su sexo original de nacimiento. Ninguna otra unión independientemente de su nombre, denominación, lugar de procedencia, jurisdicción o similitud con el matrimonio será validada como matrimonio".*

Aquel legislador les ofrecía a los pastores que propusieran eliminar la segunda oración de la enmienda. Esos legisladores pretendían quedar bien con todos. O como dice una frase popular, "con Dios y con el diablo". Con la primera oración complacían, según ellos, a los "religiosos". Al establecer que el matrimonio efectuado en Puerto Rico es solo entre un hombre y una mujer, complacían en parte a los *gayolas*, porque sin esa oración cualquier relación homosexual legalizada en otras jurisdicciones podría ser reconocida en Puerto Rico. Además permitiría que las relaciones extramaritales sean exaltadas al mismo nivel que el matrimonio, y sin tener las mismas obligaciones legales. Una verdadera defensa del matrimonio requiere prevenir ambas situaciones del estado de derecho.

No sabemos qué otras presiones los *gayolas* le estuvieran haciendo a Aholiba y su marido, para que asumieran esa actitud feroz contra la propuesta enmienda. Quizás también fueron chantajeados, como veremos más adelante bajo el tema de la raíz de la corrupción en el Gobierno.

La misión del representante era crear desesperanza, creando la impresión de que si no se accedía a su propuesta, tampoco se aprobaría la enmienda. En efecto, cuatro pastores de uno de los grupos de aliados, que aunque tienen la visión correcta, les faltó fe. Cayeron en la trampa. Veían a faraón más grande que sus fuerzas. Se tambalearon. Se dejaron intimidar por el enemigo, que logró hacerles pensar en sus fuerzas individuales humanas y desconfiaron del que los llamó. Se amedrentaron. Pero aquellos que mantuvimos la visión y la fe, no en nuestras fuerzas, sino en el que está en nosotros y con nosotros, nos mantuvimos firmes.

El niño de mandados de Aholiba siempre logró impactar a algunos. Cayeron en su trampa de desesperanza. Ellos se tornaron a nosotros en actitud de derrota para tratar de convencernos que había que ceder los principios, aduciendo que "a los políticos hay que darles algo, que hay que negociar".

En los procesos legislativos, luego de que se celebran audiencias para escuchar el parecer de los sectores interesados, los legisladores finalmente, cuando están en el hemiciclo discutiendo el asunto entre ellos, introducen los cambios que mejor les parecen y no le consultan al pueblo. Así es de plena su facultad constitucional. Es decir, esos representantes de haber tenido una seria intención de aprobar la enmienda eliminándole la segunda oración, bastaba con escuchar a cada deponente. La comisión rendía su informe, recomendando que solo dejaran la primera oración, o con los cambios que les pareciera recomendar. Se debatía en el pleno del cuerpo legislativo, y se votaba. Pero esa nunca fue la intención de Aholiba y sus aliados *gayolas*.

Al enemigo no le interesa que CCEDFA se rinda, lo que siempre ha querido es el rendimiento de los principios de los aliados de CCEDFA. A los que representan la Iglesia. Porque la función de CCEDFA no es evangelizar, esa es la misión de la Iglesia. Si el enemigo conseguía el rendimiento de los valores por parte de la Iglesia, el mensaje para nuestra juventud es que tomen las relaciones extramaritales como la mejor alternativa para fundar una familia, como optaron Aholiba y su consorte. Además de dejar una puerta abierta para la agenda *gayola*.

¿Qué argumentos esgrimía el niño de mandados de Aholiba para tratar de persuadir a los pastores que no saben Derecho? El legislador les decía que, de aprobarse la enmienda con la segunda oración, se afectaban los derechos de los hijos que nacen fuera de matrimonio. ¿A quién se lo decía? A los pastores, que son todo corazón con los niños, y desconocen las leyes y el tecnicismo legal. No se lo decían a los abogados que estábamos allí. Porque ante nosotros no podía sostener ni por un segundo sus mentiras.

Ese argumento que levantaba el representante nos sirve de ejemplo para que veamos cómo la mentira irracional se hace parte del quehacer legislativo con lo que se rige a todo un pueblo. Analicemos si se pierden o no los derechos de los hijos:

Primero, la enmienda sólo describe cómo estará conformado, o quiénes componen un matrimonio: sólo un hombre y una mujer. No admite poligamia ni relaciones múltiples; solo la monogamia. Se garantiza que es la unión entre personas de ambos sexos. No fomenta el discrimen, pues procura que ambos sexos estén representados dentro de la formación de una familia y de la sociedad en general. La Constitución prohíbe el discrimen por sexo, por lo que el gobierno no puede avalar relaciones que produzcan una especie de "apartheid" por sexo. El gobierno no puede crear una isla de amazonas y erradicar al varón[130], como pretenden las mujeres homosexuales extremistas. Tampoco puede crear una sociedad al estilo ejército espartano y reducir el rol de la mujer en el proceso reproductivo de la raza humana a un mero vientre subrogado, al estilo del *gayola* Elton John o del *gayola* Ricky Martin[131]. Este estilo de procreación solo trae huérfanos por diseño y viola el derecho de los niños a conocer a su madre o a su padre y disfrutar del amor de ambos padres, además de dañar la psiquis y la vida de las pobres criaturas confeccionadas al antojo *gayola*.

Si algún efecto indirecto tiene hacia los niños la enmienda en defensa del matrimonio, es que promueve estabilidad para que un niño pueda crecer en el mejor ambiente, con un padre y una madre.

Segundo, el hecho de que no se reconozca las relaciones extramaritales tampoco afecta el derecho de los hijos nacidos fuera de matrimonio. ¿Qué dice la ciencia del Derecho? En Puerto Rico la Constitución prohíbe discriminar por razón de nacimiento. Esa disposición precisamente va dirigida a corregir la falta de derechos que padecían los hijos nacidos fuera de matrimonio desde el tiempo de la colonización española. Esa es la misma historia prácticamente en toda Latinoamérica. Los hijos sin padres han sido una triste realidad en Puerto Rico desde el tiempo de la colonización española. Existía el concepto de hijos naturales o ilegítimos o bastardos. Los hombres embarazaban a las mujeres, no les reconocían su prole, no les daban su apellido. Los hijos no tenían derecho a heredar y eran abandonados en su subsistencia.

La proliferación de este tipo de uniones se remonta a la época salvaje de la colonización de la isla. Las indias y luego las negras esclavas era doblemente colonizadas. Sus vientres fueron doblegados por los colonos para procrear población, particularmente por los soldados que la Corona enviaba, y luego, por los hacendados que explotaban a los agregados.[132]

A medida que se fue poblando la isla, el campesinado, por razones de extrema pobreza, no tenía medios para pagar los emolumentos para el matrimonio, así que las uniones de hecho fueron la forma común de unirse los hombres y las mujeres. Solamente la gente con recursos, la clase alta, tenía los medios para contraer matrimonio y tratar con alguna dignidad y honor a la mujer de ese nivel social. Mientras que muchas mujeres pobres solo eran objeto de explotación sexual y relaciones sin compromiso.

Esa situación social les creaba una desventaja socio-económica y moral a los hijos, prole inocente de los actos de sus padres. Fue además uno de los factores que indudablemente contribuían a la pobreza nacional del país. Es por ello que los Padres de la Constitución crearon las bases para desalentar ese tipo de uniones, e imponerles a los padres la obligación legal de reconocer los derechos a sus hijos, indistintamente de que nacieran fuera de matrimonio. Los Padres de la Constitución dijeron bien claro con respecto a la conducta de los adultos:

> *"Las uniones ilícitas pueden y deben estar prohibidas y esta disposición* (discrimen por nacimiento) *tendrá como una de sus consecuencias el desalentarlas."*[133]

Este pensamiento de los padres de la Constitución contrasta con la mentalidad disfuncional del legislador *gayola*. Estos neo legisladores dirían: "Como los pobres no se pueden casar, se elimina el matrimonio y protegemos las relaciones fuera del matrimonio". Pero hoy en día los pobres también se pueden casar. El que quiere vivir sin casarse lo hace porque quiere. Aun así, nuestra Constitución protege a los hijos nacidos de padres irresponsables que tienen relaciones fuera del matrimonio. Porque después de todo los niños no tienen la culpa.

Además, debido a la situación político-legal de Puerto Rico, las leyes federales de Estados Unidos rigen sobre nuestra Constitución. Existe una fuerte legislación de *Child Support* y decisiones federales que garantizan el derecho de alimentos de los niños y viabiliza las pruebas genéticas de ADN para probar la filiación de los hijos nacidos fuera del matrimonio, de manera que todo niño pueda conocer a sus padres y obligar a estos últimos a cumplir con el deber de alimentarlos y dejarles herencia.

Es tan claro como el agua que el derecho a los alimentos y demás derechos de herencia, etc., de los hijos, no se afecta de ninguna manera por la enmienda en defensa del matrimonio. Lo que resulta absurdo y lamentable por demás es que ese argumento falaz, esa burda mentira fabricada por encargo de los ideólogos *gayolas*, salió de labios de todo un distinguido catedrático de Derecho Constitucional, parcializado con la agenda *gayola*, durante las audiencias en la Cámara de Representantes. Esto nos comprueba una vez más lo que expongo de la crisis en el pensamiento intelectual en las universidades.

Otro ejemplo de la falta de ciencia con que se legisla sobre estos asuntos de la agenda *gayola* es que Liza Fernández, presidiendo las vistas de la Comisión de lo Jurídico, al verse sin argumentos en la noche de nuestra ponencia, dijo para record que ya se había decidido en otro Estado un caso donde las mujeres víctimas de violencia doméstica perdían su derecho a estar protegidas por las leyes anti-violencia doméstica, como consecuencia de una enmienda constitucional análoga a la nuestra. Le pregunté cuál era la cita del alegado caso. Liza cambió de colores, titubeó, dijo que no lo recordaba, pero nos ofreció que antes que nos retiráramos llamaría a su oficina para que nos dieran la cita. Lo cual no hizo, pues dicho caso no existe.

Al día siguiente, AJC revisó la jurisprudencia para corroborar el supuesto caso que Liza mencionó para sostener su oposición contra la segunda oración de la enmienda. Otra vez mintió. Le hicimos llegar el caso *IN RE OHIO Domestic-Violence Status Cases, 114 Ohio St 3, 430 (2007)-Ohio 4552*, en que se resolvió que la enmienda constitucional en defensa del matrimonio no afecta la protección contra la violencia doméstica. Es decir, resuelve todo lo contrario a lo que la "ilustrísima" presidenta alegaba, según sus experimentados constitucionalistas le habían informado. No obstante, cuando ella rindió su informe negativo contra la enmienda, con el mayor descaro, hizo caso omiso de la información correcta y mantuvo en su escrito sus errores de falsa ciencia, de manera contumaz e irresponsable, faltando a la verdad y a la honestidad en un documento público. Falsamente concluyó que la enmienda le quitaba derechos a la víctima de violencia doméstica, consignando para la historia o la posteridad una mentira. Alguien dijo que no hay peor ciego que el que no quiere ver. O peor sordo que el que no quiere escuchar. Las mentes reprobadas pierden la capacidad de aceptar la verdad. Faraón fue así de contumaz. No quiso escuchar. Estuvo retando a Dios hasta que el ángel de la muerte tocó a su primogénito. Entonces, faraón vencido por Dios le dio la segunda oración[134] a Moisés, permitiéndole llevarse a los niños también. Y todo el pueblo de Israel salió.

Desenmascarando a los políticos

Mientras tanto, José Aponte, el Presidente de la Cámara, intencionalmente dejaba correr el término de la sesión legislativa para que no bajara a votación la enmienda. Por ser año eleccionario muchos representantes no querían "calentarse"[135], y aspiraban al voto de los pro familia, de los religiosos y el de los *gayolas*. En un país de alto desempleo aun para las clases profesionales, muchos de los políticos sólo se interesan por mantenerse a flote en un escaño, por su jugoso salario y qué les importa el pueblo. Los legisladores de Puerto Rico, que es un país de escasos recursos y con una pésima economía, ganan más que muchos legisladores de Estados Unidos.

Faltaban pocos días para el cierre de la sesión legislativa. Se requerían los 34 legisladores iníciales que habían respaldado la medida del representante Ramírez cuando este presentó el *P del C 108* en 2007. Los votos estaban ahí. Aunque el marido de Aholiba obviamente ya no endosaba la medida, se habían sumado otros legisladores. Por ejemplo, entre los originales 34 no estaba el Presidente de la Cámara; y ahora era el momento de demostrar lo que él decía, que "de bajar a votación contaran con su voto". Lo cierto era que para evitar el momento de la verdad, Aponte hizo lo indecible por evitar que bajara a votación. Le hicimos saber que a esas alturas del juego no nos interesaba si había los votos o no. Lo que nos interesaba era que quedaran en evidencia los representantes mentirosos y traidores que por un lado decían estar con los grupos pro familia, con los cristianos, y por otro estaban con los *gayolas*.

Así que buscamos la manera de provocar la hora de la verdad. Conseguimos que el Dr. Rafael García, del PPD, planteara el asunto ante el hemiciclo y se produjera la hora de la verdad. Aquel acto heroico del representante García produjo un corre-corre tremendo. Yo le llamo a su determinación un acto heroico porque vimos cómo el portavoz de la minoría de su propio partido, el representante Héctor Ferrer, le manoteó en la cara en pleno hemiciclo y le amonestaba por su osadía. El Dr. García no vendió su primogenitura de hijo del Dios Viviente por un plato de lentejas. Aun en contra de la posición oficial de su partido, se mantuvo firme en defender los valores de la familia, que muchos correligionarios populares, estadistas e independentistas también defienden y fueron traicionados por sus partidos.

Ante esta sorpresiva movida, Aponte trató de desviar el tema en el hemiciclo con chismes de comadrejas. Trató de usar al Dr. García como chivo expiatorio, para él quedar claro (con sus colegas *gayolas*) de que las actuaciones de García no fueron producto de acuerdo alguno con él, como supuestamente alguien le estaba acusando. ¿Quién lo acusaba? ¿Alguna *gayola*? ¿O la lista de la amenazante representante Albita Rivera? ¿De qué lo acusaban? Vaya usted a saber.

La cuestión fue que Aponte despotricó un discurso de pamplinas[136], curándose en salud[137], para tratar de desviar la atención sobre la enmienda y consumir el tiempo de la sesión. Tan pronto terminó de hablar, decretó un receso. La verdad quedó manifiesta, él no votaría por la enmienda, pero no quería que lo desenmascararan. Nosotros preferíamos que la enmienda fuera colgada en votación a que muriera engavetada. Porque el pueblo debía descubrir quiénes estaban engañando a sus electores y quiénes verdaderamente estaban a favor de la enmienda.

Mientras tanto, el portavoz de la minoría Héctor Ferrer se reunió con varios pastores que desconocían el tecnicismo legal de cómo se redacta una enmienda. Ferrer les ofreció a unos pastores aprobar un proyecto que cambiaría totalmente el lenguaje de la enmienda, por el texto de la ley bajo el Art. 68 del Código Civil, que incluye múltiples disposiciones sobre otros asuntos que nada tienen que ver con el tema de la enmienda. Por consiguiente, su oferta no cumplía con el requisito de forma que exige la Constitución a la hora de redactar una enmienda constitucional. La redacción para una enmienda es mucho más rigurosa que el de una ley. Por lo que de prosperar la propuesta de Ferrer, cualquier tribunal la declararía inconstitucional. Ferrer es abogado y legislador experimentado, y sabía perfectamente que estaba tirando una trampa con una redacción defectuosa. Estaba trabajando "politically correct", y de muy mala fe.

Ferrer no habló con los líderes de CCEDFA ni con nuestros abogados, sino con varios pastores que no conocían los requisitos técnicos para redactar una enmienda. Les hizo creer a los pastores que el Art. 68, por ser ya una ley ,nada impedía que tal como estaba redactada se convirtiera en el proyecto de enmienda constitucional. Tan pronto los pastores consultaron el asunto con nosotros, les demostramos cómo esa oferta constituía un descarado engaño, por ser defectuosa ante los requisitos de forma que exige la Constitución. Los pastores se mantuvieron firmes, apoyándonos. Excepto uno.

Los políticos *gayolas* se quedaron sin argumentos válidos en derecho y los aliados seguían con CCEDFA. Entonces, los *gayolas* optaron por la estrategia de la intimidación y el chantaje como arma final para derrotar la enmienda en la Cámara.

LA RAÍZ DE LA CORRUPCIÓN EN EL GOBIERNO

Cuando se habla de corrupción gubernamental, mayormente se piensa en los delitos económicos. Sin embargo la corrupción económica es apenas el síntoma observable de la verdadera causa de la corrupción. La raíz de la corrupción no es otra cosa que la ausencia de moral en las personas. El pensamiento intelectual que promueve el secularismo es precisamente que la moral no es parte de la ciencia, ni del derecho, ni de la formación de la familia, ni de la sexualidad, etc. En consecuencia, la inmoralidad se ha adueñado no solo de la academia, sino del gobierno, incluyendo el quehacer legislativo y judicial. Manifestado en diversa formas.

El diccionario define corrupción como la alteración de algo en su forma o estructura[138]. Y es sinónimo de depravación o perversión de la conducta[139], degeneración de la moral y de las costumbres[140]. Por lo tanto, el derecho sin moral solo son leyes y procesos corruptos.

Los *gayolas* son expertos en buscar las intimidades del pasado o presente de las figuras públicas y sus adversarios, para avanzar su causa, y así los obligan a abandonar sus posturas contra la agenda homosexual, o de lo contrario publicarían o informarían a sus familiares o autoridades sobre "sus secretos personales" o lo que llaman los "esqueletos del clóset"[141].

Por encima de todas las piruetas políticas del Presidente de la Cámara, y toda la data incorrecta del informe negativo de Aholiba, los representantes pro familia lograron lanzar al ruedo del pleno el proyecto de enmienda. Ya cuando la oposición se había quedado sin argumento válido en derecho, en conocimiento, en ciencia y en sana política pública para refutar la defensa de la enmienda constitucional, entonces acudieron al chantaje.

Una de las líderes principales de los *gayolas*, la representante Albita Rivera, del PNP[142] (Ahola), en su desespero por detener la *R99*, comenzó a expresar por radio que ella tenía un sobre lacrado que contenía una información confidencial de varios legisladores, aduciendo que los representantes que se atrevieran a respaldar la medida ella les iba a delatar sobre asuntos de sus vidas personales para que sus mujeres se enteraran. El pueblo iba a saber ciertos secretos de los tales legisladores. De esa manera impidió que los legisladores implicados cumplieran su deber ministerial de evaluar el proyecto de enmienda en el pleno. A juicio de esa legisladora, los chismes sobre los secretos que esconden algunos legisladores en sus vidas íntimas son más importantes que el derecho del pueblo a expresarse en las urnas sobre una enmienda constitucional.

Este hecho nos ayuda a ilustrarle una vez más la corrupción del pensamiento intelectual. Vea que entre las tácticas *gayolas* no se debaten las ideas, sino que se acude a la extorsión bajuna, a la guapería de barrio, a la violencia verbal, a deformar la verdad a toda costa. Y luego se hacen las víctimas oprimidas y discriminadas.

Cuando la aprobación de leyes se produce dentro de una atmósfera de coacciones y terror, deja de ser un sistema democrático. El pueblo se tendrá que gobernar y regir por leyes que sean el producto del más corrupto chantaje entre los propios legisladores. Vean cómo esta funcionaria alteró la forma de lo que es un debate legislativo. Por lo tanto, la conducta de aquella representante, según la definición del diccionario, no es otra cosa que un acto de corrupción y depravación rampante. Su extorción cambió los fundamentos racionales del análisis legislativo. Ya el tema no era los elementos de protección a la vida, la familia y el bienestar público, sino los chismes sexuales u otras conductas posiblemente delictivas que ella dice conocer de sus colegas representantes. Por lo tanto, ella es tan corrupta como los que ella está chantajeando. Esto es depravación o perversión de la conducta[143] legislativa. Es degeneración de la moral y de las costumbres.[144]

Las exigencias de castidad y pureza que ella pretende de sus colegas a su vez resulta una ironía, ya que los ideólogos *gayola* como ella precisamente promulgan que el derecho y la moral deben ir por carriles separados, que en la vida íntima nadie debe inmiscuirse. Y ahora pretende ser ella la moralista. El mensajes a sus colegas es: "como ustedes son inmorales están obligados a seguir generando más inmoralidad, y por lo tanto tienen la obligación de proteger en las leyes la homosexualidad y otros actos contra la moral y seguridad del pueblo".

Como algunos legisladores no estaban libres de culpas, optaron por no tirar la primera piedra, ausentándose, por temor de que se ventilaran sus secretillos. En ese sentido también actuaron corruptamente. Por su conveniencia personal sacrificaron el mejor bienestar de la familia puertorriqueña.

En el día de la sesión en el pleno de la legislatura, estábamos en las gradas observando la movida. Allí había una excelente asistencia de los representantes que decían apoyar la enmienda, lo suficiente para exigir que se discutiera en el pleno el informe de Liza Fernández (Aholiba), la Presidenta de la Comisión de lo Jurídico, o si ésta no lo presentaba igualmente se podía entrar al debate en el pleno.

Astutamente, el Presidente de la Cámara decretó un receso, dando margen para que se dispersaran los representantes. Algunos quedaron dentro de la sala hablando. Cuando sonó el timbre para reincorporar los trabajos, algunos de los que estaban todavía adentro, en vez de sentarse, salieron. Y se quedaron afuera junto a los que no se atrevieron a entrar. Como las puertas son de cristal, desde las gradas donde estábamos sentados se les podía ver con facilidad; se mantenían intencionalmente "stand by" (pendientes), sin entrar. Los representantes Dr. García y Ramírez nunca abandonaron sus puestos. Fueron firmes en todo momento. Tan pronto se despachó la brevísima discusión de la *R del S 99*, por no tener presentes los votos suficientes, los intimidados por las amenazas de Rivera entraron en fila india, con el rabito entre las patas.[145]

Encabezaba aquel desfile de los *mea culpa* el representante Rolando Crespo. En efecto, Crespo se vio obligado a renunciar en febrero de 2011, al dar positivo de cocaína[146]. Queda patentemente claro que la corrupción es el agente que impera en las legislaturas, contra todo el mejor bienestar y la seguridad de todo un pueblo, incluyendo la defensa del matrimonio entre un hombre y una mujer. Este es el patrón de chantaje *gayola* contra el que deben estar alertas en los demás países y en el congreso federal.

Otros, como el portavoz de la minoría del PPD Héctor Ferrer, se adelantó a la lengua viperina de Rivera; y tan pronto ella profirió la primera amenaza de que expondría la vida íntima de los legisladores, Ferrer confesó ante los medios que vive en "chillato"[147], y por eso votaba en contra a la enmienda.

Cuando terminó la sesión, la prensa acosó al representante Ramírez, y le preguntaron: "¿No teme que lo que acaba de pasar con su enmienda le cueste las elecciones?" Aquel político fuera de serie, como todo un hombre de Dios, con la mayor serenidad, les contestó: "No siento ningún temor, mi director de campaña es el Señor Jesucristo, y con Él voy a salir victorioso". La prensa *gayola*, Ahola y Aholiba, junto a otras legisladoras *gayolas*, se ufanaban en decir que la *R 99* fue enterrada.

Un dato curioso que ocurrió en los meses siguientes antes de las elecciones fue que el contrincante más fuerte que retaba la posición de Ramírez allá en su zona, fue arrestado por el gobierno federal por una serie de delitos. Aunque no nos alegramos de ese suceso, nos deja atónito la soberanía de Dios, al allanarle el camino a su siervo. Ramírez fue reelecto.

Semanas después, en el mes de junio, salí hacia California a una segunda academia de ADF, junto a la delegación de AJC. Durante el viaje, el Señor me dijo: "La *R99* no fue enterrada, fue sembrada, háganle germinar. Cuando regresen, prepara una conferencia para los maestros del sistema escolar".

Capítulo 8

Decídete a dar la batalla por nuestra niñez, por la familia

Los cojos arrebatarán el botín

Tan pronto regresamos a Puerto Rico, preparé la conferencia; y en CCEDFA comenzamos los preparativos para promover la misma. Nuestro objetivo era alertar y prevenir sobre la enseñanza homosexual a los niños, tomando como ejemplo la información sobre lo que estaba ocurriendo en otros lugares y el mortal efecto de la teoría de género en el caso del niño Reimer. (Más adelante hablo sobre Reimer.)

De pronto, un voluntario de CCEDFA del centro de la isla nos envió una copia de la carta circular #3 de julio de 2008, del Departamento de Educación. Aquella carta, emitida por el entonces Secretario de Educación, Dr. Rafael Aragunde, ordenaba la enseñanza "perspectiva de género", con la cual se proponían homosexualizar a nuestros niños.

La "perspectiva de género" establece que se debe enseñar a los menores a que pueden escoger ser niño o niña, o ambos. Con esa carta acabada de emitir se completó justo a tiempo el material para aquellas conferencias. Así fue que Dios proveyó para demostrarle al pueblo que aquello no era un cuento alarmista de problemas ajenos en la isla, sino una realidad dentro del sistema escolar en Puerto Rico. Aquella carta circular era un grave atentado contra la salud emocional y la moral de nuestros niños.

Una vez más me maravillo de la precisión con la que Dios nos había equipado para una nueva batalla. Fue en junio cuando nos dio la orden de preparar la conferencia. En aquellos días, mientras nos encontrábamos en California, no teníamos la más mínima idea de que emitirían esa fatal carta en el siguiente mes de julio.

CCEDFA dio la voz de alerta. La reacción del pueblo no se hizo esperar. Comenzamos a dar las conferencias junto a los demás voluntarios de AJC y CCEDFA, mas tuve que aquietarme. El enemigo trató de detenerme afectando mis piernas. Apenas podía caminar con la ayuda de un bastón. Me llevó luego varios meses de terapia física para reincorporar mi capacidad de caminar sin bastón; pero CCEDFA no se detuvo. Dios también ya había levantado durante el viaje a California a mi sucesora, la Lcda. Ada Henríquez, para seguir la lucha, y se comenzó a avisar para hacer una demostración frente al Departamento de Educación, en octubre.

En ese evento a mí no me fue dado participar. Dios me permitió un rol callado ante los hombres, pero muy activo ante Dios. Me tocó levantar varios días de oración intercesora y ayuno. El Espíritu Santo me llevó a ungir con aceite el Departamento de Educación.

Mi hermano de batalla, el Dr. César Vázquez, me refirió a la sala de emergencia en un hospital de Bayamón. Yo estaba sola en la casa en Puerto Rico; Michael se había quedado en Georgia. Los síntomas parecían de tromboflebitis, pero todo dio negativo. Guardé cama por varias semanas. No obstante, con mucho dolor y esfuerzo, fui a donde tenía que llegar a ungir, caminando con mi bastón, para seguir combatiendo en el nivel espiritual. Le preguntaba a Dios, Señor, *¿cómo podré penetrar a donde tú quieres que vaya?*

Dios me propició las circunstancias para que yo tuviera un fin legítimo que me permitiera entrar en aquella agencia, incluyendo la oficina del *gayola* Secretario de Educación. Mi esposo había renunciado como maestro, y quedaba pendiente su liquidación y el pago de su última quincena. Él se había quedado en Georgia y yo había regresado a Puerto Rico para terminar mi encomienda con CCEDFA en los demás meses antes de las elecciones. En aquellos días sucedió que se atrasó el pago de los maestros, y por consiguiente la liquidación de la renuncia de mi esposo. Aquel problema no era casualidad, sino una avenida que Dios me abrió para que fuera allí en el momento preciso, a orar e interceder por la liberación de nuestra niñez contra aquella agenda diabólica. Si no hubiera tenido clara la visión espiritual, aquel serio problema de los ingresos de mi esposo me hubiera detenido. En lugar de cumplir con mi misión, el enemigo me hubiera abrumado en la angustiosa lucha con la burocracia gubernamental para cobrar aquel dinero; o me hubiera quedado en postrada en cama. Pues me dolía hasta el pelo.

Llegué bien temprano de mañana, no había mucha gente, y entré al edificio. Allí estaba en el vestíbulo del Departamento con dificultad para caminar y mi bastoncito en mano, mi cartera y mi Biblia. Le pedí a Dios, una vez más, palabra que me confirmara aquella gestión que me parecía algo raro para mis creencias como evangélica aliancista. Ir a ungir un lugar es más bien una práctica pentecostal. Era la segunda vez que Dios me daba ese tipo de orden. Aunque lo hice con el mayor respeto y obediencia, eso de ungir, era algo a lo cual no estaba acostumbrada.

Dios tiene un humor divino. Sí, mis hermanos, a veces pensamos que Dios es un "seriote"[148] solemne, y sin embargo es tan jovial y tan alegre que sabe hacer sus bromas también. El Espíritu Santo me dijo: "Busca Isaías 33 y léelo en voz alta". *¿Leer en voz alta? ¿Allí? ¡Qué locura! Me van a echar*, pensaba yo.

De pronto allí se levantó una algarabía de cientos de maestros empujándose y reclamando a viva voz su paga, que luchaban por entrar al vestíbulo al son de congas y música, como suelen ser las protestas boricuas. Así que podía leer en voz alta, gritar y nadie se daba cuenta.

Según fui leyendo en voz alta, no pude evitar emocionarme con alegría y un reverente sentido de victoria. Todo el capítulo 33 de Isaías reitera que es Dios mismo quien se levantará, "veremos al Rey en su hermosura". En el versículo 22 y 23 había otra broma para mí. "Porque Jehová será nuestro juez, Jehová será nuestro legislador, Jehová es nuestro Rey; él mismo nos salvará... se repartirá entonces botín de muchos despojos; los cojos arrebatarán el botín..."

¡Yo era la coja! Jajá. En aquel lugar estaba intercediendo por el botín, o sea, los niños que serían la presa fácil del adoctrinamiento del sistema escolar con aquella agenda *gayola* para deformar el carácter y la sexualidad de los niños.

El botín que estamos llamados a arrebatar en esta lucha son los niños, la nueva generación que se levanta. Yo estaba coja, y el usó ese detalle para decirme de manera gráfica y jocosa que nos daba la victoria... "y a los cojos le era dado arrebatarlo". Dios estaba ordenando que nos daría ese botín. Eso me llenó de seguridad y fortaleza para declarar en el nombre de Jesús que desde ya arrebatamos los niños de las garras del maligno y sus agentes disfrazados como educadores. ¡Mis lectores, no desmayemos, sigamos combatiendo!

Tan pronto autorizaron a aquella masa humana de maestros a subir en grupos, tomé el ascensor. Llegué al vestíbulo de la oficina de aquel secretario *gayola*. Ningún empleado había llegado, así que pude orar, adorar y ungir, reprendiendo al enemigo de las almas y rescatando el botín espiritual de las garras del enemigo: Los niños. Luego, cuando llegó una de las ayudantes del Secretario, ésta me atendió para resolver el caso de mi esposo. Su oficina quedaba bien cerca del despacho del Secretario, así pude entrar a ungir disimuladamente.

La batalla continúa con la actual administración. Hablan de valores, pero insisten en enseñar homosexualismo; en legislar contra la familia. Dejaron inoperante la Comisión Revisora del Código, pero no la han disuelto. Además contrataron a *gayolas* como asesores de varios legisladores.

EL SECRETARIO DE LA GOBERNACIÓN

Durante varios meses de 2008 estuvimos recibiendo ciertas presiones extrañas del sistema de gobierno, tales como investigaciones frívolas y constantes del Departamento de Hacienda en torno a nuestras contribuciones personales y de la organización. En otra ocasión, de pronto me visitaron con alegadas encuestas de Departamento del Trabajo, haciendo preguntas sobre mi familia. Llamémosle "casualidades".

A principio del mes de octubre de 2008 viajé a Washington junto a otros delegados abogados de Puerto Rico a la Convocación Global de *Advocates International*, una organización de abogados cristianos internacionales. Estando allá, recibimos una llamada de los hermanos de lucha en Puerto Rico, informándonos que nos estaban buscando para que asistiéramos a una reunión a La Fortaleza. (Así se llama la residencia oficial y las oficinas del gobernador de la isla.) De la Oficina de la Gobernación se nos estaba invitando a una reunión inmediata. Era claro que no podíamos estar presentes.

Por muchos meses habíamos estado orando para que Dios nos abriera esa puerta con el gobernador de turno. De buena fe, hasta entonces nuestra intención era y sigue siendo educar a los políticos de todos los niveles. Deseábamos darle la oportunidad también Anibal Acevedo Vilá, el Gobernador, y a sus ayudantes, para que conocieran toda la verdad que hay detrás de esa agenda *gayola*. Aunque de buena tinta sabíamos que en la Fortaleza había un grupo significativo de activistas sexuales en posiciones importantes, y Acevedo Vilá era y es un defensor de la agenda *gayola*, no perdíamos la esperanza. A lo largo de la lucha hemos visto muchos políticos retractarse sinceramente de lo que ellos creían que son los *gayolas*, tan pronto se dan cuenta que el objetivo es involucrar a los niños en esas conductas.

Aquella noche cuando presenté en oración la reunión que iba a darse en La Fortaleza, le dije a Dios que por fin había llegado ese anhelado momento, y yo no podía estar presente. Sentí bien claro en mi corazón su respuesta: "Ese territorio no es para ti, les toca a otros. Para que se acostumbren cuando ya tú no estés. La obra es mía, yo dispongo a quien envío".

Dios asignó a otros líderes de CCEDFA. La reunión con el Secretario de la Gobernación giró en torno a la manifestación que CCEDFA estaba anunciando contra el Departamento de Educación. Por tratarse de una democracia, el gobierno no podía suprimir ese tipo de expresión. Todavía en Puerto Rico nos queda algo de libertad de expresión. Así que trataron por la vía diplomática de persuadir a los representantes de CCEDFA y a los aliados para que desistiéramos, pero ellos no se comprometían a enmendar su política educativa. Aquellos valerosos hermanos se mantuvieron verticales ante aquella indebida pretensión del gobierno de acallar al pueblo. El objetivo de CCEDFA no es deslucir a un gobierno, pero tampoco estamos para hacerles quedar bien, cuando en efecto están perjudicando a nuestros niños y a la familia puertorriqueña.

Aquella reunión fue un acto desesperado del gobierno, pues las encuestas pre-eleccionarias no le eran favorables al partido en el poder. Pero tampoco dieron marcha atrás con su agenda *gayola*. Por el contrario, el PPD en su plataforma proponía que, de ganar, pasaría legislación criminalizando y persiguiendo a los opositores de la agenda *gayola* bajo el eufemismo "prohibir el discrimen por orientación sexual". De hecho, la manifestación frente al Departamento de Educación a cortos días de las elecciones fue fatal para la administración en el poder.

Mientras se daba la reunión en Fortaleza, nosotros seguimos en la convocatoria global de abogados cristianos de *Advocates International*, en Washington, DC. Allá Dios nos tenía otra agenda sin nosotros planificarla ni era parte de aquella magna conferencia. Una noche, en nuestro tiempo libre, salimos a dar una caminata por *Capitol Hill*. A lo lejos vimos una inmensa cruz iluminada. Eran miembros de una iglesia americana de Virginia. Allá nos llevó Dios a unirnos en oración de forma anónima e inesperada junto a aquellos hermanos que no conocíamos. Mas todos conocemos al Gran Yo Soy. Ellos tenían una campaña de oración de veinticuatro horas por varios días frente al capitolio federal. Dios nos estaba mostrando que en Estados Unidos hay un remanente fiel que gime e intercede con gran dolor por su pueblo. Cuando el Señor venga por su iglesia estaremos los remanentes fieles de hispanos, los norteamericanos, los africanos, los chinos, los europeos, los árabes, los judíos, etc., etc.; de toda lengua y nación adorando al Salvador, al Rey de reyes.

CAMBIO DE BASE

Yo no era imprescindible, como nadie lo es, para esa batalla en La Fortaleza ni para liderar en el acto público frente al Departamento de Educación. Dios levanta a quien a Él le plazca. Dios le dio a CCEDFA aquella otra victoria pública en los actos frente al Departamento de Educación. Fue una victoria de todos los aliados, liderados por la Lcda. Ada Henríquez, quien lo hizo magistralmente, guiada por el Espíritu Santo. La victoria es para nuestros niños.

Llegó el momento de finalmente mudarme para Georgia. Dios me cambió de base, pero no de lucha. Una de sus encomiendas es que escribiera este libro. Él me dirige y yo lo trascribo. Dios ha de usar poderosamente este libro y va a cambiar el curso de muchas vidas, para la extensión del reino de Dios y su justicia, para el bien de los niños en y fuera de Puerto Rico.

Donde vivo en Georgia se puede apreciar cientos de bandadas de aves migratorias según el cambio de estaciones del año. Suelo mirar mucho el cielo y verles volar. Un día me fijé en un detalle hermosísimo que los cristianos debemos aprender. Estas aves viajan en una formación que parece la punta de una flecha gigantesca. Al frente va un ave como si fuera la punta de lanza, dirigiendo la bandada. Así van por un largo tramo, de pronto comienzan a moverse en un armonioso paso que pareciera una danza. Comienzan a volar de manera diferente y en un rítmico compás; de manera ordenada el ave líder pasa a un segundo plano y otra toma la delantera en un relevo precioso sin interrumpir el paso de la bandada. Dios nos mueve así en CCEDFA. De pronto sale de escena uno de sus vasos y el vuelo sigue con otro de puntero.

¡Ay!, si los líderes de las diferentes denominaciones de las iglesias entendieran ese modelo divino de viajar por esta vida, cuánto más podríamos avanzar en la expansión del reino de Dios. Por el contrario, ¿se imaginan todas las aves peleándose por ser esa ave puntero; todas pretendiendo ocupar ese lugar a la vez? Lamentablemente, ese ha sido el patrón de conducta que por años ha prevalecido en el liderato de varias denominaciones cristianas en la Isla. Y cuando alguno destaca en su liderato, los demás tratan de "serrucharle el palo"[149], en vez de apoyar a su hermano o hermana en la fe. El protagonismo pastoral no deja avanzar el reino de Dios y su justicia.

En noviembre de 2008, cuando se acercó la fecha de mi final (si se puede decir final) y silenciosa partida, llamé a una persona a quien estimo mucho y me despedí. Él había sido uno de los tantos suspicaces líderes preocupados con las verdaderas intenciones de CCEDFA, de si íbamos tras posiciones políticas o éramos un nuevo partido, y todo lo demás que ya les conté. Él se sorprendió cuando le dije que me despedía. Me dijo: "¿Cómo se nos va ahora? Pensamos que con el nuevo gobierno la podemos respaldar para una posición de Procuradora de la Mujer, o en otra agencia. La necesitamos".

Le repliqué: "No, amadito hermano. Yo soy mujer de palabra. Nada hice con otro interés personal ni de poder que no sea defender los niños y la familia, alertándoles con la información correcta, desenmascarando la agenda *gayola* y enseñándoles a unirse. Según me mueva el Señor, seguiré regresando a Puerto Rico a hacer algunas conferencias y reuniones, o misiones especiales de Dios. Seguiré presidiendo a CCEDFA hasta que Dios levante un sucesor que no negocie los principios por los cuales Dios levantó esta organización para este tiempo". Nos despedimos.

En la primera visita a la isla que di, a fines de enero de 2009, encontré unos viejos compañeros de trabajo, del tiempo cuando yo estaba en el servicio público: "¿Dónde te habías metido? Te hemos estado buscando, queremos proponerte para que dirijas el Departamento de la Familia". Otros me hablaron de que había vacantes en el tribunal y me volvieron a hablar del cargo de Procuradora de la Mujer. Les confieso que me dio un vuelco el corazón cuando me hablaron de la judicatura. Dios me habló esa noche. Me dijo: "Ahora sabes por qué para este tiempo te saqué de aquí. Hubiera sido una tentación muy fuerte. Yo tengo otros planes para ti".

Lo acepté con obediencia, pero les confieso que no dejé de pensar que pude haber cumplido mi sueño profesional. Pero no es mi sueño lo perfecto, sino la voluntad perfecta de Dios. Cristo es el Señor de mi carrera, y punto. Reiteradamente Dios me ha dicho que mi misión no depende del gobierno de turno. No quiero con esto decir que los cristianos no debemos aspirar a cargos de influencias en la sociedad. Por el contrario. ¡Sí! Y mil veces ¡sí! Todo depende de cómo Dios nos quiera mover.

Dios usa a los José, los Daniel, los Nehemías, los Nicodemo, las Deborah y las Ester. Dios tiene multiformes maneras de usar sus vasos. Solo que deben estar seguros de cuál es su llamado en un momento dado. De lo contrario, el líder cristiano corre el riesgo de caer cautivo del poder político. No me refiero a que puedan caer prisioneros por el Estado en una dictadura. Esa es la manera más obvia que conocemos de quedar presos de un sistema dictatorial.

Sin embargo, la manera más solapada y la más dañina es cuando el gobierno identifica a un líder cristiano y lo nombra a una posición, como subterfugio para neutralizarle. A sabiendas, el creyente que tiene un llamado de ser voz de alerta, atalaya de guerra, si se deja tentar, cae prisionero de un nombramiento "importante". La intención del gobierno es usarle como estrategia para ponerle una mordaza y alinearle para que no hable en contra de los intereses de esa administración o gobernante. Peor aún cuando el gobierno trata de usarle como agente para controlar las expresiones de sus hermanos en la fe. Entonces el gobierno lo convierte en su recurso para que les diga a los hermanitos que se expresen "politically correct". O dicho de otra forma, "no se expresen de manera que afecten la candidatura de su líder político y el particular puesto con el cual le han premiado".

¿Se imaginan a un Juan Bautista reclutado por Herodes para que les enseñe a sus discípulos que sean "politically correct" cuando vayan a hablar de su gobernante? ¿Se imaginan a un David siendo "politically correct" frente al gigante Goliat? ¿Se imaginan a Samuel siendo "politically correct" ante el rey Saúl, aplaudiéndole sus decisiones de negociar con Agag?[150] ¿Se imaginan a Daniel siendo "politically correct" cuando tuvo que decirle al rey Belsásar que por no haberse humillado a Dios sería derrotado por los medos y los persas?[151] ¿Se imaginan a Daniel siendo "politically correct" cuando supo que el rey firmó un decreto prohibiendo orar a otro dios que no fuera el rey?[152] A esos ministerios de voces me refiero. Cuidado con dejarse absorber por las tentaciones de los sistemas políticos y los partidos.

¿Se imaginan a un Moisés siendo "politically correct" o negociando la segunda oración cuando Faraón estuvo dispuesto a enmendar parcialmente las condiciones de esclavitud del pueblo israelita, dándole a Moisés la primera parte de su petición pero no la segunda oración?

Dijo Faraón: "¿Cómo es que voy a dejar ir a *(1)* vosotros y *(2)* a vuestros niños? Váyanse ustedes los hombres, pero los demás no"[153]. La orden de Dios, por medio de Moisés a Faraón fue: "Deja ir a mi pueblo para que me sirva". Moisés fue perseverante y "biblically correct". Tanto insistió Moisés que un día el propio Faraón mandó a buscar a Moisés y le dijo: "Andad, ustedes los hombres, servid a Jehová vuestro Dios". Mas cuando Moisés le insistió que era todo su pueblo, incluyendo los niños, Faraón se negó a darle esa segunda parte de la petición.

Debemos aprender del ejemplo de Moisés, con las dos cláusulas en su petición a Faraón. El enemigo siempre ha querido apropiarse de los niños. Los problemas de nuestra niñez son cada vez peores, y no los están causando los homosexuales, precisamente (por ahora), sino las relaciones desenfrenadas de los hombres y las mujeres fuera de matrimonio. Ciertamente la conducta homosexual sería el "jaque mate" para nuestras futuras generaciones. La segunda oración de la *R 99*, al igual que la primera, protege no solo el matrimonio, sino también a los niños. Algunos pastores y líderes amedrentados se dejaron tentar para ceder la segunda oración de la *R 99*. ¿Qué pasa, es que les importa el pecado homosexual, pero no la fornicación que ya está arrasando aun en nuestras iglesias? Al extremo que ya hay algunas iglesias que han sustituido "clases o sociedades de matrimonios", por "clases o sociedades de parejas", para incluir a las relaciones fuera del matrimonio.

CCEDFA junto a muchos aliados tuvo un buen saldo: de una manera providencial la *R 99* quedó sembrada en el terreno político. En 2009 entraron a la legislatura algunos nuevos legisladores y legisladoras cristianos. El nuevo Senado de Puerto Rico y el nuevo gobernante ofrecieron desarticular la Comisión Permanente para la Revisión del Código Civil. CCEDFA y AJC de alguna manera les dio fuerza de respeto intelectual a los cristianos. En Puerto Rico por años a los cristianos nos han tildado de ignorantes, oscurantistas, personas sin educación, fanáticos y fundamentalistas. Sin embargo, las diversas comparecencias de todos los sectores cristianos, incluyendo la que hicimos bajo AJC, principal asesor de CCEDFA, fueron motivos de hacer repensar a sectores a profesionales no cristianos. Por ejemplo, el propio Colegio de Abogados publicó:

"Es importante la reacción tan interesante que ha provocado el propuesto código [...] pero debo reconocer que las iglesias han liderado el debate en cuanto al código, como decimos en las esquinas, de forma, usted y tenga" (Daniel Nina, *El Código, los liberales, el amor*. Rev. Ley y Foro Rev. CAPR # 1 del 2007). En 2010, por primera vez en Puerto Rico se nombró al Tribunal Supremo un juez cristiano-evangélico y negro. Y el tema de la enmienda sigue germinando. Lo más importante es que en el proceso muchas almas que escuchan los debates y avisos siguen aceptando a Jesús como nuestro único Salvador y Rey de reyes. Nuestra lucha lleva su paso firme y su curso según lo maneja el Rey de reyes. Aunque los *gayolas* están cantando victoria, estamos más que confiados porque El Gran Yo Soy nunca ha perdido una batalla. Así que ¡está hecho, en el nombre de Jesús! Y nos gozaremos con esa gran victoria, entre muchas más.

Pensar que en un momento de debilidad yo dije, *me rindo*. Fue al comienzo de mi llamado, en el año 2006; me sentía agotada y agobiada por la falta de compromiso de algunos abogados que no cumplían sus encomiendas y no les interesó seguir en la lucha. Eso fue a fines de noviembre de 2006. Me reuní con mi amigo Mardi para que orara por mí. Aunque él me dijo "no te rindas", yo salí de allí decidida a no seguir con AJC. Pensé reincorporarme a mi práctica de litigación, esta vez como abogada privada. Pero mi corazón sabía que eso no era el plan de Dios para mí en aquel momento. Iba llorando en mi auto, pensaba en la amenaza para los niños, pero a la mayoría de mis colegas no les importaba o no creían lo que les estaba planteando. En eso sonó mi celular.

Recibí una llamada de una dama desconocida. Calmé mi llanto, y la atendí. Me dijo: "Soy Ronda Encarnación. Una hermana de la iglesia Alianza Cristiana y Misionera de Las Cumbres me consiguió su teléfono, Zulma Pereira. Ella me dijo que fue maestra suya".

Hacía algunos años que Zulma se había cambiado a esa otra iglesia hermana.

"Le hemos escuchado hablar sobre un Código de Familia que afectaría a nuestros hijos. Yo quiero saber más de eso, ¿cómo podemos hacer para que venga a hablarnos?", dijo.

Yo me olvidé de toda etiqueta de formalidades ante una persona desconocida que nos llama por vez primera. Me imagino la reacción de la dama al otro lado del teléfono, pues comencé a llorar desconsoladamente. Le expliqué lo que me estaba pasando y que ya había decidido no seguir alertando al pueblo. Aquella dama pacientemente escuchó mi explosión de llanto. Ronda me dijo: "No llore, licenciada. Usted no está sola. Yo tengo un grupo de oración y la vamos a apoyar. No se retire. Esto es bien serio e importante; cuente con nosotros. Yo soy *home schooler* (la enseñanza en el hogar por los propios padres y madres) y pertenezco a una organización de padres y madres".

Sin ella saberlo, era la voz del pueblo clamando por el cuidado de los niños inocentes. Aquella mujer de fe fue el vaso que Dios usó para detener mi decisión de abandonar la lucha. Yo seguí. EL Lcdo. Blue produjo el proyecto de enmienda y yo redacté aquella carta del 1 de diciembre que despertó el ánimo del pueblo. AJC siguió en pie de lucha y luego nació CCEDFA. Ronda vino a ser parte del equipo coordinador de CCEDFA en la región de San Juan. Ellos hicieron el primer *jingle* (canción tema) de CCEDFA, que recogió toda la isla en las caravanas de pueblo que se hicieron y que culminaron en la gloriosa marcha del 11 de junio de 2007 con la participación del Dr. David Parker. Vencimos el código e introducimos en el discurso del país la enmienda en defensa del matrimonio. ¡Gracias, Ronda, por levantar mis manos para seguir la batalla!

En conclusión, lo que el político Charlie Rodríguez dijo que no había ambiente político, que nadie nos haría caso, se convirtió en asuntos de campañas políticas, de serias discusiones dentro de cada partido, y fue un factor decisivo que le costó las elecciones a la administración de turno. El partido más radical en defensa de la agenda *gayola* (PIP) ni siquiera quedó inscrito. Y sus únicos dos candidatos al Senado y la Cámara, por primera vez en muchos años, no salieron reelectos por el pueblo. La *R 99* no fue aprobada debido al chantaje *gayola*; pero sobre todo porque en la batalla final la iglesia no se presentó.

ELIMINACIÓN DE LA ASOCIACIÓN COMPULSORIA CON EL COLEGIO DE ABOGADOS DE PUERTO RICO (CAPR)

En 2009 recibí otra inesperada sorpresa. Fue el cumplimiento de lo que Dios había dicho en el 2005, cuando me dijo que no temiera al Colegio de Abogados, que le daría la victoria al Lcdo. Castell.

Tan pronto salió el nuevo Presidente del CAPR, en 2008, el Señor nos dirigió a la licenciada Montes y a mí a hablar con el Presidente entrante. En los días antes de aquella reunión, le pedía a Dios que no me hiciera perder el tiempo con esa asignación. Para mí era como echar agua en canastas, pues durante las elecciones para su presidencia tratamos en vano de reunirnos con el colega que salió presidente, y no nos recibió. Dios solo me contestó: Ve. Así que en obediencia, fuimos.

Le expusimos nuestra seria preocupación por el mensaje intimidante y de burla contra los abogados cristianos, que había manifestado ese Colegio en reiteradas ocasiones. También le señalamos el silencio del Colegio de Abogados frente a la amenaza educativa para nuestros niños. Le expusimos sobre las consecuencias de aquellas funestas y antidemocráticas resoluciones del CAPR en contra de la libre expresión y el matrimonio. El Presidente reiteró su posición en mantener la política *gayola* e hizo caso omiso a nuestro reclamo. También le solicitamos tiempo igual para publicar nuestro punto de vista en las revistas del Colegio. Quedó en hacer unas gestiones con sus colegas encargados de las publicaciones. No volvió a comunicarse con nosotros. Tampoco nos devolvió las llamadas.

Un año después se aprobó la ley que eliminó la colegiatura compulsoria. Como dicen en mi país, no hay peor cuña que la del mismo palo. Fue precisamente la presidenta de la Comisión de lo Jurídico y activista de la agenda *gayola*, Aholiba, quien movió esa legislación por razones puramente político-partidistas. El anhelo del Lcdo. Castell se le cumplió, no por vía de su demanda legal ante los tribunales, mas por vía de la legislación. Sin duda su gestión legal ante los tribunales abonó a su causa seriamente contra el Colegio. Tal como Dios me dijo en 2005, le dio la victoria a Castell.

Tan pronto entró en vigor la ley, me desafilié del CAPR, controlado por la agenda *gayola*. Es patético que muchos abogados cristianos que repulsan esa filosofía *gayola* sigan aliados por mera conveniencia social o económica, por algún beneficio espurio, intrascendental o por ideas político-partidistas. Si con esta pequeña prueba no han podido ser verticales a los principios del reino y siguen auspiciando a los *gayolas* del CAPR, con el dinero del cual son mayordomos de Dios, menos podrían ser leales ante presiones mayores. Ello les demuestra su debilidad en algo que no es medular para la subsistencia humana; cuánto más difícil les será estar firmes cuando se cumpla la profecía del sello del anticristo. La marca del anticristo no se tratará de mantener unos beneficios marginales o recibir una revistita o unas avanzadas de casos o tener un foro para expresarse o tener beneficios que se pueden obtener de otra manera en el mercado. La marca del anticristo conllevaría que nadie podrá comprar ni vender alimentos ni ejercer una profesión o trabajo, etc., a menos que tuviesen la marca o el nombre de la bestia, o el número de su nombre... (Ap. 13:17). No han comprendido que la política del CAPR tiene el germen de que nadie pueda ejercer la abogacía sin acatar la agenda *gayola*.

Tenemos que madurar más en los principios de Dios. ¿Cómo un cristiano va a invertir la mayordomía del dinero que Dios le ha asignado en sostener una organización que tiene por agenda avanzar la causa que quiere callar a la iglesia y suplantar la palabra de Dios? ¿Cómo los abogados que no conocen a Jesús en el Colegio de Abogados pueden aprender que sus principios sobre la familia son incorrectos, si los abogados cristianos les auspician sus posturas, sosteniéndoles y auspiciándoles con dinero? Ahí están los que dicen ser cristianos, que no apoyan la agenda *gayola* pero sostienen con sus bienes el foro dominado por *gayolas*. No podemos servir a dos señores.

La experiencia con el CAPR nos enseña dos cosas hermosas del carácter de Dios. La reunión con el presidente del CAPR, que a mí me parecía una pérdida de tiempo, primero nos enseñó cuán justo es el carácter de Dios. En su gran misericordia antes de que baje juicio sobre una persona, una organización o una nación, Dios siempre da una última oportunidad. Aunque la Lcda. Montes ni yo nos percatamos en aquel momento, sí nos dimos cuenta luego cuando se aprobó la nueva ley; Dios nos había llevado allí para darle una última oportunidad. El Presidente endureció su corazón como faraón, luego no se puede quejar de que Dios no le dio una oportunidad. Tanto para su organización como para su propia vida, que en última instancia es más importante. Aquel presidente había sido educado en colegios cristianos, por eso Dios le daba otra oportunidad.

Segundo, Dios también nos enseñó que suya es la venganza, dice Jehová. Mientras Él tiene cuidado de los suyos, usa a quien le place para cumplir su propósito. Incluso usa al adversario para destruirse unos a los otros. Ahora, el CAPR acaba de perder una demanda en otro pleito, y se ha quedado sin capital para poder asumir la condena de pago que el tribunal le ha impuesto.

¡Anímese todo profesional cristiano, todo padre, toda madre, y levántese, organícese y entre en el valle de la decisión! Sea parte de la victoria final. Es el momento crucial de los *Family Councils* en sus respectivos Estados u organizaciones pro familia y organizaciones de abogados cristianos de sus respectivos Estados o en sus países. Participen y apoyen esos movimientos económicamente; así también a *Alliance Defense Funds*, *Christian Legal Society*, *Advocate International*, NARTH. Por internet puede acceder sus respectivas páginas o portales y obtener información de cómo colaborar. Si estás en Puerto Rico, envía tu donación a AJC y CCEDFA. O si prefieres a Mujeres Por Puerto Rico, Matrimonios Unidos de la Gruta de Lourdes, *Morality In Media* o Juventud con una misión (JUCUM), entre otros.

Sé parte activa de la historia. Decídete a dar la batalla por nuestra niñez, por la familia. Combate en el Espíritu, con oración y ayuno. Combate con tus talentos profesionales. O ayúdanos con tus recursos. Vence con el bien el mal. No hacer nada no es una opción. ¡Atrévete a cambiar el mundo! ¡Atrévete a ser un embajador o una embajadora del reino de Dios y su justicia!

Tercera Parte

Retomando el pensamiento intelectual

Capítulo 9

Las ovejas se comen la raíz

Un día mi esposo le estaba contando al pastor Mack McCullough sobre sus experiencias en Turquía, donde el pastoreo de ovejas es bien común. Michael contaba que los pastores cambian a sus rebaños de lugar para pastar, porque si la oveja permanece mucho tiempo en el mismo predio arrasa con todo, debido a que se come la raíz de los pastos.

Cuando le escuché decir que las ovejas se comen la raíz, comprendí lo que Dios me había mandado hacer en el año 2007 para la ponencia contra el borrador del Código Civil. Nos llevó como ovejas a devorar la raíz, el verdadero fundamento de aquel funesto proyecto.

Como parte de la estrategia para retomar el pensamiento intelectual, hay que ir a la raíz ideológica de lo que se nos plantea. Es algo más allá de la escuela de pensamiento crítico y la técnica de desconstrucción que se usa en el estudio de Derecho. A esos métodos de análisis hay que sumarle discernimiento espiritual. Sin esto la búsqueda intelectual cae presa en el laberinto manipulado por la propaganda de las tinieblas.

Cuando bajó el borrador de lo que hubiera sido hoy el Código de Familia, ya yo tenía un análisis de los textos de las disposiciones legales que contiene dicho documento. Además había recopilado mucha información de índole legal y sociológica, por lo que estaba lista para hacerle unos arreglos mínimos y someterlo como ponencia ante el Senado de Puerto Rico. Sin embargo, las cosas parecieron complicarse.

Dios me dijo con respecto al bosquejo y la información recopilada: "Eso no es. Ve a los cimientos, a los fundamentos" (la raíz). O sea, a Dios se le ocurre que yo tenía que empezar de nuevo, cuando quedaba poco tiempo para someter la ponencia. Ante esas nuevas instrucciones del *Senior Partner*[154] del bufete del cielo, procedí a enviar un aviso a todos los colegas de AJC para que escogieran aquellas áreas del Derecho que les interesara hacer alguna aportación, escarbando en los cimientos. Solo comparecieron a la reunión de trabajo las licenciadas Ivette Montes y Rosita Selles. O sea, tenía menos abogados dispuestos, y debía comenzar de nuevo.

Yo no encontraba cómo decirles "el Señor me dijo..." Aunque ellas me habían dicho que eran cristianas, yo no tenía idea de cuáles eran sus convicciones doctrinales sobre esto de que el "Señor me dijo". Apenas quedaban dos semanas más o menos para rehacer todo el trabajo investigativo y redactar y producir una gran cantidad de copias para los legisladores y la prensa.

Me comuniqué con Mardi y le dije lo que Dios me había dicho. Como todo un buen Mardoqueo, que conocía los libros de las memorias del reino, me llevó a la fuente. A las "actas del imperio del adversario", es decir, a unos documentos de la Comisión Permanente para la Revisión del Código Civil de años anteriores. Allí estaba el "cimiento", el "fundamento" del código civil. Dios nos puso como sus tres ovejas a escudriñarle detenidamente; a "devorar la raíz".

Les expliqué a las colegas lo que Dios me dijo. Ellas reaccionaron ávidas de descubrir qué era lo que Dios se traía entre manos, y nos sumergimos a escudriñar la raíz de aquellos escritos. Fuimos a los primeros informes, que era la verdadera base ideológica de aquel código. Entre ellos el Estudio Preparatorio Presentado a la Comisión Conjunta Permanente para la Revisión del Código Civil de 1999. Teníamos sobre setecientas páginas para analizar minuciosamente; y compararlo con otros extensos memoriales explicativos sobre otros libros del código que la legislatura ya había aprobado en años anteriores. Comparamos el libro de derecho de familia con el libro de La Persona, entre otros. Revisamos todas y cada unas de las fuentes de referencia e información y notas al alcance. Sería muy extenso contarles cada uno de los hallazgos, pero les comparto una anécdota que nos impactó muchísimo. Por tratarse de documentos preparados bajo jugosos contratos con peritos, catedráticos y gente de gran renombre intelectual, la presunción es que al menos sus fuentes de información y análisis sean serias y correctas. Muchas resultaron ser fatulas.

Por ejemplo, señalaban que habían tomado del Censo Federal del 2000 unas cifras de hogares compuestas por madres solas que superaban a los hogares compuestos por matrimonios, para concluir erróneamente que esos hogares liderados por "mujeres solas" eran hogares de concubinatos.

Los redactores del Código pretendían persuadir a los legisladores que debían de darle determinados derechos a las relaciones extramaritales, indicando que el Censo Federal establecía que solo el 17.9% de hogares estaban compuestos por matrimonios, mientras que el 20% de hogares compuestos por madres solas.[155] Primero, que esta data no hacía sentido, pues nada se decía del otro 62.1% de la población. Segundo, es un insulto y un prejuicio contra las madres solas usar las estadísticas para inferir que todas las madres solas viven o han vivido en concubinatos.

Una mujer jefa de familia y una concubina son dos cosas diferentes. Hay concubinos y concubinas solteras, casadas en relaciones adulterinas, con y sin hijos. Mientras que hay mujeres jefas de familia que no tienen relaciones concubinarias. Son solas por viudez, por divorcio, porque han sido abandonadas o porque se han hecho cargo de hijos ajenos, como sobrinos, nietos, otros niños, etc.

Buscamos una copia oficial del Censo y encontramos que alteraron la lectura de los datos. Los datos correctos decían que de los grupos de familia un 79.6% son matrimonios, mientras que jefas de familia son un 15.6%, y concubinatos 5.8%. Para engañar a los legisladores mezclaron datos de dos tablas diferentes. Por un lado tomaron la tabla de la población general de los 3.8 millones, que incluye niños, ancianos, personas en instituciones, personas no casadas y matrimonios. En ese gran total de personas el 17.9% eran matrimonios. Ciertamente, si suman toda la población en ese grupo hay menos matrimonios que en el resto de toda la población general. Por ejemplo, un matrimonio puede tener cinco niños. Numéricamente hay cinco niños, un solo matrimonio. Mas esto no es la medida para tratar de inferir que hay menos matrimonios; pero esto fue lo pretendieron llevar a la mente del legislador.

Mientras que tomaron la cifra de mujeres jefas de familia de la tabla de personas que están a cargo de una unidad de vivienda (*Household*), de la cual ciertamente extrajeron la cifra que el 20.4% de las viviendas están bajo la posesión y tenencia de mujeres jefas de familia.

No obstante, intencionalmente omitieron el dato sobre matrimonio, que está en esa misma tabla, el cual arroja que el 54.1% de las viviendas son de la posesión y tenencia de matrimonios; y por supuesto no todos los matrimonios poseen una casa. Por lo tanto es falso e induce a error decir que solo hay un 17% de matrimonios, mientras que el 20% eran mujeres en concubinato.

Otro ejemplo fue que presentaron unas estadísticas de pares homosexuales extraídos supuestamente del Censo Federal, con el propósito de inducir al legislador a aprobar una serie de disposiciones que redefinían y eventualmente destruirían el matrimonio entre un hombre y una mujer, e impulsaba legislación pro uniones de pares homosexuales y concubinatos. Cuando verificamos en los documentos oficiales del Censo el dato sobre la población de pares homosexuales, encontramos que no existía el dato en la fuente oficial del Censo. Por lo que fuimos a otra segunda fuente que mencionaron, la *Human Rights Campaign Report* (HRCR) para dar la falsa impresión que tanto el Censo como la HRCR corroboran el mismo dato.

Lo primero que descubrimos es que HRCR no es una organización oficial de gobierno. Usan palabras generales y lenguaje neutral, pero es otro de los clubes u organizaciones privadas de activistas homosexuales. Lo segundo que descubrimos es que aquel dato sobre la cantidad de pares homosexuales tampoco fue publicado por esa organización. Finalmente encontramos que la cifra ofrecida donde aparecía fue en un artículo que escribió un activista *gayola*, sin ninguna data empírica, donde él decía, aduciendo que era periodista, que vive en Miami *en "Estados Juntitos" de América y que él está buscando otro macho para marido.*[156] Esa es la confiabilidad y seriedad profesional que tenía aquel código, dirigido por *gayolas* y con el objetivo de destruir la familia de todo un pueblo.

Cuando estábamos exponiendo en el Senado, revelamos estas fraudulentas informaciones. Los activistas sexuales salieron corriendo a buscar a su legisladora *gayola*, la representante Albita Rivera, quien despachó estas graves mentiras, diciendo que eran solos pequeños errores humanos. Otra vez la corrupción validada. Esta es la intelectualidad contemporánea para gobernar a un pueblo.

En conclusión, tenemos que analizar y escudriñar las pequeñas zorras que tienen apariencia de ciencia y que nos tratan de vender no tan sólo en el mercado de ideas, sino en los documentos oficiales de los gobiernos, que es donde se oficializan las normas que nos han de regir. Con esta muestra de manipulación estadística, ya podemos imaginarnos lo que pueda ser el Censo Federal del 2010 y los decretos bajo la administración Obama, que busca favorecer su agenda *gayola*.

DESENMASCARANDO LOS MITOS

Aquellas tres ovejitas, Montes, Sellés y yo, seguíamos devorando la raíz de aquel código. Y encontramos que la intelectualidad del derecho contemporáneo, mencionado en aquél borrador de código se habían tornado a los mitos de la prehistoria como base científica para reescribir el derecho. No solo en el derecho, sino en muchas áreas del saber, la academia ha retornado a la fantasía de las supersticiones, arrastrando a la propia ciencia a su descrédito.[157]

Siguiendo la dirección analítica de Dios, fuimos a la raíz, a los cimientos. Encontramos que aquel código, promulgado como una joya jurídica de avanzada, realmente era "de atrasada". Su fundamento descansaba en unas creencias parcializadas sobre la era primitiva y en conceptos totalmente anti jurídicos, contaminado con la ideología política personal de alguno de sus redactores. O sea, nada de ciencia jurídica, nada de objetivad científica ni empírica. Puro cuentos subjetivos de la redactora, preparado por encargo para complacer las presiones de los grupos *gayolas*. Voy a tratar de expresar la raíz de sus fundamentos lo más simple posible, de manera que cualquier lector sin ser abogado lo pueda comprender:

EN VEZ DE CIENCIA JURÍDICA, LA RAÍZ ERA UN MITO

1) EL ORIGEN DE LA FAMILIA EMPIEZA EN 1861. ¿REVISIONISMO O UN ERROR DE FECHAS?

La redactora del borrador del libro de La Persona y el libro del Derecho de Familia parte del hecho de que "el origen de la familia empieza en 1861", es decir, en el siglo 19. No hay que ser un erudito en historia para saber que esa afirmación es totalmente falsa. Tengo que hacer un marcado énfasis en este error garrafal para que puedan entender cómo es que la academia está desinformando y mal formando a las generaciones de profesionales y políticos que nos gobiernan. De igual manera, se ha logrado desinformar sobre la sexualidad humana para imponer un sistema homosexual de gobierno.

Si la historia de la familia comenzó en el siglo 19, ¿qué pasó con la familia durante los siglos 5 al 18 después de Cristo? ¿Qué pasó con la familia de la época antigua que se registra desde los escritos de Herodoto (a quien se le considera el padre de la historia escrita), de la antigua Grecia, o durante los siglos antes de Cristo?, ya que obviamente los eruditos no quieren mencionar a la Biblia como fuente histórica.

Por ejemplo, Puerto Rico fue descubierto en 1473 (siglo 15) por Cristóbal Colón. Y ya para 1889 (apenas 28 años después de 1861, cuando surgió la historia de la familia según la redactora), el Código Civil español se extendió a Puerto Rico mediante el Real Decreto del 31 de julio de 1889. Además, en la etapa precolombina de la isla de Puerto Rico ya había familias nativas, y en todas las tierras que hoy son América del Sur, Centro, Norteamérica y el Caribe. Algunos de esos países hermanos contaban con civilizaciones ancestrales como los incas, los mayas, los indios americanos, etc. Y ciertamente Cristóbal Colón no salió de la nada, vino de una familia del viejo continente, vino de una Europa con miles de años de historia, de familias reales, familias cortesanas, de pueblos, de villas, de tribus y clanes de todas clases, y lenguas. También hay que mencionar a las civilizaciones orientales y del medio oriente, aún más antiguas que la entonces España y Europa. De África ni se diga. Además de los pueblos árabes, judíos, etc.

Otro ejemplo es la historia de Estados Unidos, donde para el año 1607 se comienzan a asentar los colonizadores ingleses en el área que luego vino a ser la colonia Virginia. Esos colonizadores no salieron de la nada, vinieron de una civilización avanzada, organizadas también en familia. Le dieron el nombre de Virginia en honor de Isabel I de Inglaterra, llamada la Reina Virgen, y que fuera reina desde 1558, descendiente de antiguas dinastías de familias en Inglaterra.

Las familias de peregrinos puritanos que llegaron en el *Mayflower* se establecieron en Plymouth, Massachusetts, en 1620. Ya para el 4 de julio de 1776 se declara la independencia de Estado Unidos. Y su Constitución data de 1787.

En fin, si cada lector evalúa la historia de su país, verá que no tiene sentido alguno que un análisis de derecho para hacer legislación o un Código de Familia en ninguna parte del mundo tenga como punto de partida un error garrafal, como decir que la familia comenzó en 1861. No piense que los redactores puertorriqueños de aquel código son brutos. Por el contrario, son gente muy bien preparada. No son errores, es que tienen una agenda muy bien orquestada. Borrar la historia es parte de la agenda *gayola* para imponer un sistema de gobierno homosexual. Solo ellos existen. El manifiesto homosexual claramente dice: *"We shall rewrite history, history filled and debased with your heterosexual lies and distortions."*[158] (Rescribiremos la historia...).

¿Qué exactamente fue lo que dijo la ilustre catedrática? Cito:

"La relación heterosexual [Sic.[159]] como factor determinante de la estructura básica de la familia [...] al desarrollar este tema recordemos que en el prólogo a la cuarta edición de su obra *El origen de la familia, la propiedad privada y el Estado*, Federico Engels decía que la historia de la familia empieza en 1861, con la aparición de la obra *Derecho materno*, de Bachofen..."[160]

Buscamos qué fue lo que realmente escribió Engels[161]: "...es que el estudio de la historia de la familia comienza con *El derecho materno*, de Bachofen... en 1861." Entonces pudiéramos pensar que fue un error secretarial e inadvertidamente se omitió la frase: el estudio de. ¿Fue un error al escribir? No. Porque cuando evaluamos la totalidad de su trabajo, encontramos que borró también lo que es la sociedad puertorriqueña. ¿Cómo y por qué lo hizo? Porque la redactora impuso una ideología comunista y admitió que "...teniendo en mente la definición de familia del código de Checoslovaquia [comunista] es que se ha de redactar el código para Puerto Rico"[162]. Y así la redactora importó toda una legislación extraña, ajena a la idiosincrasia boricua. Es forzoso concluir que la visión redactora no sólo pretendió borrar la historia de un plumazo, so color de que algunas figuras del derecho están obsoletas, sino que erradicaba todas las leyes y jurisprudencia de los años más recientes, que no están obsoletas[163] y que por el contrario reflejan nuestro carácter social y cultural actual. La práctica política de borrar la historia es una de las tendencias de la propaganda marxista; se llama revisionismo. También ha sido una de las prácticas de regímenes invasores, y ahora el régimen homosexual que pretenden imponer.

Como los *gayolas* en su estado mental borran su verdadera identidad, pretenden borrar nuestra verdadera identidad como seres humanos, como familia y como pueblo. Pretenden alterar y borrar la identidad de los que no tenemos ese conflicto existencial que tristemente ellos padecen.

¿Cuál fue el mito que usaron como base para crear un nuevo derecho de familia? ¿Cuál fue la zorrita? En lugar de usar un análisis de derecho, esta redactora acoge la mitología como fuente de información sobre la relación entre un hombre y una mujer, para proponer leyes siguiendo su interpretación de una historieta mitológica que a ella le parece mejor para regir el destino de este país.

La raíz ideológica de la redactora del Código de Familia es la historieta o narración mitológica de Bachofen, la cual fue adoptada como parte del germen ideológico de Marx y Engels. Es decir, los ideólogos del comunismo y el socialismo radical[164]. Este cuento mitológico y el Manifiesto Homosexual de Michael Swift están conectados entre sí, pues el padre del movimiento *gayola* Harry Hay[165] fue también un activista comunista, e integró las técnicas de propaganda comunista en el activismo *gayola*. Fue cofundador de la organización de pedófilos NAMBLA (*North American Man/Boy Love Association*)[166].

¿Cuál fue la narración mitológica sobre la cual escogió imaginar leyes más justas para el país? Ese adjetivo de cuento o historieta mitológica no ha sido un invento mío para exagerar o criticar la ideología *gayola*, sino que fue la propia redactora quien admitió que la base "racional" de su pensamiento tuvo como punto de partida una apreciación casi mitológica que data del siglo 19, para producir un código del siglo 21, y cito: "Lo más interesante de esa apreciación histórica, casi mitológica, y que encuentro propio para iniciar estos comentarios..."[167]

Antes de leer detenidamente los documentos de aquel código, yo pensaba como piensa la gran mayoría de los abogados y como la sociedad en general piensa. Esperamos que el estudio del derecho fuera un asunto muy serio, y no que se reinventara sobre un cuento, ni en prejuicios subjetivos de quien redacta. Una mente jurídica busca fundamentos racionales avalados por la prueba, de los hechos y los datos verídicos que se puedan corroborar y constar. De manera que se pueda emitir leyes que nos conduzcan a la verdad, y por consiguiente, a la justicia. Aspiramos a un orden social donde tengamos una mejor calidad de vida, que garantice la convivencia y la sobrevivencia del género humano.

Sin embargo, la redactora propone que demos como válido la siguiente narración, y que tengamos esa maravillosa época de la "libertad" cavernícola para tener una sociedad más justa y más humana. Cuando leí aquella narración, apenas podía creerlo. El discurso que sirve de raíz para diseñar el derecho y regir a todo un pueblo nació de lo siguiente:

> *"...Los seres humanos vivían primitivamente en promiscuidad, por lo que, carente la prole de certidumbre de paternidad, la línea materna determinaba la descendencia. Por ello las madres, como madres y parientes ciertos, tenían un aprecio y respeto tal que llegaron en alguna época a tener preponderancia absoluta. El paso a la monogamia, cuando la mujer solo puede pertenecer a un hombre, constituyó entonces una transgresión a una ley religiosa primitiva: transgresión del derecho inmemorial que todos los demás hombres tenían sobre esa mujer. La idea pues de que la mujer estuviera sometida a un solo hombre debía expiarse... Así se explica Bachofen el modo cómo se pasa del derecho materno al derecho paterno, en el que la paternidad se asegura o, al menos, se presume que el estado de disfrute exclusivo de la mujer que gesta y trae al mundo los hijos e hijas de su único hombre. Perdió así la mujer el privilegio en las relaciones de parentesco."*[168]

> *"[Lo] que ha realizado modificaciones históricas en la situación recíproca del hombre y la mujer no es el desarrollo de las condiciones afectivas para la existencia de los seres humanos, sino el reflejo religioso de esas condiciones en los cerebros de esos seres"*[169].

Es patético que en la redacción de un código para el siglo 21 se invoque como una situación privilegiada para la mujer una visión social donde la mujer fuera sexualmente abusada por todos los machos del grupo social en una remota época salvaje; para que así predomine su derecho materno. Y que esa fabulosa anarquía sexual sea el pretexto para sacar la intelectualidad cristiana de nuestra sociedad.

Esta es la formación intelectual que se ha propagado en la academia, la cual propone que la atracción sexual entre hombres y mujeres no existe, sino que tal atracción fue impuesta por la religión. Por lo que lo correcto debe ser la relación homosexual, así como el lugar de privilegio para la mujer debe ser un rol de objeto sexual reproductor de todos los machos de la comunidad para que ella pueda tener preeminencia en el derecho materno.

Concluye la redactora que de esa manera se puede tener una sociedad más justa e igualitaria[170], y que ese es el estado de justicia óptima a que debe aspirar la raza humana para el siglo 21, pero la religión lo impide. El razonamiento que usó para llegar a esa conclusión fue el siguiente, y cito:

> *"¿Se han preguntado ustedes en qué consiste la inmoralidad o la moralidad de nuestros tiempos? ¿Quién determina lo que es sexualmente apropiado en el campo de la sexualidad humana? No son los hombres y mujeres que viven en este tiempo y espacio. Lo determina el reflejo de las ideas religiosas que esos hombres y mujeres han recibido de sus antepasados"*[171].

Según la disertación de la redactora ese "reflejo religioso" proviene del derecho canónico de la Iglesia Católica, el cual quedó plasmado en el código civil vigente. Si bien es cierto que en nuestra historia occidental el derecho canónico de la Iglesia Católica ha influido grandemente en el derecho, cabe preguntarnos ¿pero eso lo hace malo en sí? ¿O no ha sido acaso un orden social que ha impedido que uno a los otros se devoren como cavernícolas, en particular a los desvalidos niños y mujeres?

Analicemos esa premisa de la redactora: *"lo que ha realizado modificaciones históricas en la situación recíproca del hombre y la mujer no es el desarrollo de las condiciones afectivas para la existencia de los seres humanos, sino el reflejo religioso de esas condiciones en los cerebros de esos seres"*[172].

No hay que ser un erudito en antropología para saber que en las culturas donde no se han regido por el derecho canónico del catolicismo, ni por práctica cristiana alguna, como son los países orientales, los aborígenes del Amazonas, de África, o en las remotas islas del Pacifico, también ha existido la relación hombre y mujer, se casan y se reproducen como consecuencia natural del acto sexual entre un hombre y una mujer. Por otro lado el derecho canónico surgió después de Cristo y consta en la historia antes de Cristo que en muchas de las culturas de la Antigüedad, judías y paganas, el matrimonio ha existido, porque las relaciones recíprocas entre hombres y mujeres siempre han sido la consecuencia natural de sus respectivos sexos. No emana de los "reflejos religiosos" impuestos por la religión católica, ya que tampoco existía para entonces.

No hay que ser un erudito en biología para sorprenderse de esa premisa. ¿O a caso es que un óvulo se fecunda con el reflejo del derecho canónico? ¿O el espermatozoide fecunda al óvulo porque tomó clases de catecismo o fue a una escuela bíblica? ¿O los animales para reproducirse ejercitan el derecho canónico? Esas estultas ideas son las enseñanzas prejuiciadas que se imparten en las costosas universidades, y es lo que se ha pretendido plasmar en un código para tener una sociedad "más justa".

Lo triste del caso es que al pueblo puertorriqueño, que está pasando por una de sus peores crisis económicas, su gobierno le malgastó más de cinco millones de dólares pagándole a estos eruditos para producir estas "ilustres" ideas cargadas de prejuicios contra los cristianos; por no decir burradas. Eso no es tan sólo corrupción intelectual, sino también fiscal. Y como los oficiales del gobierno quieren ser "politically correct", ninguno se atreve a tomar acción contra los perpetradores de esta millonaria corrupción, por temor a que las jaurías *gayolas* les descubran sus asuntos "privados".

El temor a la extorción *gayola* no es infundado. De hecho hace varios años un representante que hizo expresiones contra ciertos activistas *gayolas* hoy está preso en la cárcel federal por actos de corrupción y otros delitos, el señor Edison Misla. El ex vicepresidente del Senado, que apoyó la *R 99* y ordenó paralizar el funesto código civil, el señor Jorge de Castro Font, fue procesado y hallado culpable por cargos de corrupción. En meses recientes, el representante Iván Rodríguez Traverzo, que hizo expresiones contundentes contra la agenda *gayola* y fue coautor de la medida *R de la C 107* (una versión de la *R 99* del 2010 para elevar a rango constitucional el matrimonio entre un hombre y una mujer), fue expulsado por cargos antiéticos y de corrupción. Las gestoras de expulsar a Rodríguez son las ideólogas *gayolas* de la Cámara. A juicio de Rodríguez, otros legisladores han incurrido en la misma conducta por la cual él fue procesado, y dijo:

"A menos que aquí no haya un representante que sea millonario, ¿quién de ustedes no pide? Contéstenme. ¿Quién de ustedes no lleva taquillas o envían a que les lleven taquillas? Ustedes saben el precedente, que la persona que diga que le enviaron taquillas y se siente amenazada, presenta una declaración jurada notariada y lo tienen que expulsar", sostuvo dirigiéndose a los legisladores, algunos de los cuales no lo miraban cuando hablaba.

En su defensa, Rodríguez Traverzo… acusó a la presidenta de la Cámara de amedrentar a los legisladores para que votaran por su expulsión y dijo que iba a arder Troya.[173]

No estamos justificando la conducta delictiva de ningún legislador. Lo que estamos enfatizando es que la corrupción rampante tiene de rehén al pueblo, donde la minoría *gayola* sabe cómo eliminar a sus adversarios. Aunque muchos legisladores en conciencia votarían por defender el matrimonio entre un hombre una mujer, también saben que "calladitos se ven más bonitos". Las libertades más fundamentales, como la libertad de expresión y la libertad religiosa del pueblo, están a merced del chantaje, cautivas de la corrupción en todas sus dimensiones.

Siguiendo otra vez la definición de corrupción del diccionario, esta desinformación intencional de los llamados eruditos del código civil y la academia también es un caso de corrupción intelectual. Vemos cómo el análisis jurídico ha sido suplantado, desviado y alterado en su forma o estructura.[174] Aquel borrador de código es una crasa depravación o perversión de la ciencia jurídica, porque de la única manera que pueden imponer una degeneración de la moral y de las costumbres es alterando la forma y estructura que se usa para estudiar asuntos de derecho. Más adelante explicamos ejemplos de cómo se desviaron de los métodos del derecho para elevar a la aberración sexual como un estado de derecho más justo e igualitario.

La comisión redactora propone que hay que erradicar la religión y la moral del derecho y, en consecuencia, de la educación y de la vida social en general, para tener un Código de Familia que sea la verdadera justicia y la equidad a la que aspira la raza humana, y cito:

"En la medida que en occidente sexo, religión, moral y Derecho se confundan como parámetros de la conducta humana, y por ende, como premisa de la norma jurídica, el contenido del Derecho transgrede las normas de la justicia y la equidad a la que aspira la raza humana".[175]

Todo lo contrario, la ideología gayola es un atentado contra los derechos humanos reconocidos por la Declaración Universal de los Derechos Humanos, que reconoce el matrimonio como un derecho de la humanidad:

1. *Los hombres y las mujeres, a partir de la edad núbil, tienen derecho, sin restricción alguna por motivos de raza, nacionalidad o religión, a casarse y fundar una familia, y disfrutarán de iguales derechos en cuanto* al matrimonio…

2. *Sólo mediante libre y pleno consentimiento de los futuros esposos podrá contraerse el matrimonio.*
3. *La familia es el elemento natural y fundamental de la sociedad y tiene derecho a la protección de la sociedad y del Estado.*[176]

De hecho, hace rato que los *gayolas* están buscando cómo alterar esta declaración de derechos humanos ante las Naciones Unidas. De manera que su agenda *gayola* sea compulsoria mundialmente. Lo importante para los ideólogos *gayolas* es el placer sexual desenfrenado. A eso le llaman "dignidad humana" Téngase relaciones sexuales como sea: hombres con hombres, mujeres con mujeres, entre seres humanos y animales, con niños, con robots, con objetos, con cadáveres, relaciones promiscuas entre todos, la mujer con todos los varones de la comuna, etc.; en fin, el aberrosexualismo[177]. Esa es la justicia aberrada a la que aspira la academia del siglo 21. Y todo fundamentado en un escrito comunista del siglo 19, sobre una narrativa mitológica que supone describir la era primitiva antes de que el ser humano aprendiera a convivir en sociedad.

Siguiendo esa ideología de que la moral y la religión dentro del derecho transgreden la justicia, procedería también eliminar de nuestras constituciones las nociones más básicas que la cristiandad ha perfeccionado en el correr de la historia del derecho, entre ellos, el principio de la dignidad humana[178]. La Palabra de Dios enseña que cada mujer y cada hombre son dignos en su naturaleza por el solo hecho de que han sido creados a imagen y semejanza de Dios. Por eso la vida es sagrada. El derecho a la vida, a la igualdad; el principio de separación de Iglesia y Estado, el sufragio universal, o sea el derecho al voto sin importar el nivel socioeconómico[179], la abolición de la esclavitud[180], atender a los pobres, el establecimiento de las primeras universidades[181], la educación pública[182], hospitales, etc., son derechos y desarrollos de orden social que emanan de los mismos valores cristianos que los *gayolas* pretenden eliminar. Estos conceptos e instituciones también son el reflejo de las ideas religiosas que esos hombres y mujeres han recibido de sus antepasados.[183]

Hay miles de libros y referencias que hacen una exhaustiva exposición de cómo todas esas figuras jurídicas y conceptos en el derecho, así como conceptos de libertades políticas, servicios sociales, entre otras muchas, nacieron de los valores cristianos. Por lo tanto los profesionales cristianos deben y pueden reeducar sobre todos esos datos históricos, a través de medios masivos de comunicación y en foros universitarios para contrarrestar el discurso de odio de la agenda *gayola*, que pretende borrar la historia y la verdad.

¿Por qué ese odio hacia los valores morales y principios? La Palabra dice que el enemigo de las almas ha venido a matar y a destruir, y esta ideología *gayola* es un eventual genocidio, primero hacia los cristianos y de ahí la campaña de odio contra los creyentes; y segundo contra toda la raza humana, incluyendo a los propios *gayolas*.

Por ejemplo, en el SCUM Manifiesto (SCUM es *Society for Cutting Up Men*; sociedad para erradicar los hombres) las mujeres homosexuales radicales proponen que van a matar a todos los hombres que no sean hombres que apoyen a SCUM. Y los hombres auxiliarles de SCUM son aquellos que están trabajando diligentemente para eliminarse a sí mismos[184]. Debemos tener presente que en última instancia los valores morales van dirigidos a velar por la sobrevivencia del género humano y asegurar una sana calidad de vida, que frenará este tipo de idea genocida.

¿A caso la homosexualidad conduce a la sobrevivencia del género humano? No. No hay reproducción humana. ¿Asegura una calidad de vida? Tampoco. Hay cientos de estudios que informan sobre enfermedades sexuales contagiosas, sobre la reducción en longevidad de estos grupos, los cuales registran una mayor incidencia en trastornos emocionales, aun en los países donde la homosexualidad ha sido impuesta como una conducta "normal". También registran una alta incidencia en crímenes pasionales entre ellos, cada vez más morbosos.[185] Este es el modelo de sociedad sin moral y de cultura de muerte que proponen los intelectuales *gayolas* del siglo 21.

Los homosexuales no se reproducen entre sí, y de ahí la urgencia de adoctrinar a los menores a través del sistema educativo de los países. El portal de lesbianas *Dyxploitation* publicó lo siguiente:

"*Reclutar niñas pequeñas dentro del estilo de vida lesbiana*. Ya que no nos reproducimos, necesitamos producir más lesbianas para poder suplirnos con más parejas sexuales, por lo que debemos ir tras la niñez. Las niñas son las mejores parejas sexuales, sino pregúntele a mi maestra de quinto grado".[186]

Algunos *gayolas* han optado por la reproducción asistida, comprando óvulos o espermas y alquilando vientres. Su ególatra mentalidad los lleva a procrear intencionalmente huérfanos, separando a las criaturitas de laboratorio del calor de una madre o un padre y destruyendo sus verdaderas identidades. Inocentes seres que nacen dentro del más inhumano maltrato emocional para desarrollar sus personitas, en violación del más básico derecho humano que reconoce:

El niño será inscripto inmediatamente después de su nacimiento y tendrá derecho desde que nace a un nombre, a adquirir una nacionalidad y, en la medida de lo posible, a conocer a sus padres y a ser cuidado por ellos.[187]

Los *gayolas* no solo promueven la homosexualidad, sino que para ganar adeptos a su causa también abogan por las relaciones promiscuas fuera del matrimonio. Las relaciones promiscuas entre hombres y mujeres igualmente son parte de esa cultura de muerte. Si bien los hombres y mujeres pueden reproducirse entre sí fuera del matrimonio, la pobre calidad de vida de los hijos, de las mujeres y de la nación que esas relaciones generan está ampliamente documentada en toda la historia latinoamericana.[188] Los estudios sociales reafirman que los menores criados con uno solo de sus padres registran mayor incidencia de delincuencia juvenil y/o problemas emocionales. La gran mayoría de las familias de madres solas abandonadas por los padres de sus hijos están en los sectores de pobreza.

Muchos niños quedan abandonados por este tipo de padres y madres, mientras que los *gayolas* tienen una fuerte campaña por apoderase de esos niños mediante la "amorosa adopción". Las iglesias, en lugar de estar cerrando sus ministerios de adopción, deben procurar por todos los medios legales y espirituales retener uno de sus más hermosos ministerios, y concientizar a sus feligreses a tomar la delantera en adopciones, para salvar a los huérfanos de más tristes experiencias en sus cortas vidas.

Cuando leí en la revista del Colegio de Abogados de Puerto Rico esa historieta casi mitológica, como la propia redactora admite, para proponer un nuevo derecho de familia, y que además fuera la expresión "intelectual" durante una cumbre de intelectuales internacionales, no pude menos que decir "la verdad es que el mundo está patas arriba". La Biblia lo dice más lindo: "...se amontonarán maestros conformes a sus propias concupiscencias y apartarán de la verdad el oído y se volverán a las fabulas" (2 Tim. 4:3).

Irónicamente, esto es lo que se le viene enseñando a los estudiantes de la Facultad de Derecho de una Universidad fundada por misioneros cristianos. Dicha facultad de derecho básicamente fueron los ideólogos que tenían bajo su control la producción de aquel funesto código civil, y a su vez monitoreados por los agentes de la ACLU. La Universidad Interamericana, mi *alma mater*.

No piense el lector que esa crisis intelectual es un problema aislado de Puerto Rico. Ideas análogas se presentan todos los días y por largos años en universidades de Estados Unidos y otros países. Por ejemplo, un libro usado en la Universidad Central de la Florida (UCF) en alguno de sus currículos *Women, Men and Society*, el cual *se lamenta* que el hombre blanco extinguió el concepto maravilloso y positivo de los zuni berbaches: "*Unfortunately, this positive evaluation of berbaches and broad conception of gender were virtually extinguishes through contact with through White society.*" ¿Y cuál era esa positiva aportación de avanzada de los zuni berbache? Entre los zuni había homosexuales. Durante la pubertad la tribu hacía una ceremonia para que el varón afeminado pasara a ser un "alyha". Cuando el "alyha" se casaba, pretendía tener menstruación cortándose la parte superior de sus muslos. Simulaban los embarazos provocándose con yerbas un fuerte estreñimiento que culminaba con un ficticio *nati-muerto*. Claro, cuando expulsaba su excremento acumulado por algún tiempo.

Aquellas tribus consideraban esa conducta normal.[189] Tales indígenas afectaban sus propios cuerpos y culminaban su fantasías en una inofensiva defecación. UCF le inculca al estudiantado que ha sido lamentable haber perdido esa fabulosa costumbre.

La versión moderna de esa aberración es que algunos *gayolas* afectan sus propios cuerpos mutilándose con cirugías estéticas y dándose la apariencia de su sexo opuesto. Su fantasía no culmina en una inofensiva evacuación de heces fecales, sino que producen la más inhumana mutilación de la identidad real de los niños de laboratorio; criaturas inocentes, con sus psiquis desviadas por dos mamás o dos papás y sin conocer su verdadero origen.

UN GOLPE DE ESTADO A LA DEMOCRACIA

La agenda *gayola* es una operación conspiradora que procura la imposición de la homosexualidad como un estado de derecho y de sistema político; es la obra genial de los ideólogos radicales para lograr, solapadamente, lo que el marxismo-socialismo radical no pudo lograr por las armas: desmantelar la unidad familiar con el objetivo de derrocar la democracia. La agenda *gayola* y el comunismo abogan por abolir la familia y por controlar el pensamiento de los ciudadanos, al grado de desintegrar la identidad de la persona. De ahí la furibunda agenda *gayola* de suprimir la libertad de expresión, la libertad de culto, de quitarles autoridad a los padres y provocar que los hijos pasen al control del Estado cuando sus padres no avalan la homosexualidad.

Los *gayolas* han logrado que grandes emporios económicos le subvencionen la agenda. Muchas grandes empresas han caído en la trampa de financiar con sus donaciones millonarias el resurgimiento y avance del marxismo-socialismo radical. Por supuesto, las empresas millonarias jamás darían un centavo para su propia destrucción y no saben lo que hay detrás de lo que la propaganda *gayola* les ha vendido para obtener jugosas donaciones. Los engañan con lemas publicitarios como los *human rights* (derechos humanos), con la falacia de que la homosexualidad es algo genético y que se discrimina contra los desvalidos y pobrecitos homosexuales. Son muchos los ingenuos donantes que subvencionan múltiples organizaciones *gayolas*, como la ACLU (*American Civil Liberty Union*), con una nomenclatura patriótica para los norteamericanos. Su fundador Roger Baldwin declaró categóricamente su propósito:

"*I seek social ownership, the abolition of the propertied class, and sole control by those who produce wealth. Communism is the goal*".[190]

En Puerto Rico estas fueron las palabras textuales que se dijeron en una conferencia internacional de eruditos, celebrada en la Isla, y que fuera recogida en un artículo publicado en la revista jurídica del CAPR, donde la redactora del borrador de código admitió esta conspiración: "Los hemos hecho partícipes de una conspiración. Esperamos que esta empresa conspiradora no termine en la delictual mutilación de nuestro ordenamiento, sino en la creación de un estado de derecho más justo y realista para Puerto Rico".[191]

No es una mera broma de los *gayolas*. Realmente vienen efectuando una conspiración ideológica contra el pueblo, contra la democracia y los valores de la familia, no solo en Puerto Rico, sino en el mundo entero. Y esto hay que denunciarlo y detenerlo. Cada lector debe investigar en su país cómo se ha ido infiltrando esta conspiración *gayola*.

Durante nuestra ponencia ante el Senado de Puerto Rico al menos logramos desenmascarar esa agenda conspiradora. Y seguimos luchando contra sus vestigios. Este caso de la ilustre redactora y catedrática es una fiel muestra de la ideología *gayola* en la academia. La redactora plasmó en su trabajo sobre el código la visión comunista de Engels en el derecho propuesto para Puerto Rico.

Engels promulgó las relaciones extramaritales para destruir la familia. "...en cuanto a los medios de producción pasen a ser propiedad común la familia individual dejará de ser la unidad económica de la sociedad. La economía doméstica se convertirá en un asunto social; el cuidado y la educación de los hijos también. Así desaparecerá el temor a las consecuencias que es hoy el más importante motivo social, tanto desde el punto de vista moral como desde el punto de vista económico, que impide a una joven soltera entregarse libremente al hombre que ama".[192]

Por supuesto los *gayolas* no dicen el discurso crudo y tajante de sus intenciones políticas, tal como lo expresa Engels, sino que disfrazan sus intenciones con un precioso caballito de Troya: las supuestas libertades del individuo, la libertad sexual, la diversidad y la igualdad. Todos son conceptos que defendemos y parece que están hablando el mismo idioma ideológico nuestro. Pero no es así. Promueven las uniones de hecho o relaciones extramaritales y las relaciones sexuales entre personas del mismo sexo. Promueven leyes dirigidas a desestabilizar la familia, la llamada libertad sexual de menores para que escojan su sexo y se entreguen a pasiones antes de su madurez; leyes para debilitar el matrimonio que provoquen las circunstancias caóticas que eventualmente justifiquen la abolición de la familia y el derrocamiento de la democracia.

Realmente se está efectuando una conspiración ideológica contra el pueblo, contra la democracia y los valores de la familia. Tal como lo plasmó el Manifiesto Homosexual:

> *"We shall be victorious because we are fueled with the ferocious bitterness of the oppressed who have been forced to play seemingly bit parts in your dumb, heterosexual shows throughout the ages. We too are capable of firing guns and manning the barricades of the ultimate revolution. Tremble, hetero swine, when we appear before you without our masks."*[193]

[Obtendremos la victoria porque estamos llenos de una feroz amargura... también somos capaces de disparar y de armar las barricadas de la última revolución. Tiemblen, cerdos heterosexuales, cuando aparezcamos delante de ustedes sin nuestras máscaras.]

El trabajo de aquella comisión redactora es una fiel muestra de cómo opera la ideología *gayola* en la academia y en la legislación para subvertir el derecho. Por lo que les presento parte de sus estrategias:

1.Está establecido que el derecho de familia y la persona es la base o zapata sobre la cual se edifica el resto de todas las demás materias del derecho. Astutamente, la estrategia que utilizaron fue que invirtieron el proceso de elaborar el código. Indujeron a la legislatura a aprobar los libros de las demás materias, dejando para lo último la base: Familia. Crearon así una urgencia de aprobación, porque ya era lo único que faltaba. Lograron presentar un código sin que se dieran cuenta de la base comunista y gayola en que se fundamenta.

2.Todos sabemos que la ley suprema del país es su Constitución. Puerto Rico tiene una de las constituciones modernas más avanzada. Fue redactada en la década de los 50, luego de la Declaración Universal de los Derechos Humanos. Por lo que goza de una fuerte influencia de dicha declaración; así como de la Constitución federal de Estados Unidos ¿Qué dijo la redactora en su informe en torno a la Constitución? Dijo que la Constitución es un derecho intruso, y cito: "...la intromisión del derecho constitucional dentro del derecho privado han estremecido las bases de nuestro derecho de familia".[194]

Esas desatinadas expresiones de la redactora también fueron emitidas ante los intelectuales de otros países y publicadas por varias revista jurídicas. Dijo: "el impacto de la intromisión o intervención de la Constitución en el Derecho Civil debe tenerse presente a través de nuestra ponencia..."[195] Debemos preguntarnos, ¿qué es una intromisión? El diccionario lo define: "Meterse en medio de otros; inmiscuirse en lo que no le toca".[196] O sea, para esta intelectual de la academia de juristas y corredactora de aquel funesto borrador de código que "borraba la familia", la Constitución de Puerto Rico se metió en lo que no le toca, proteger la familia frente al Estado. La Constitución garantiza los derechos del ciudadano frente al Estado, tales como:

Toda persona tiene derecho a protección contra ataques abusivos en su honra, a su reputación y a su familia. Const. ELA Art. 11 Sec. 8. No se podrá establecer discrimen por motivo de nacimiento. Sec. 1.

¿Por qué ha de ser la Constitución una intromisión para los *gayolas*? Bueno, porque la Constitución se le metió en el medio y es un obstáculo para la abusiva ideología de la agenda *gayola* con la cual fue diseñado aquel funesto código. La tiránica agenda *gayola* trae una brutal imposición del Estado, donde a los padres se les quita la autoridad sobre los hijos, de manera que no puedan proteger a sus hijos de la enseñanza homosexual en las escuelas públicas, creando así el ambiente para que los pedófilos libremente se puedan servir de los menores sin el amparo de sus padres.

Gracias a Dios que las constituciones precisamente se escriben para frenar estos desatinados movimientos, y modas caprichosas de cualquier viento de doctrina, de manera que se pueda preservar la cohesión socio-política de un pueblo.

> "*...Escribamos un estatuto constitucional, no lo escribimos para unos hombres, ni para la eventualidad, sino pensando en la permanencia de las instituciones, cuya estructura debe ser motivo del más cuidadoso pensamiento*" (Diario de sesiones de la Convención Constituyente, Puerto Rico, Tomos I, págs. 794-795, 11/12/51, 29no. día de sesión).

¿Por qué la Constitución les resulta una intromisión en el derecho privado de familia?

Cronológicamente en la historia de Puerto Rico vino primero el derecho privado de la familia, durante los años bajos del dominio español. Bajo el coloniaje español en la isla, se les impuso a los isleños las normas del derecho de familia español. Para ser justos con la historia, aquellas normas tenían disposiciones buenas y disposiciones malas que aún subsisten en el país, y otras que sobre la marcha se han ido corrigiendo a tenor con los valores morales y la realidad socio-económica puertorriqueña. Por ejemplo, el código español tenía la figura de los "hijos naturales" para referirse a los hijos nacidos fuera del matrimonio, llamados comúnmente en aquellos tiempos "bastardos".

Aunque a fines de la opresión española se emitió la Carta Autonómica de 1897, su contenido se limitó a esbozar una organización política para la isla, pero careció de derechos del individuo frente al Estado. Luego del cambio de soberanía, Puerto Rico pasó a ser otra colonia bajo Estados Unidos, y en el 1952 se aprobó nuestra Constitución. Los padres de la Constitución, reconociendo la dignidad de todo ser humano y el derecho humano de los hijos que se conoce en la Carta de Derechos Humanos de la ONU de 1947, elevaron a rango constitucional el derecho de todo hijo a tener iguales derechos de alimento, cuidado, apellidos y herencia, indistintamente de si nacieron fuera o dentro de una relación matrimonial. Después de todo, los niños no tienen culpa de las vidas sexuales desordenadas de sus padres y madres. Es por eso que la Constitución dice: "No se podrá establecer discrimen alguno por motivo de nacimiento"[197].

En conclusión, el derecho de familia en nuestra Constitución estableció un nuevo estado de derecho más justo garantizando la vida familiar: *Toda persona tiene derecho a protección de ley contra ataques abusivos a su honra a su reputación y a su vida privada o familiar* (Art. II Sec. 8). Y esa garantía es un estorbo para la agenda *gayola*.

En contra de la prelación de las fuentes del derecho

Voy a tratar de explicar lo más sencillo posible unas nociones del derecho para que puedan apreciar otro ejemplo de la falsa ciencia en que se fundamentan los "eruditos" del derecho, en ese caso del Código, y para ello ignoraron toda la metodología que se usa para estudiar el derecho en Puerto Rico. Voy a intentar hacerlo de manera que un lector que no sea abogado pueda comprender lo que les quiero probar con este ejemplo (otra zorrita).

En un sistema civilista como el de Puerto Rico el estudio del derecho establece que existe una orden de prelación y de importancia de aquellas normas que componen el estado de derecho. En Puerto Rico[198] ese orden es:

1. La Constitución.
2. Las leyes estatales.

3. Los reglamentos.
4. Las ordenanzas municipales.
5. Las decisiones de los tribunales que interpretan la Constitución y las leyes.

También existen otras maneras de clasificar las fuentes del derecho o materias auxiliares en un análisis de derecho. Se clasifican en mandatorias, secundarias y persuasivas. Toda la lista antes mencionada, desde la Constitución hasta la jurisprudencia o decisiones, son las fuentes mandatorias.

Las fuentes secundarias son los libros escritos por tratadistas sobre alguna materia del derecho, diccionarios, artículos de revistas jurídicas, informes de agencias o empresas privadas, enciclopedias, etc. Esas se consultan para hacer una investigación jurídica más profunda sobre un asunto y aclarar conceptos.

Otras son fuentes meramente persuasivas. Esas son aquellas referencias a leyes y decisiones de casos o jurisprudencia que pertenecen a otro país y que no rigen en la jurisdicción de Puerto Rico. Por lo general estas se usan en situaciones donde no hay un derecho claro, o no se ha legislado sobre un asunto, y que las tales referencias resultan apropiadas para resolver algo nuevo en un determinado caso o en un tribunal.

Los jueces y los legisladores están obligados a regirse por las fuentes mandatorias. Y cuando no tienen nada que les pueda ayudar a elaborar soluciones en un caso o situación social, pueden evaluar información de otros gobiernos, meramente para persuadirse sobre algún asunto, sin alterar las leyes y las buenas costumbres de Puerto Rico. En resumen, el orden de análisis es:

Mandatorias en estricto orden de prelación.

Secundaria.

Persuasiva.

No obstante, la redactora también invirtió el orden, dándole más peso y preeminencia a fuentes persuasivas y secundarias. Porque si se sigue el análisis de derecho como es debido, no hay manera de implantar la agenda *gayola*-comunista. Aclarado este importante orden veamos que mientras le faltó el respeto a la Constitución (que es la suprema ley del Estado y totalmente mandatoria), llamándola entrometida, a la misma vez citaron con más vehemencia y frecuencia a un simple informe de un trabajo de investigación administrativa (o sea una fuente secundaria), llamado "El informe de Discrimen por Género de la Rama Judicial de 1995".

En la redacción de dicho informe también participó, desde luego, la propia redactora del borrador del Código de Familia. Es decir, cuando ella resalta aquel informe como una fuente de derecho, ella se cita a sí misma como la autoridad para decir lo que le parece en el borrador del Código de Familia.

Aquel informe iba dirigido a la causa noble de evaluar las condiciones de trabajo discriminatorias de la mujer en la carrera judicial, en la profesión de la abogacía, y el trato que se les daba a las ciudadanas durante los procesos judiciales. No obstante, varias de las personas que trabajaron en aquel informe, incluyendo a la jueza que presidió los trabajos para producirlo, son de ideología *gayola*. En consecuencia, aquel informe fue el instrumento con el cual lograron infiltrar por primera vez en el derecho boricua, de manera disimulada, su doble agenda. Así fue como comenzaron a sustituir "sexo" por el concepto ambiguo de "género", y a infiltrar asuntos que no tienen que ver con la lucha de los derechos de la mujer, pero sí de los *gayolas*.

En la redacción del Código otro error garrafal[199] en el estudio del derecho fue imponer una fuente persuasiva sobre las mandatorias, y pretendieron imponer como visión para Puerto Rico una definición de familia del código de Checoslovaquia de 1988, tal como si hubiera ocurrido una revolución comunista en la isla sin disparar un solo tiro. En vez de compilar las leyes más recientes y decisiones de los tribunales del país, que son las fuentes mandatorias para crear un código autóctono de Puerto Rico, se fueron a copiar el código de la desaparecida Checoslovaquia. Refiriéndose a la visión de la familia que existió en Checoslovaquia, la redactora escribió: "...con esa visión o proyección del futuro en mente, hemos de evaluar las distintas instituciones que conforman el derecho de la familia puertorriqueña".[200]

Tenemos que cuestionarnos por qué la visión del código de Checoslovaquia no es un modelo adecuado para Puerto Rico.

Primero, Puerto Rico tiene una vasta fuente de referencias mandatorias para reformular un Código de Familia, así como múltiples estudios sociales de Puerto Rico. Pudieron acopiar todas las leyes más recientes y decisiones del tribunal, que han ido actualizando nuestro derecho sin alterar nuestra cultura. Puerto Rico ha tenido legislación de avanzada en todos los campos. Por ejemplo, desde 1942 Puerto Rico ha tenido una ley de madres obreras, protegiéndole de despidos y reconociendo el pago completo de la licencia de maternidad y otros beneficios. Todavía en muchos estados de Estados Unidos y otros países no se tiene ese beneficio. Así que no tenemos por qué despreciar lo que tenemos, ni quiénes somos, para ir en pos de otras fuentes persuasivas y ajenas.

Segundo, Checoslovaquia fue un país comunista cuyo gobierno ejercía el control absoluto de todas las propiedades incluyendo las casas de vivienda. Por imposición del gobierno, varias familias debían compartir el mismo techo. La propiedad privada estaba abolida. Vea que es la misma visión que exaltaba Engels, cuando decía: "En el antiguo hogar comunista, que comprendía numerosas parejas conyugales con sus hijos". Engels, en su apreciación subjetiva de la familia, se lamentaba y decía que: "Las cosas cambiaron con la familia patriarcal y aun con la familia individual monogámica. El gobierno del hogar se trasformó en un servicio privado". Para los ideólogos comunistas, la monogamia, el matrimonio entre un hombre y una mujer y la vida privada en familia tienen que ser abolidas. Vean que es el mismo discurso de los *gayolas*.

Puerto Rico es una democracia donde el estado de derecho fomenta la propiedad privada. Y aun para las viviendas públicas que el Estado provee a las personas de pocos recursos se preservan y respetan la exclusividad de una familia por vivienda. Mientras que bajo el estado comunista del código de Checoslovaquia se definía como familia toda persona que conviviera bajo el mismo techo, para fines programáticos de un estado opresor.

Es decir, todas las personas que por necesidad o imposición del gobierno eran obligados a vivir bajo el mismo techo, por pura conveniencia para el Estado, se constituía en un núcleo familiar para fines de controles socioeconómicos. De igual forma los *gayolas* proponen que la familia sea definida como todos los homosexuales que vivan bajo un mismo techo, ya que ellos no conforman una relación consanguínea, ni por afinidad, pero se autodefinen familia, *We are family* (canción lema de la película *La jaula de las locas*)[201].

Vea que es un modelo análogo al del Manifiesto Homosexual: "*Perfect boys will be conceived and grown in the genetic laboratory. They will be bonded together in communal setting, under the control and instruction of homosexual savants*".[202] [Los niños perfectos serán concebidos y criados en laboratorios genéticos. Se mantendrán unidos bajo un mismo ambiente comunal, controlado por homosexuales.]

En Puerto Rico la familia emana no de una asignación de gente bajo un mismo techo impuesta por el gobierno, sino que se define por lazos biológicos de consanguineidad y por afinidad. Y por excepción, la adopción declara legalmente a un niño huérfano o abandonado hijo del adoptante. Aunque socioeconómicamente predomina la familia nuclear (o sea, un padre, una madre y los hijos), el peso del lazo consanguíneo se respeta tanto que aún coexiste la familia extendida. A pesar de que los parientes no vivan bajo el mismo techo, a gran distancia se practica el trato, el cuidado y el respeto mutuo de la familia.

Por ejemplo, los abuelos, los tíos, los primos o los padres no custodios, no viven bajo el mismo techo, y seguirán siendo familia, con los mismos derechos y obligaciones. Mientras que un grupo de personas recluidas bajo una institución correctiva o de salud, o los hospedajes de estudiantes que comparten un mismo techo tampoco constituyen familia.

¿Cuál fue el efecto del "fabuloso" modelo de Checoslovaquia? Si bien el Estado impuso una definición de la familia, no logró preservar una cohesión social como pueblo. Checoslovaquia desapareció en apenas setenta y cuatro (74) años de existencia como nación, al dividirse en dos repúblicas. Fue establecida en 1918, y con el final del comunismo en esas tierras, Checoslovaquia desapareció en 1992, dividida en dos países: La República Checa y Eslovaquia. Mientras que Puerto Rico tiene más de quinientos años de historia y ha resistido la sujeción colonial, primero bajo España y luego bajo Estados Unidos; hemos sobrevivido como un pueblo, con su propia identidad socio cultural y lingüística. Con un arraigo en la familia o parentela biológica extendida. El valor de la familia lo hemos elevado a rango constitucional, por lo que nuestra Constitución nos garantiza una vida familiar en privado, donde ni el Estado ni gente privada puede meterse.

En conclusión, el fracasado modelo de Checoslovaquia no nos describe como cultura. Sin embargo, los intelectuales radicales trataron de imponer por la cocina su filosofía comunista.

En Estados Unidos está avanzando la infiltración de la ideología comunista en el estado de derecho. Están colocándose dentro del sistema, listo para hacer implosionar, de adentro hacia fuera, a la democracia. La ACLU de Estados Unidos, que también tiene sus tentáculos en las universidades de Puerto Rico y se paseaba por los pasillos de la comisión redactora del Código, es la organización que lleva una campaña de odio contra los cristianos, muy intensa en los tribunales; además aporta fondos y/o servicios en casi todas las facultades de Derecho de la nación americana para adoctrinar a las nuevas generaciones de abogados, jueces y políticos en sus supuestas ideas liberales. Incluyendo universidades que fueron fundadas como "cristianas".

Por consiguiente, ya hay varias generaciones de abogados adoctrinados por ACLU colocados en posiciones clave. Entre ellos el actual presidente Obama. En el Tribunal Supremo, la jueza Ruth Bader Ginsburg tuvo una activa participación en ACLU desde 1972[203]; y la jueza Elena Kagan, de quien *Massachusetts Resistance* denunció enérgicamente que durante su incumbencia como decana de la Facultad de Derecho de Harvard observó un fuerte activismo *gayola* y como parte de ello reclutó a un destacado ex abogado de ACLU, el Lcdo. William Rubenstein.[204]

ACLU es la principal promotora de la agenda *gayola*. Lleva una agresiva guerra abierta contra toda expresión de libertad de culto. La ACLU (la Aklu klan) es la Ku Klux Klan (KKK) para los cristianos, así como la KKK lo fue para los negros en Estados Unidos. La Aklu klan quiere imponer un estado de derecho que les permita legitimar la persecución y erradicación de los creyentes judeocristianos. En su primera etapa de persecución, esgrime la separación iglesia y estado como pretexto para eliminar de todo lugar público, edificios, escuelas, hospitales, calles y hasta cementerios[205], toda frase o símbolos religiosos, como: la cruz, la estrella de David, el pesebre, la Navidad, conmemoraciones de los Diez Mandamientos, la expresión *In God We Trust* de la moneda americana; toda expresión que aluda a Dios en documentos históricos como la declaración de independencia, constituciones, discursos de los fundadores de la nación, etc. La ACLU se comporta como vampiros en aquellas películas de Drácula, que corrían despavoridos ante la cruz. Su fundador Roger Baldwin, un agnóstico y socialista, claramente dijo que su meta es el comunismo en Estados Unidos.[206]

En Puerto Rico, ciertos grupos de izquierda no han podido prevalecer ante la soberanía del pueblo, pero sí lograron infiltrarse en el manejo ideológico del borrador del un nuevo código civil para el país, sin que los políticos, aun los de la más extrema derecha, se percataran de que nos están dando un golpe de estado. Entonces, ¿cómo ha sido posible que legisladores, políticos, moderados y de derecha se hayan dormido ante el avance de los ideólogos radicales? Por varias razones:

1. Algunos porque la filosofía de la liberación sexual les parece atractiva en sus propias concupiscencias, y enceguecidos o enceguecidas en sus bajas pasiones han caído en las garras de ideologías radicales extremistas y/o en los chantajes *gayolas*.

2. Otros políticos han sucumbido por falta de formación e información sobre ciencias políticas, datos sobre esas organizaciones y sobre todo la irresponsable desinformación de la APA, controlada por un grupo de activistas *gayolas*, que le han dado un aura de cientificidad a la homosexualidad.[207]

3. Otros políticos porque sencillamente no hacen su labor, parasitan de lo que otros legisladores con voz dominante opinan.

4. Sin embargo, debemos reconocer que aun legisladores más aplicados y estudiosos no les alcanza el tiempo para escudriñar minuciosamente tanto escrito teórico. Descansan en la labor de asesores y comisiones especializadas, donde muchos documentos han sido producidos por agentes de la ACLU y por una academia contaminada.

En el caso del borrador de Código de Familia, el fraude intelectual fue más grave aún, cuando la Comisión circuló a todos los legisladores el Memorial Explicativo del Segundo Libro de las Instituciones Familiares. Los ideólogos que controlaban dicha Comisión fueron bien sagaces y maquinadores; de manera brillante maquillaron el lenguaje de dicho memorial. Leyendo tales memoriales "oficiales", que suponen ser la ideología del código, nosotros tampoco lo hubiéramos podido percibir. La comisión redactora había retirado las claras declaraciones de la verdadera agenda. No mencionaron nada sobre la visión comunista, aunque el Código estaba promulgado y cuidadosamente redactado con dicha visión. Si exponían en lenguaje franco sus intenciones, la inmensa mayoría de los legisladores hubieran descartado de plano el borrador y hubieran desmantelado a tiempo aquel grupo de "asesores". Desafortunadamente el personal asesor empleado en la comisión que estaba revisando el Código tuvo una pobre fiscalización y allí se habían anidado emisarios de ACLU y activistas *gayolas.*

Por eso, el que todo lo sabe, el Gran Yo Soy, me dijo: "Eso no es, eso no es. Ve a los cimientos, a los fundamentos". Ante esas nuevas instrucciones del *Senior Partner* del bufete del cielo, nos pusimos como ovejitas a devorar la raíz. ¿Se imaginan lo que se puede lograr si los profesionales cristianos de cada materia, psicólogos médicos, siquiatras, trabajadores sociales, maestros, periodistas, políticos, etc., se dan a la tarea de escudriñar y arrancar de raíz las mentiras de la academia? No obstante, para lograrlo debemos usar el modelo del genio de Isaac Newton, quien llegó a encumbradas verdades científicas buscando a Dios de rodillas.

LA MORAL, PILAR DEL CRECIMIENTO NACIONAL

Cuando un gobierno legisla en una democracia, se presupone que lo hace para brindar el mejor bienestar de los individuos y del pueblo en general. Y lejos de enajenarse de la experiencia histórica, debe hacer una evaluación razonada de todos los factores envueltos. Procura corregir los errores del pasado y fomentar los buenos resultados aprendidos y comprobados en la experiencias vividas: "Quien olvida su historia está condenado a repetirla"[208]. Ignorar los principios de nuestra razón social, del bien común y lo que somos nos reduce a individuos sin identidad, a meros entes animados o animales. Repasemos un poco la experiencia:

En la década de los años 30 y los 40 Puerto Rico vivió un nivel de gran pobreza. El gobierno tuvo que evaluar y establecer medidas para prever los factores que sumían en la pobreza a su gente. Sin duda las relaciones extramaritales o uniones de hecho, como ahora la quieren llamar, era un factor agravante de pobreza económica. Algo que los gobiernos deben tener bien claro es que muchas veces la pobreza moral genera pobreza económica. Los gobiernos, al impulsar la legitimación del concubinato o "chillato", van creando un círculo vicioso de más pobreza familiar y pobreza nacional, cuyos resultados sobrecargan el gasto público. Entonces, para nivelar el gasto, tienen que gravar con más contribuciones a los ciudadanos, a la clase media trabajadora, empobreciéndola cada vez más.

La administración del gobierno en Puerto Rico en los años cincuenta tuvo que tomar medidas para desalentar el concubinato, que a su vez generaba más pobreza moral y económica. Incluso el propio Gobernador de entonces tuvo que ser ejemplo de enderezar su vida íntima y legalizar su unión concubinaria mediante el matrimonio. En la visión del gobierno se tuvo claro que para poder salir adelante como pueblo había que fortalecer la familia. No se puede negar que Puerto Rico logró un cambio drástico de mucho progreso económico, de paz social. El progreso moral dentro de la familia fortalece la nación.

Al presente, Puerto Rico y Estados Unidos están confrontando serios problemas socioeconómicos. La rampante inmoralidad sexual y las liberaciones sexuales no nos han producido una mejor calidad de vida. Por el contrario, la productividad económica va en decadencia. A falta de ideas eficientes para producir medidas legislativas que resuelvan la crisis de los países, algunos gobiernos se han dado a la tarea de legislar para legitimar la inmoralidad sexual. Creando "issues" que entretengan a las masas con la lascivia, para así desviar la atención de su incompetencia e ineficacia al no poder resolver los verdaderos problemas. No hay nada nuevo bajo el sol. Esa misma fue la filosofía de Romualdo Palacios, uno de los gobernantes militares más abusadores e ineptos que tuvo Puerto Rico bajo el dominio español, conocido como el gobernador de las tres B, baile, botella y baraja. Su filosofía era darle al pueblo "placeres", para entretenerlos de manera que no se percataran de su ineptidud y corrupción para gobernar la isla, y poder continuar con la explotación a la que el gobierno español sumía cada vez más al pueblo.

Al comienzo de 2010, el *Washington Post* informó que desde las décadas de los años 80 la economía de Estados Unidos comenzó a decrecer drásticamente, pero aun así se mantenía a flote; sin embargo, a partir del 2000 la historia es marcadamente diferente. La era de prosperidad de la nación ha sufrido un drástico revés, lo que está llevando a los políticos y a los economistas a repensar sobre los pilares del crecimiento nacional.[209] Deberían incluir en esa reconsideración sobre los pilares del crecimiento nacional la pérdida de valores morales y la negación de los principios cristianos en que fundaron la nación. Ahora en el siglo 21 los gobernantes, a falta de sabiduría y creatividad para atender los verdaderos problemas de los pueblos, solo se dedican a legislar genitalmente, al estilo de la canción "Macarena" (dale a tu cuerpo alegría y cosa buena) O al estilo *gayola* de "*Livin* la vida loca".

Ante la frustración para controlar las circunstancias socioeconómicas desastrosas de la nación, los políticos buscan enajenarse y se tornan a un modelo político de erotismo incontrolado. Por eso es más fácil para Obama declarar que la nación se siente orgullosa de que dos hombres se laceren sus rectos, o que las mujeres se masturben mutuamente. Es más fácil proclamar el *Orgullo Gayola* a proclamar el orgullo de una nación que ha generado empleos para todos sus ciudadanos, o el orgullo de una nación que terminó la guerra. Esa decadencia creativa, debido a un pensamiento racional desgastado de los líderes, le da un terreno propicio a los *gayolas* para sembrar más irracionalidad. La irracionalidad no es otra cosa que un erotismo incontrolado, fatal para la sobrevivencia humana y la civilización.

Es interesante notar que los intelectuales que descartan el cristianismo como conocimiento, a su vez han importado supersticiones e ideas espiritualistas, que provienen de creencias orientales y tribales, sobre reencarnaciones de humanos en otra forma animal, o en otro sexo. Es decir, son seres humanos encerrados en cuerpos de vacas, o de un gato, etc. En otra época ese tipo de pensamiento desde el punto de vista científico occidental constituía una superstición, un mito o una ignorancia.

Sin embargo, ahora tenemos ese mismo mito avalado por "intelectuales" que desacreditan la ciencia, y han logrado persuadir al nivel político. Solo que en occidente (por ahora) no se habla de humanos encerrados en el cuerpo de una vaca, de un perro o algún gato; sino de un hombre encerrado en el cuerpo de una mujer, o de una mujer encerrada en el cuerpo de un hombre, para dar paso a la homosexualidad como filosofía espiritualista de vida.

Vemos entonces que quienes tanto vociferan separación de iglesia y estado para borrar el cristianismo de América, pretenden que se pasen leyes y que el estado tome decisiones para "liberar" al alma que está encerrada en el cuerpo que lo aprisiona. Entonces estamos ante un asunto sobrenatural, sin que haya prueba científica de que el alma tiene sexo. Negando lo obvio y comprobable, que el sexo es una característica material y objetiva, observable desde un sonograma en el vientre materno. EL sexo es un funcionamiento de los órganos del cuerpo. El secularismo y la propaganda *gayola* pretenden rechazar el pensamiento cristiano para que sea suplantado por creencias ocultistas. Como por ejemplo que un alma de mujer haya reencarnado en el cuerpo de un hombre, o viceversa, y estableciendo tal creencia subjetiva de la imaginación como si fuera un hecho científico.

Otro argumento que algunos políticos *gayolas* esgrimen es que la homosexualidad humana es una conducta validada científicamente porque algunos animales inferiores copulan con animales de su mismo sexo. Si la medida de la conducta racional del ser humano ha de guiarse por la conducta irracional de los animales, también deberían ser conductas "politically correct" en el ser humano el canibalismo, tener sexo en público sin inhibiciones, sexo con su prole y defecar en el mismo lugar que también se come. Los intelectuales que esgrimen que debemos emular la conducta homosexual de algún animal ignoran que la diferencia mayor entre los animales y el ser humano es su capacidad de razonar, de abstracción, siendo la relación personal con Dios el nivel más elevado y que los animales no alcanzan a expresar.

Capítulo 10

IDEAS CORROMPIDAS

UN EJEMPLO DEL CRISTIANISMO UNIVERSITARIO QUE SE LES PRESENTA A JÓVENES EXTRANJEROS EN ESTADO UNIDOS

A veces nos preguntamos cómo los pueblos cristianos se han ido deteriorando. Hay muchos factores que producen esa descomposición social. No es mi intención agotar el tema, pero voy a compartir algunos factores. Uno de esos factores es la manera silenciosa en que el pensamiento intelectual del creyente está siendo destruido. El proceso es tan sutil y casi imperceptible que los propios creyentes e instituciones cristianas se autodestruyen. Dios me llevó a una universidad "cristiana" para decirme: "Mira lo que se predica en mis misiones al mundo, y lo que dicen los que usan mi nombre y dicen ser mis embajadores". Durante aquellas clases tuve la oportunidad de ver las sutilezas (las zorritas) que se usan para implantar de manera subliminal pero muy efectiva la ideología para erradicar el cristianismo de las esferas intelectuales, y por consiguiente de toda la sociedad occidental.

Georgia es uno de los estados más conservadores de la fe evangélica. En el primer trimestre de agosto de 2010, tomé unos cursos de inmersión al inglés, diseñado para estudiantes internacionales en *Mercer University*, una prestigiosa universidad de Georgia fundada por cristianos en el siglo 19.[210] La Universidad se mercadea como una institución seriamente comprometida con brindar un ambiente educativo que abraza la libertad intelectual y la libertad religiosa, mientras afirma los valores y la visión judeocristiana del mundo.[211] Esta descripción les resulta muy valiosa y conveniente a *Mercer University* para conseguir cuantiosas donaciones de creyentes comprometidos en apoyar el pensamiento intelectual con los valores cristianos. Sin embargo, la realidad es otra. Si me lo hubieran contado no lo hubiera creído.

Tratándose de una materia para aprender el inglés, sobre su gramática, rapidez de lectura y redacción, etc., diseñada para estudiantes de otras naciones como Corea del Sur, Arabia Saudita, China, Irán, África, Latinoamérica, en fin, del mundo entero, yo no esperaba tema religioso alguno en los materiales para aprender a leer y escribir el idioma. Primero porque la clientela compró un servicio de enseñanza de inglés norteamericano, y no un curso religioso. Pero tampoco esperaba un programa antirreligioso. Segundo, porque ante un mercado tan amplio de estudiantes de todas las idiosincrasias y religiones, yo pensaba que la religión no sería un asunto a tratar, o en todo caso sería algo incidental o neutral.

De una manera muy bien preparada, sistemática, repetitiva y consistente, el material de enseñanza induce al estudiante a memorizar un vocabulario, mediante unas lecturas hábilmente escogidas y ordenadas. Además de mejorar mi inglés, esto fue lo que recibí: Que el cristianismo es magia, es una creencia análoga a la mitología griega, y Jesús es el profeta de los cristianos. Es muy divertido someter nuestros anhelos al "Test del Dalai Lama", y una buena decoración en el hogar u oficina debe controlar la energía positiva y negativa "chi", al estilo de la Nueva Era y otras creencias esotéricas. Ningún material con la visión y valores judeocristianos se ofrecieron para "preservar" el más leve balance o neutralidad del discurso. Si yo me hubiera matriculado en una Universidad del Estado, podría esperar este tipo de material. O al menos no me hubiera sorprendido.

Tal vez fue que en el proceso evaluativo para escoger el material no se percataron de la ideología y método de implantar esas ideas en un curso de inglés, o que fuera producido por intelectuales anticristianos. Pero lo cierto es que estaba allí. El material fue producido y vendido por una editora sumamente competente, especializada en preparar magistralmente su producto, la multimillonaria e internacional editora Mc Graw Hill.[212] Dicha editora también fue fundada por profesionales cristianos presbiterianos.[213] Hoy día es una de las firmas editoras más destacadas y sus libros son utilizados en muchas instituciones educativas de todos los niveles en Estados Unidos y alrededor del mundo. O tal vez aquel material fue un acto consiente y calculado en los niveles intelectuales de decisión de la Universidad. Lleguen ustedes a sus propias conclusiones.

Dios me indicó: "Para esto te traje hasta aquí". Como mi inglés aún no está tan florido como necesito, hice como Moisés. Le dije a Dios que estaba limitada en mi lenguaje. Dios me dijo: "Precisamente quiero que sea así. Porque si envío a uno de los nacidos y criados en esta nación no lo van a oír. Tú no dominas su cultura ni su lenguaje; quiero que ellos vean que los valores de mi reino son los mismos aquí y en el mundo entero. Mis principios son más allá de una moda cultural; y quiero que incluyas esta experiencia en el libro que te mandé a escribir".

Llevé el asunto ante un alto funcionario de aquella institución, según me indicó Dios que hiciera. Antes de reunirme con aquella persona, el Espíritu Santo me dirigió a leer uno de los discursos del presidente de la Universidad, Lcdo Bill Underwood, para conocer algo de la visión de sus dirigentes, conocer qué pueda haber detrás de las palabras. Saber en qué terreno estaba. Entre varios de los mensajes que están publicados bajo el portal de *Mercer University*, me llamó la atención por su título *Una nación cristiana, ¿pero cuál cristiandad?* Mientras leía aquel discurso, Dios me dijo, mira: "¿Cristiano nacionalista?" Me dio mucha gracia enterarme de ese concepto. Es el equivalente en Puerto Rico a los "religiosos fundamentalistas", el mote que los *gayolas* han acuñado para crear un ambiente de odio contra los cristianos.

Los *gayolas* y muchos políticos usan el término "religiosos fundamentalistas" porque en nuestra cultura se asocia con los movimientos terroristas de algunos musulmanes. Pretenden que la opinión pública asocie a los cristianos con movimientos peligrosos y generar animosidad contra el cristianismo. Aunque grupos de ateos y agnósticos en Estado Unidos usan igualmente ese concepto de "fundamentalistas" para decir que los cristianos son análogos a los extremistas islámicos; lo cierto es que en el *argot* de los políticos de Estados Unidos no resulta "politically correct" usar el término fundamentalista[214], pues les podría representar roces diplomáticos con la comunidad musulmana y el mercado de grandes intereses de inversionistas que van ganando el poder económico estadounidense.

En Puerto Rico el concepto "nacionalista" se refiere a grupos independentistas que por años fueron "carpeteados" por el gobierno. Muchos de ellos profesan un fuerte sentimiento antinorteamericano, y otros un fuerte resentimiento. El término nacionalista se ha usado de manera peyorativa contra personas que no son de ideología pro americana o colonial. En fin, nacionalista para los puertorriqueños es una gama de ideas que no son similares a este concepto de "nacionalista cristiano".

Por otro lado los cristianos en Puerto Rico profesan diversas ideologías políticas: separatistas, nacionalistas, de centro o colonialistas, estadistas o de derecha. Pero la razón básica por lo que los *gayolas* no usarían el concepto nacionalista en Puerto Rico es porque dentro del movimiento nacionalista también milita una fuerte facción de los socialistas radicales y ateos que apoyan su agenda.

Por ejemplo, el Seminario Evangélico de Puerto Rico es un organismo que algunos elementos radicales y nacionalistas usan para sus agendas. Unos por convicción sincera de lo que ellos entienden es la fe cristiana, y otros, que aunque "no creen ni en la luz eléctrica"[215], saben que es una institución clave para diseminar sus mensajes con otras agendas, "vestidos de ovejas". Ello explica el fácil acceso que elementos extremistas y *gayolas* han logrado en el Seminario y donde diseminan temas como: "Niveles de homofobia en una muestra del protestantismo puertorriqueño".[216]

El concepto de "nacionalista cristiano" en Estados Unidos tiene una connotación de índole política, opuesta al de la cultura boricua. De igual manera, el concepto fundamentalista que usan los *gayolas* también es diferente de lo que es un fundamentalista para Dios. Un fundamentalista para Dios[217] es todo aquel que dice ser cristiano, sin embargo para ellos la Biblia es una expresión histórica, encajonada en el bosquejo de la doctrina meramente de conocimiento, del arte de la lectura; son los creyentes que no reconocen que la Biblia habla hoy sobre todo asunto cotidiano, ya sea de la persona o de la vida pública de una nación. Van a alguna iglesia por tradición religiosa. No han comprendido que tenemos un Dios vivo, un Dios que anhela ser parte activa de nuestras vidas, que tengamos comunión con Él 24/7, a toda hora y todos los días. No conocen la manifestación preciosa del Espíritu Santo, de un Cristo resucitado. Son los cristianos que no entienden que el Espíritu Santo usa la Palabra para enseñar y para dirigir nuestra lucha contra los principados, potestades y gobernantes de las tinieblas, contra huestes espirituales de maldad en las regiones celestes[218]. Son los cristianos que hacen lo que les parece, porque no consultan a Dios. Por lo tanto, tampoco lo reconocen en todos sus caminos. Como dice el Espíritu Santo: "Siempre andan vagando en su corazón, y no han conocido mis caminos..." (Hebreos 3:7:10).

A qué se refiere el Lcdo. Bill Underwood[219] cuando usa el término nacionalistas cristianos en su discurso: "Una nación cristiana, ¿pero cuál cristiandad?"[220] Además de identificar a determinadas figuras públicas como nacionalistas cristianos (mencionó al ex juez de la Corte Suprema de Alabama Roy Moore, *The Family Research Council* y a Sara Palin[221]), en términos generales Underwood utiliza el epíteto de "nacionalistas cristianos" para referirse a los norteamericanos que:

1. "Todavía creen que los padres de la nación escribieron principios cristianos en la Constitución, o que se estableció una nación cristiana. Los nacionalistas cristianos pretenden controlar o alterar la narrativa histórica".

Mas yo me pregunto: ¿Se habrá leído las 50 constituciones? ¿Quiénes son los que están alterando la narrativa histórica? ¿Quiénes son los que promueven la eliminación de "*In God we trust*"? ¿Quiénes son los que promueven que borren de los documentos históricos toda mención de Dios, Creador, Divinidad, Todopoderoso, todo monumento que aluda a Dios, a la Navidad y el Día de Acción de Gracias? Porque en Navidad no celebramos la gordura mórbida de Buda ni los cientos de brazos de deidades hindúes, ni el advenimiento de ACLU al mundo. Tampoco celebramos en el Día de Acción de Gracias la masacre de los pavos y el perdón presidencial. De eso no trata la historia en este lado del mundo.

2. A juicio de Underwood, los nacionalistas cristianos son extremistas que quieren imponer la oración en las escuelas públicas. Underwood también aclara que no se coarta a ningún estudiante su derecho de orar en cualquier momento, siempre que no interrumpa a otros. "*Any student is free to pray at any time, as long as she doesn't disrupt the studies of other students*".

Cabe hacer la misma pregunta de Bill Underwood, *A Christian Nation: But Which*

Christianity?, ante el caso del estudiante de escuela superior Ronnie Hastie. Ronnie fue penalizado por dar gracias a Dios luego de anotar un *touchdown* durante un juego de *football.*[222] ¿Quiénes son los extremistas que coartan la libre expresión hasta en un juego, donde cada cual libera sus emociones a viva voz, y no siempre con lenguaje fino? De hecho el lenguaje soez es muy frecuente en los juegos, y culturalmente aceptable. Sin embargo, cuando un jovencito da gracias a Dios, los extremistas anti-cristianos se ofenden.

3. Underwood en su discurso invita a una reflexión que considero muy valiosa, porque es representativa de la confusión del evangelio que viven algunos creyentes. Dice Underwood: "¿Seremos de los que dicen que el ataque del 9/11 es un castigo de Dios porque América apoya los paganos, los abortistas, las feministas los *gayolas* y las lesbianas[223] [Sic]; o seremos de los que oran a un Dios de amor y de gracia?"

Definitivamente tenemos y debemos ser de los que oran a un Dios de amor y de gracia, en eso tiene toda la razón. Mas tenemos que ser de los que por amor y gracia compartimos el mensaje de salvación, la verdad, dejamos saber a otros que un día aceptamos a Jesús y Él nos hizo libres, que Él no vino para condenar, sino a salvar. Si no nos dejan expresar la verdad del evangelio, cómo conocerán los que están expuestos a la condenación, si nadie les predica. Cómo van a conocer a Jesús, si su Universidad esconde que Jesús es el Hijo de Dios; Dios mismo encarnado. ¡El Salvador!

Dios no quiere que pasen desgracias como la del 9/11, pero debajo de las amorosas alas de Dios tampoco hay asesinatos de bebés, promiscuidad sexual, el abuso contra otros pueblos y la proclamación de otros dioses. Por consiguiente, una nación que fomenta esas cosas está en sus propios caminos, fuera de las alas de Dios, y ha rechazado a Dios. Dios no quiso que su amado Israel sufriera el holocausto de Hitler, pero rechazaron al Salvador que quiso juntarlos bajos sus alas, y no quisieron.[224]

4. Se infiere que el primer grupo que Underwood alude son los "nacionalistas cristianos". Me pregunto, ¿a caso el presidente de una Universidad cristiana puede inferir que un Dios de amor y de gracia se regocija con la matanza de millones de niños en los negocios de clínicas abortistas? ¿A caso un Dios de amor y de gracia también castigaría al jugador Ronnie Hastie porque le dio gracias durante un juego, por violar la separación de iglesia y CANCHA? ¿Es este el tipo de libertad

por la que el presidente de una Universidad cristiana dice, al final de su discurso, que ora para que Dios bendiga a nuestros niños?

5. Continúa Underwood expresando: "¿O seremos de los que creen que Jesús dijo que se ore en privado a puerta cerrada, o de los que pretenden que unos niños se mantengan de pie en silencio, mientras que sus compañeritos están practicando las oraciones públicas que imponga el gobierno en las escuelas..."[225]

A mi juicio, el gobierno no tiene que determinar ni imponer oración alguna, porque nunca lo impuso, y desde que se fundó Estados Unidos se oraba. Los niños y los maestros oraban en sus escuelas como parte de la libertad de expresión que espontáneamente emanaba de la base de un pueblo soberano, sus padres. El Padrenuestro es universal a todas las denominaciones cristianas, y no se debatía si se oraba a lo luterano a lo pentecostal o a lo católico. Lo que el gobierno sí ha hecho es suprimir el vivero de la libertad expresión, que hacía de Estados Unidos una nación distinta a las demás, al imponer el silencio típico de cualquier otro Estado tirano, donde el soberano es el Estado, y no el pueblo.

Underwood indicó, además, que uno de esos grupos nacionalistas cristianos ha creado una bandera de Estados Unidos con un águila cargando una cruz con sangre. En efecto, existe dicha simbología[226], no como un sustituto de sus símbolos patrios, sino como un derecho a su libre expresión para llamar la atención sobre lo que ellos están reaccionando, en protesta hacia el avance de otro grupo radical.

Ciertamente hay una visión "nacionalista" que nada tiene que ver con los valores del reino celestial. Cuando la nación o el orgullo de nuestra particular raza, nación, etnia o sexo se coloca primero que a Dios, es idolatría. Podemos y debemos amar nuestras respectivas naciones. Y sin duda Dios nos ha dado el regalo de ser parte de una nación, de una raza, de una etnia, etc., como parte de la multiforme manera de Dios para ser de bendición a los demás. No obstante, ubicar a Estados Unidos, a Puerto Rico o a la nación que sea como si fuera la luz del mundo por encima de Jesús mismo, es idolatría. Porque no es el hecho de ser estadounidense, americano o norteamericano, boricua, mexicano, argentino, etc. lo que hace a un cristiano ser luz en medio de las tinieblas, sino el hecho de haber aceptado a Jesús como Salvador: "...vosotros sois la luz del mundo"[227]. Y en ese sentido, al igual que los estadounidenses cristianos, todo hispano, todo oriental, todo africano, todo israelita, todo árabe, europeo o nativo de la tribu más remota, que tenga a Jesús como su Salvador, también es luz en medio de las tinieblas. Cualquiera que sea su etnia, su nación, su raza, su idioma, sea varón o mujer, rico o pobre, todos los cristianos somos hijos de Dios y ciudadanos de su reino.

Cabe reconocer que lo que sí hizo a Estados Unidos "excepcional" en un momento dado fueron los principios cristianos que sus fundadores plasmaron en su ideología democrática y su identidad como pueblo. Y de los cuales hoy reniegan los norteamericanos que ahora adoran a la diosa "tolerancia" y su nuevo dogma "politically correct". A diferencia de las demás naciones, Estados Unidos fue la nación que estableció pautas para garantizar que el Estado no persiguiera a nadie por motivos religiosos, sin dejar por ello de ser un pueblo esencialmente cristiano.

Este balance explica las expresiones del finado presidente demócrata John F Kennedy en su discurso de toma de posesión. Kennedy no sólo reconoció al Dios Todopoderoso, sino que admitió que los antecesores de la nación lucharon por la creencia de que los derechos del ser humano no provienen de la generosidad del Estado, sino que provienen de la mano de Dios.[228]

Contrario a esa visión cristiana, en el siglo 21 el presidente demócrata Obama ha dicho que Estados Unidos ya no es una nación cristiana. Obama es de la generación del dogma "Politically Correct". El culto a la diosa tolerancia conlleva que para no ofender a los inversionistas musulmanes, a los budistas, a los ateos acreedores de la billonaria deuda que tiene Estados Unidos con China, Estados Unidos debe dejar de ser una nación cristiana.

Desde que se eliminó a Dios de las escuelas, hay toda una generación de niños que hoy son adultos. Estos aprendieron en la escuela que los niños cristianos deben de silenciar su amor por Dios, el Dios que sus padres decían conocer. De firmes testigos de un reino con identidad pasaron a ser agentes encubiertos de algo que realmente no conocen. Tan y tan encubiertos que perdieron su identidad y ya no saben a quién representan; recuerdan vagamente que son hijos de Dios, pero ¿de qué Dios?

Son una especie de hijos de una "fe invitro". Saben que hubo un donante padre o una célula madre, pero no saben quiénes son sus padres. Ni a quienes ellos se parecen. Hombres y mujeres que encerraron a Dios en sus templos y lo conciben meramente como un fundador invisible de una fraternidad social llamada "iglesia", con credenciales aprobadas por el Estado.

Debemos hacernos la misma pregunta del discurso de Underwood: "*A Christian Nation: but what Christianity?*" ¿Será una cristiandad que cree que Alá, Buda, Astarot, los millones de dioses hindúes, las deidades del vudú, de la santería, de la magia, el ocultismo, el satanismo, etc., es el mismo dios? ¿Es acaso todo lo mismo? Quienes así piensan es porque sencillamente son una generación que no conoce a su Dios. Una generación que ni siquiera entiende lo que Dios ha dicho en el mandamiento número uno: "No tendrás dioses ajenos delante de mí".[229]

A juicio de Underwood, "los nacionalistas cristianos son extremistas". Debemos añadir que son extremistas los que ponen el conocimiento humano como su Dios, los que ponen la nación y el poderío humano como su Dios, y la liberalidad ideológica misma como su Dios. Estos últimos son tan de "mente abierta" al punto que se le han desparramado los sesos y han perdido la sensatez de lo que es la santidad y el respeto a Dios.

El discurso de Underwood me puso en la perspectiva de cómo es que se propaga la mentira y cómo es que se infiltra la propaganda extremista para erradicar el pensamiento Cristo-céntrico. La experiencia educativa que tuve en *Mercer University* es apenas una muestra de cómo se ha ido contaminando el pensamiento cristiano a lo largo de muchas décadas, al grado de llegar a la enajenación histórica, negando los datos obvios de la historia, y cómo los intelectuales "cristianos" van descartando el principio espiritual. Luego de analizar el discurso de Underwood (apellido que traducido literalmente significa "lo que hay por debajo o detrás de la madera"), comprendí por qué Dios quería usar mi torpeza lingüística y mi macha de plátano boricua[230]. De esa manera soy un espécimen que no cabe en su clasificación de nacionalista cristiana, y tampoco soy una terrorista fundamentalista.

Debí parecerles algo así como un UFO (un objeto volador no identificado) a aquellos dos funcionarios de la Universidad con quienes me reuní. Primero, porque yo tengo una pinta criolla bien marcada y mi trasfondo cultural es diferente, y para colmo aún no domino el inglés[231]. Mi acento en el inglés es bien humacaeño[232]; tampoco soy una experta en historia de Estados Unidos; pero una cosa sé, que cualquiera que lea los documentos que menciono en el Capítulo 4, sobre las constituciones de los diferentes estados, puede concluir que los documentos hablan por sí solos. El más que me impresiona es que la Constitución federal termina diciendo: "firmado en el año de Nuestro Señor". Y eso no lo escribieron los nacionalistas cristianos del siglo 21.

Segundo, el propósito de mi reunión con ellos no era abogar porque oráramos o se predicara en una clase de inglés. Por el contrario, me pareció extraño que se hablara de "religión" en aquella clase. Tampoco estaba profetizándoles que Dios castigará a América porque apoya los paganos, los abortistas, los *gayolas*, como critica Underwood. Estaba allí diciéndoles que ellos, la *Mercer University*, dicen ser una entidad cristiana y están destruyendo sus principios, confundiendo a los estudiantes que no conocen al Cristo que ellos dicen creer como institución.

"Una nación cristiana, ¿pero cuál cristiandad?" ¿Qué cristiandad es la que enseña *Mercer University* al mundo? ¿Una cristiandad que confunde a los extranjeros diciendo que Jesús es el profeta de los cristianos y que el cristianismo es magia? ¿Acaso los eruditos de *Mercer University* no han leído que la Biblia condena la magia?

Cuando fui a sacar cita con la persona que Dios me indicó para que le llevara la denuncia de lo que se estaba enseñando, la persona no estaba. Una secretaria me informó que la persona que deseaba ver estaría fuera de Atlanta por varios días, y que además debía de comunicarme primero con su asistente; esa otra persona estaría de vacaciones hasta fines de octubre. Yo le expliqué que mi curso terminaba el 8 de octubre y no regresaría a la Universidad, por lo que la dama muy amable insistió en que ella me podía atender. Cortésmente le di las gracias, pero le dije que sólo debía hablar con la persona que estaba procurando. Noté que la dama se sintió algo molesta, por lo que le tuve que decir que era un asunto personal, un mensaje de parte del Señor para aquella persona. Repitió, extrañada, pero respetuosamente sorprendida: "*From the Lord?*"; Le contesté: "*Yes, from the Lord*", y le dejé mi número de teléfono.

El 29 de septiembre de 2010, fui muy bien recibida por la persona a quien Dios me dirigió llevarle este aviso. Descubrí un ser sencillo y humilde. Al yo expresarle que estaba aprendiendo inglés, me dijo en perfecto español" "No se preocupe, yo trabajé un tiempo en Argentina". Me alagó mucho su gesto de facilitarme la comunicación. No obstante, le dije que debía soportar mi pobre inglés, porque era también parte del mensaje que Dios quería darle. Dios me dijo que le hablara en mi pésimo inglés, que fuera a esa persona como fue Ananías a Pablo para que se le cayeran las escamas de sus ojos. Ananías, un cristiano sin mucha preparación, fue quien le dio cátedra a un doctor como Pablo para que viera lo que estaba pasando a su alrededor. Dios me dio una palabra para aquella persona, del capítulo nueve de Hechos[233]. Sigo orando porque Dios le ha de usar como usó a Pablo en medio de gentiles, reyes y principales para despertar a su nación.

Cuando aquella persona escuchó mi señalamiento y le mostré la prueba escrita sobre cada material "educativo", su reacción fue de tal grado que su cuerpo se estremeció como quien siente un sorpresivo golpe. Inesperado. Aquella persona se mostró desconcertada, en particular con la idea de que Cristo es un profeta para los cristianos. Me insistió que llevara el asunto a otro funcionario, y le dejara saber tan pronto lo viera, para ir a reunirse con él. Así lo hice. Desde entonces estoy orando para que Dios le fortalezca y pueda cumplir su misión allí y en toda la nación. Oro para que Dios restaure a *Mercer University* en los fundamentos que Dios les dio a sus visionarios fundadores cristianos. Oro para que mi alma mater, la Universidad Interamericana de Puerto Rico, también retome su visión de ser luz en medio de las tinieblas.

Días después me reuní con el otro funcionario. Cuando le planteé la incongruencia del material con los alegados valores de la Universidad, aunque se mostró un tanto sorprendido, no se estremeció como el primero. Más bien estuvo a la defensiva. Me indicó que las lecturas de dicho material se habían escogido, entre otros criterios, porque son una compilación de lecturas que se les presentan a los estudiantes en distintas materias de la vida universitaria. O sea, lo que yo tenía ante mí es apenas una muestra de la metátesis del cáncer ideológico que está propagado en otras áreas del saber universitario de dicha institución "cristiana".

Por otro lado, el funcionario esgrimió los argumentos de separación de iglesia y estado. Con toda la dificultad de mi lenguaje, le recordé que ellos no son una institución del Estado, y por el contrario se anuncian como una Universidad cristiana. Entonces esgrimió, con cierto sarcasmo, que si de veras era yo abogada debía saber que los profesores tenían libertad académica para enseñar. Le repliqué que, primero, yo no estaba reclamando enseñanza de religión en un curso de inglés; por el contrario, son ellos los que se anuncian como un producto con base en la fe; entonces su anuncio sería engañoso, *false advertisement*, porque ellos se anuncian como cristianos y estaban atacando y discriminando contra mi fe cristiana de una manera sistemática, muy bien preparada por expertos en educación. Además, el material tampoco lo había escogido la profesora, como él mismo indicó al decir que la administración hizo una selección de aquellas lecturas.

A continuación les describo parte de la información de los materiales que nos dieron para "aprender" inglés. El lector debe tener siempre presente que los estudiantes de aquel curso de inmersión en inglés en su mayoría son bien jovencitos y no tienen un ánimo prevenido que pudiera discernir otra agenda detrás de aquel material que no sea una ingenua apertura para aprender inglés. Incluso para muchos era la primera vez que iban a una Universidad. Están ante una nueva cultura de enseñanza en un país que no es el suyo, por lo que todo lo toman como algo normal del vocabulario de un idioma que no conocen y como materia requerida de un proceso normal para aprender inglés. Al no dominar el idioma, comienzan a absorber todo lo que se les va indicando que aprendan, sobre todo a que memoricen vocabularios y conceptos para los exámenes.

Debido a la dificultad con el idioma, a los estudiantes nos toma un tiempo en reconocer los valores ideológicos de aquellos conceptos, con el agravante de que se carece de fluidez lingüística para cuestionar y refutar la insistente agenda anticristiana. Además, para el estudiante que es cristiano los ejercicios están diseñados para asimilar la información y no para argumentar en contra. Para los musulmanes y los estudiantes de otras creencias, o ateos, aquellas lecciones fueron la confirmación de la desinformación que ya traen sobre Cristo. Del Cristo que no conocen.

La primera lectura que nos dieron comentaba una noticia sobre un legislador en la descabellada California, quien propuso un proyecto de ley para imponer los conceptos del Feng Shui en la construcción de edificios. Dicho concepto se fundamenta en el misticismo antiguo chino sobre el flujo del *chi*, es decir, sobre una energía positiva o negativa. El artículo describe algunas bobadas de esas creencias para decorar y edificar. El propio autor del artículo termina criticando la acción del legislador, quien quiso imponer tales supersticiones mediante una ley. Hasta ahí podemos decir que el artículo es neutral, porque trataba de un hecho real que pasó en California y que el autor criticó incluso el asunto.

El problema no estaba en su lectura en sí, sino en la comprobación de la lectura y su análisis. Durante varios días, en los subsiguientes ejercicios de análisis de lectura y vocabulario, los alumnos fueron dirigidos a repetir y memorizar los elementos del *chi* y a exaltar sus "bondades", pero no se dijo nada más sobre la crítica que hizo el autor. Aquella lectura no fue un hecho aislado.

Las próximas lecciones fueron sobre la lectura *Una visión antropológica de la religión*. Su mensaje central era que la religión es magia, definiéndola como "determinadas prácticas sobrenaturales para lograr el propósito de influenciar el mundo natural repitiendo ciertas palabras y rituales, mientras que la ciencia nos brinda el conocimiento, el cual se obtiene por lo que se percibe a través de los cinco sentidos".[234] Dice el autor que la gente se torna a la magia, es decir, a la religión, ante ciertas incertidumbres y peligros, para lidiar con los estados de ansiedad sicológica que les puedan crear.[235] Es una manera indirecta de insinuar que las personas con problemas sicológicos son los que practican la religión. Curiosamente, la única religión moderna que menciona el autor por su nombre específico es el cristianismo.

A juicio del escritor, en la iglesia cristiana moderna, el pan y el vino es símbolo del cuerpo de Cristo, así como Venus es símbolo del amor en la mitología antigua.[236] En los próximos ejercicios sobre dicha lectura, el estudiante tiene que memorizar el discurso de esa comparación de símbolos y los ejercicios de comprensión de lectura y vocabulario. Enfáticamente, para medir la comprensión de lectura, obligan a memorizar que la religión es magia. En uno de los exámenes de selección múltiple, el estudiante es forzado a admitir y escoger como premisa correcta que la religión es magia, y que Cristo y Venus es la misma cosa. Porque eso es lo que dice la lectura y no hay lugar a argumentación sobre el tema. Yo saqué una calificación perfecta; escogí lo que el ejercicio quería que escogiera. Y al lado escribí que es un ejercicio "*misleading*" (que induce a error) contra el cristianismo.

En otra ocasión se nos presentó otro ejercicio. La profesora[237] nos dijo: "Hoy tienen un "quiz" (prueba corta). Nos puso en cada pupitre el papel del "quiz" boca abajo, instruyéndonos a que no lo comenzáramos a contestar hasta que recibiéramos todas las instrucciones. Una vez distribuyó todos los papales, nos instruyó que antes de virar el papel debíamos formular un deseo, que el "quiz" era como un juego, "*Just for have Fun*". Esa extraña directriz me puso a la defensiva. *¿Para qué yo tenía que pedir un deseo?, porque solo le presento a Dios mis deseos y peticiones.* No formulé ningún deseo. Bien hice.

Cuando se nos ordenó virar el papel y comenzar a contestar, el título decía "Examen de personalidad del Dalai Lama", y la última pregunta se contestaba con una fecha, que se suponía fuera la fecha en que ha de cumplirse el deseo pedido al Dalai Lama. Comenzaron a discutir las preguntas y lo gracioso o divertido que era ese examen del Dalai Lama.

Fue interesante que luego que yo hice el señalamiento de que el Primer Mandamiento dice que ame a Dios con toda mi mente, por lo que mis deseos solo los formulo ante Él, los jóvenes surcoreanos que dijeron ser cristianos se sorprendieron, pues ellos habían hecho todo el ejercicio inocentemente, pensando que sólo debían seguir las instrucciones. Y dos de los musulmanes entonces reaccionaron, que ese escrito era contrario a su religión. La profesora se excusó diciendo que era sólo un juego, y cambió a otro tema. Para la mayoría de los jóvenes, que no entendían muy bien lo que estábamos diciendo en inglés, allí quedó todo como algo divertido: el Dalai Lama.

En otra ocasión se nos entregó un párrafo lleno de errores gramaticales para que hiciéramos un ejercicio de corrección de puntuación y sintaxis. No se trataba de corregir o argumentar sobre el contenido. El tópico era sobre las cosas en común entre la religión musulmana y judía. Decía que una de las similitudes entre esas religiones es que para ambas Jesús es solo un profeta. Como sabemos, eso es un dato cierto, para ambas religiones Jesús es un profeta. El problema está en la construcción de la segunda premisa, que se leía, desde luego en inglés, así:

"Interesantemente, ambas religiones reconocen que Jesús, quien es el profeta de la religión cristiana, ni los musulmanes ni los judíos lo reconocen como el Hijo de Dios."

Si dicha aseveración se lee rápido y con la dificultad de una persona que está aprendiendo el inglés y tampoco conoce el cristianismo, le queda en su mente que Jesús es el profeta de los cristianos. Desmenucemos la oración para que noten el mensaje subliminal:

"Interesantemente, ambas religiones reconocen que Jesús, quien

[dato cierto]

es el profeta de la religión cristiana,

[premisa falsa]

ni los musulmanes ni los judíos lo reconocen como el Hijo de Dios."

[dato cierto]

El material está tan fríamente calculado que, una vez terminaron este tipo de temas dirigidos a desacreditar el cristianismo, el próximo capítulo del libro de texto para aprender a leer y memorizar es sobre la inteligencia de los primates y unas pequeñas nociones sobre la evolución.

El curso no está diseñado para discusión, ni los estudiantes en ese nivel dominamos las destrezas del lenguaje para argumentar. No obstante, como pude, levanté mi voz al respecto en el salón, y escribí una carta, que usé para reunirme con aquellos dos funcionarios. Al final del curso hasta los jóvenes árabes y el joven ateo chino votaron por mí para que representara a nuestra clase y diera un mensaje ante los estudiantes que se graduaban del sexto nivel de inglés. Lo que les quiero decir con esto es que los universitarios tienen sed de escuchar la verdad. Los cristianos no podemos asumir el rol de que callados nos vemos más bonitos.

Esa Universidad cristiana tiene la preciosa oportunidad de que no tiene que salir a predicar el evangelio a las naciones, porque las naciones llegan a ella. Pero ya ven lo que se enseña. Si no les interesa enseñar sobre Cristo, también deben desistir de atacar nuestra fe, o ser honestos y eliminar su fachada de cristianos. Porque por muy liberal que se diga ser, la esencia de nuestra fe es que Jesús es el Hijo de Dios, Rey de reyes y Señor de señores, y no "el profeta de los cristianos".

Tenemos que retomar nuestro lugar en el pensamiento intelectual en nuestras respectivas universidades y naciones. No porque seamos "nacionalistas cristianos", o fundamentalistas, sino porque Jesús nos dio la gran comisión: "Id y haced discípulos a todas las naciones, bautizándolos en el nombre del Padre, del Hijo y del Espíritu Santo (Mateo 28:19) ... y me seréis testigos en Jerusalén, en toda Judea, en Samaria, y hasta lo último de la tierra" (Hechos 1:8).

Esta no fue mi primera experiencia con materiales educativos de una Universidad cristiana. En el año 2008 descubrí que la Universidad

Interamericana de Puerto Rico estaba ofreciendo una maestría sobre estudios del género. Además, en otras materias contiene un discurso homosexual cuyo fin es establecer un sistema o régimen homosexual en contra de los cristianos.

Por ejemplo, en el curso de Trabajo Social TRSO 6029, la ideología de uno de los libros de texto para formar a los trabajadores sociales dice: "La base de todas las formas de opresión en Estados Unidos es el pensamiento religioso y filosófico occidental. El género lo define la clase dominante y privilegiada, compuestas por hombres cristianos *straights*, blancos".[238] Propone que la heterosexualidad, o sea, la relación entre un hombre y una mujer, es un sistema homofóbico y heterosexista, que hace ver a la homosexualidad como una patología[239]. Argumenta que la heterosexualidad es un problema que afecta a los homosexuales[240] y crea barreras que impiden un desarrollo saludable[241]; la homosexualidad y otros grupos sexuales son oprimidos por la religión, haciéndolos blanco de violencia.

Si esto es lo que forma a los profesionales en una institución cristiana, no nos debe sorprender el que nuestras sociedades occidentales estén en medio de un caos moral y espiritual, y en consecuencia material y social.

En síntesis, tenemos universidades cristianas formando en la mentalidad de los profesionales que los problemas de la nación americana son causados por la religión de los cristianos, que no son homosexuales. Que la relación hombre-mujer es un sistema que impide un desarrollo saludable y que la religión genera violencia contra los homosexuales y otros grupos sexuales minoritarios (los pedófilos, los que se echan con animales, las prostitutas, etc.) Toda esa conducta está bien, lo que es nocivo es el cristianismo y la filosofía occidental. Las creencias orientales no son un problema. Una Universidad cristiana enseñando que los "straight" (los hombres hechos y derechos) son los hombres blancos. Por lo tanto, se infiere que los que no son blancos, o sea, los negros, los indígenas y los hispanos, somos "torcidos", es decir, homosexuales. Debo aclarar que el concepto de "straight" es otro invento de la agenda *gayola*[242] para crear la clasificación de personas que no practican la homosexualidad. La traducción en español de "straight" es "derecho", "recto" o sin inclinación o torcedura.[243] Por consiguiente, es curioso ver cómo los *gayolas* se clasifican a sí mismos como "torcidos".

Si estas instituciones son las lumbreras del pensamiento cristiano en occidente, ya podemos imaginar lo que hay en las universidades del Estado y en las Universidades privadas no cristianas. Aquí cabe un refrán que se dice mucho en mi pueblo: ¡Con amigos así no necesito enemigos! Tenemos que rescatar el pensamiento intelectual en nuestras propias instituciones. ¡Cazad a las pequeñas zorras!

Capítulo 11

Más allá de una "inofensiva" palabra hay una ideología

Este capítulo se lo dedico al pequeño David, al niño interior en David Reimer, que murió torturado por la filosofía del género. Que su voz para luchar y evitar que otros niños sufran el criminal abuso al cual fue sometido no quede apagada. Sigamos hablando y denunciando lo que él ya no puede hacer.

Hace algunos años cuando los medios de comunicación masiva de vez en cuando educaban, se escuchaba en Puerto Rico un anuncio que decía, con sobrada razón: "Palabras defectuosas, pensamientos defectuosos". El anuncio era una invitación a evaluar la asimilación de un lenguaje defectuoso, que producía un pensamiento defectuoso en nuestras mentes. Les presento una sencilla radiografía de cómo aun los cristianos están asimilándose tanto al lenguaje homosexual como a la ideología anticristiana, en otra vertiente distinta a la enseñanza directa contra el cristianismo en occidente. Ahora les advierto sobre una forma más indirecta y sutil. ¡Otras zorritas!

Los *gayolas* usan el arte de hacer o crear cosas con la palabra. Y esta estrategia llega a los niveles de masa por vía de los medios de comunicación, la farándula, así como a través de la educación, y ha penetrado en el lenguaje de las iglesias y de los cristianos en su diario vivir. Les hago una invitación a repensar nuestro lenguaje para poder combatir la corrupción del pensamiento. La Biblia nos da una regla sencilla, que nos ayuda a corregir esa corrupción ideológica. La estrategia es: "guardando las sanas formas de la palabra" (2 Timoteo 1:13).

PAREJA *VERSUS* MATRIMONIO ENTRE UNA MUJER Y UN HOMBRE

La agenda *gayola* ha sido muy efectiva en la manipulación del lenguaje, utilizando incorrectamente y con premeditación palabras neutrales que son de fácil aceptación, como lo ha sido la palabra "pareja". Con la intención de incluir su defectuosa conducta en el pensamiento de los demás y que eventualmente se refleje en la conducta; en el idioma español han logrado situar "pareja" como sinónimo de matrimonio.

Es un hecho que de la manera en que hablamos influimos en la conducta de los demás. Como hablamos, pensamos... y hacemos pensar.[244] Aun los sectores más conservadores y sectores cristianos han caído en la trampa de usar la palabra "pareja" como si fuera algo inofensivo y correcto para referirse a la relación formal del matrimonio entre un hombre y una mujer.

La Biblia nos advierte que: "De la abundancia del corazón habla la boca" (Luc. 6:45). "Nunca palabra corrompida salga de vuestra boca, si no la que sea buena para la necesaria edificación, a fin de dar gracias a los oyentes" (Ef. 4:29). Así que debemos analizar: ¿Cómo hablamos? ¿Están corrompidas nuestras palabras? ¿Cómo estamos edificando o construyendo con nuestras palabras?

Usualmente los cristianos piensan que "palabra corrompida" se refiere a "malas palabras", "insultos" o "lenguaje soez". Y por lo general son muy cuidadosos en no proferir ese tipo de "palabrotas" o maldiciones. Pero también hay otro tipo de palabras corrompidas sin malas palabras. Cuando usas determinada palabra, ¿has pensando cómo edificas con tu lenguaje? ¿Cómo construyes o destruyes?

Según les mencionara anteriormente, el diccionario define la corrupción como la alteración de algo en su forma o estructura[245]; y es un sinónimo de depravación o perversión de la conducta[246]. Aplicando tales definiciones, es forzoso concluir que la palabra "pareja" para referirse a un matrimonio es una alteración de la forma y estructura del matrimonio, y eventualmente se refleja en la perversión de la conducta, que corrompe la sana forma del matrimonio entre un hombre y una mujer. Como resultado, dicha corrupción se convierte en parte de las leyes que legitimarían "pareja" en el estado de derecho.

Una de las reglas de hermenéutica (reglas para interpretar las palabras en la decisión de un tribunal de Puerto Rico) establece que: "Las palabras de una ley deben ser generalmente entendidas en su más corriente y usual significación". Por lo que los *gayolas* procuran generalizar la palabra "pareja" como parte del lenguaje común, en lugar de matrimonio. Así, en su día, podría ser aceptado por los tribunales y las leyes que nos gobiernan.

La ley actual en Puerto Rico define el matrimonio como una "institución civil que procede de un contrato civil en virtud del cual un hombre y una mujer se obligan mutuamente a ser esposo y esposa".[247] En muchos países hispanos la definición es análoga a esa. Hasta ahora las ley no dice "pareja". Veamos qué quiere decir "pareja".

En el caso del idioma español, desde tiempo inmemorial la palabra "pareja" se ha usado para referirnos a un par o dúo de objetos o cosas, como, por ejemplo, una pareja de espejuelos, una pareja o par de calcetines. También se usa para referirse a animales, indistintamente de su sexo: una pareja de bueyes (yunta de bueyes), un par de gallinas; y para especificar el complemento sexual de la especie animal: La coneja y el conejo, el gallo y la gallina. El toro y la vaca.

La palabra "pareja" también se usa para referirse a actividades o relaciones humanas secundarias o inferiores al matrimonio. Por ejemplo, una pareja de baile, pareja de jugadores (sin importar sexo), pareja de delincuentes, una pareja de prostitutas, etc. En el ámbito familiar se usa para referirse a los hijos cuando ya se tiene una niña y un niño; decimos "ya tengo la parejita". Se usa para referirse a los novios: una pareja de novios. Y más reciente, como parte de la agenda *gayola*, se usa para el concubinato, los que conviven como marido y mujer sin casarse: pareja consensual; "la pareja que tengo ahora".

Los *gayolas* han acuñado la palabra "pareja" para referirse a un par de personas del mismo sexo que tienen actos sexuales entre sí; usando, "conviven como pareja", "mi pareja consensual". A diferencia del inglés y otros idiomas, el español tiene una clara y constante distinción de los sexos en el lenguaje, es decir, el género femenino y masculino; por lo que se acostumbra usar "la pareja" para referirse a una mujer, y entonces se le llama "el parejo" a un hombre. Ejemplo: Luis es mi parejo de baile. Luisa es mi pareja de baile.

Sin embargo, en el argot *gayola* se corrompe ese uso del lenguaje e introducen "pareja" para referirse también al varón dentro de una relación sexual. Vea cómo se va destruyendo lingüísticamente la imagen del varón. Lo feminiza. ¿Cuál es la construcción o cómo se va edificando en el pensamiento de una mujer? Bajo esta corrupción lingüística, la mujer en lugar de decir "mi esposo", "mi marido", se refiere a su cónyuge como "mi pareja". Si la mujer internaliza el varón como "pareja", ¿cuál será el efecto paulatinamente?:

- Varón es igual a pareja (A).
- Pareja es igual a femenina (B).
- Probable relación (C).

En matemáticas básica, cuando A = B, y B = C, por lo tanto A es igual a C.

La mujer va construyendo en su mente que se empareja con su pareja; entonces por qué no también con otra mujer.

Bajo esta corrupción lingüística, a su vez, en el varón se destruye la imagen de dignidad de la esposa cuando el varón se refiere a su mujer como "mi pareja"; de otro modo "mi esposa", "mi señora" o "mi mujer" denotan un status de exclusividad de la relación matrimonial. Pero ahora está siendo cambiada por cualquier cosa genérica, como "mi pareja" La ideología de esa palabra va devaluando a la mujer como una actividad casual, una cosa, un entretenimiento, pareja de baile o de juego. Nada serio. Se le da a la esposa un mismo trato lingüístico que se le da a la "chilla" o concubina, o incluso a una relación casual con una prostituta. No se dignifica a la esposa, y se fomenta un ambiente de más violencia verbal hacia la mujer. De hecho, las estadísticas en Puerto Rico demuestran que la incidencia de violencia doméstica es más alta en "parejas" consensuales que en la relación matrimonial.

Si alguna duda tiene que este juego de palabras sea parte de la agenda *gayola*, pregúntese, ¿qué tipo de personas procura feminizar al varón? ¿Qué tipo de personas pretende tener acceso sexual con un varón como si éste fuera mujer? ¿Qué tipo de mujer concibe a otra mujer como su potencial "pareja" sexual? ¿A qué tipo de personas les interesa que la mujer sea despreciada por el varón y que la mujer desprecie al varón?

Ahora analicemos el efecto jurídico del uso indiscriminado de "pareja", en vez de esposo y esposa.

Si en el uso corriente del lenguaje, o sea el lenguaje popular, un par de homosexuales se refieren al otro como "mi pareja". También:

Si la esposa es "mi pareja".

Si el esposo es "mi pareja".

Si mi marido es "mi pareja".

Si mi concubina es "mi pareja".

Entonces, si el matrimonio es una pareja, y en el lenguaje popular se elimina hombre, mujer, esposa, esposo, lingüísticamente hablando, nada impide que el legislador o un juez interpreten que se le dé igual trato a toda acepción de "mi pareja", y por consiguiente el matrimonio no deba ser exclusivo entre un hombre y una mujer. Y los derechos y obligaciones de una chilla o de pares homosexuales sean iguales a los de la esposa o esposo.

Como habrán visto, el análisis anterior es pura lógica secular. Y por razones puramente seculares, no debemos caer en el uso de "pareja" para referirnos a la relación matrimonial entre un hombre y una mujer. Hay múltiples razones "no religiosas" que podemos esgrimir dentro del discurso público.

Ahora veámoslo desde el punto de vista del lenguaje de Dios. Tenemos una excelente guía para detener esa corrupción lingüística e ideológica sobre lo que es la relación entre un hombre y una mujer. La Biblia dice que la Palabra de Dios es lámpara a mis pies y lumbrera a mi camino[248]. La palabra nos insiste: *Reten la forma de las sanas palabras*[249]. A la luz de la Palabra, ¿cuál es la forma sana para referirse a la relación hombre/mujer? La Biblia dice en palabras textuales de Jesús: "Así que no son ya más dos, sino una sola carne (Mat. 19:6). La Biblia no dice "*...las bodas del Cordero, y su pareja* (Ap. 19:7). Hasta ahora, las leyes en Puerto Rico sobre el matrimonio, según el Código Civil, dicen que "el matrimonio es... en virtud del cual un hombre y una mujer se obligan mutuamente a ser esposo y esposa". Por lo que todo cristiano, debidamente advertido, de ahora en adelante debe evitar usar la corrupción intencional de la palabra "pareja". Proverbios 18:21,22 dice: "La muerte y la vida están en poder de la lengua... el que halla esposa halla el bien". Cuidemos esa bendición. No matemos con nuestra lengua la dignidad del matrimonio.

Los *gayolas* han sido muy ingeniosos creando toda una jerga y sobre todo logrando penetrar en el pensamiento de toda la gente, incluyendo a los creyentes. No procuro agotar aquí el tema, pero sí darles algunos ejemplos eséncíales que debemos seguir combatiendo a estas zorrillas en nuestro lenguaje. El que guarda su boca y su lengua, su alma guarda de angustias (Prov. 21:23).

Homofobia

Homofobia es una palabra inventada en 1972, que los *gayolas* esgrimen para intimidar, callar o neutralizar a los que no piensan como ellos. Detrás de esa palabra han logrado crear una extraordinaria herramienta para producir en las personas temor a que la juzguen como insana o malvada, capaz de matar o de hacerle daño a un homosexual. Debemos desmantelar esta reacción hacia dicha palabra.

En estricta semántica, "homofobia" es un hibrido de dos palabras: "homo" y "fobia", que nada tiene que ver con la conducta homosexual de otros. El significado de *homo* en su raíz latina quiere decir *hombre*. Mientras que *fobia* viene del griego, y significa temor, aversión obsesiva a alguien o a algo. Temor exagerado, irracional y obsesivo hacia una persona, una cosa o una situación determinada. Antipatía u odio muy intenso hacia alguien o algo[250]; cualquier temor patológico ante hechos, personas o actos que normalmente no inspiran ni angustia ni miedo[251].

Homofobia literalmente significa miedo irracional al hombre. Antipatía u odio hacia el hombre. Cuando le digan homofóbico u homofóbica, pregúntese: ¿Es usted una persona que sufre miedo irracional a los hombres? No. Pues despreocúpese de que le digan homofóbico u homofóbica.

En todo caso, solamente una mujer homosexual puede ser homofóbica, pues por alguna razón siente aversión hacia el sexo opuesto, es decir, el hombre. Algunas llegan a una aversión patológica contra el varón, que proponen destruir o eliminar a los hombres. Así lo declaran en el Manifiesto SCUM (*Society for Cutting Up Men*[252]). A esta conducta la feminista Daphne Patei le ha llamado "heterofobia", que es otra palabra inventada para referirse al miedo a relacionarse con extraños o personas diferentes, a persona del sexo opuesto. Miedo o aversión a la relación sexual entre un hombre y una mujer.

La Dra. Patei es una feminista de la academia, que advierte que ese tipo de mujeres extremistas manifiestan una patología de odio hacia los hombres y una antipatía hacia la relación entre el hombre y la mujer de tal manera que son una influencia fuerte y a la vez negativa para el propio feminismo.[253] También el homosexual que rechaza su propio sexo, y fantasea con ser mujer, tiene miedo a identificarse con sus iguales. En ese sentido es homofóbico; vean a continuación un ejemplo de un varón homofóbico descrito por el Dr. Richard P. Fitzgibbons, de uno de sus tantos pacientes:

> *De pequeño no tuvo buenos modelos de masculinidad. Su padre era un hombre iracundo, sus hermanos mayores eran agresivos y los niños del barrio eran hostiles hacia él. Vio que ser hombre era ser agresivo, iracundo, personas nebulosas con las que no podía identificarse. Optó por escapar de lo que él percibía como un mundo de varones que era algo inseguro para él. Y se refugió en su fantasía de un mundo femenino, por considerar que sería más seguro.*
>
> ["As child he had been unable to model after his angry father, aggressive older brothers, or hostile boys in the neighborhood. He viewed men as angry, violent, dark people with whom he could not identify. Instead, he had escaped from what he perceived as the unsafe world of men, into a fantasy female world where he felt safe. As he matured, these fantasies diminished and he married and had children."[254]]

Más adelante veremos cómo ese mismo temor hacia su propio sexo se registra en la niñez de John Money, autor de la mortal teoría del género.

En la biología, antropología y paleontología, *homo* se usa para referirse al género humano. Bajo esta acepción, homofobia es el miedo al género humano. Lo cual sería una condición patológica en una persona que siente miedo de todos los seres humanos. ¿A caso usted le tiene miedo irracional u odio intenso hacia toda la humanidad? ¿No? ¿Sí? En la afirmativa, sería el caso de una persona que no puede socializar, un ermitaño quizás. O un potencial genocida. Necesita ayuda médica para compartir en sociedad con los demás. Pero esa homofobia nada tiene que ver con las personas de conducta homosexual. Si no le tiene miedo a los seres humanos, entonces no es usted homofóbico. No hay por qué preocuparse.

La acepción del griego *homo* quiere decir igual. De un grupo de personas que tiene las mismas características decimos que es un grupo *homogéneo*. Así que *homofóbico* es miedo a lo que es igual. Miedo a sus iguales. Como regla general, en Occidente las mujeres no tenemos miedo de otras mujeres, ni los hombres de otro varón. Tanto es así que culturalmente en Occidente las mujeres compartimos el baño, las habitaciones en los hospitales, en los cuartos de ginecología. Los varones comparten los urinarios, las habitaciones en hospitales, etc. En los niños, por lo general las nenas se buscan entre sí para jugar, y los nenes buscan a sus iguales. Hay empatía con las personas de nuestro sexo, y esa empatía nada tiene que ver con relaciones de coito. Existen clubes y organizaciones de damas, y otras de caballeros, y nada tiene que ver con actos sexuales entre el mismo sexo.

En todo caso, la palabra correcta para referirse a alguna fobia hacia personas de conducta homosexual sería "homosexual-fobia". Por lo que homofobia es un disparate en ese sentido.

La palabra homofobia se dice que fue acuñada por George Weinberg, en su libro *Society and the Healthy Homosexual*. En su opinión, los homosexuales no tienen ninguna condición psicológica, sino por el contrario las personas que tiene prejuicios contra las personas de conducta homosexual sufren de un estado mental irracional. Aunque el vocablo es un disparate, su concepto de homofóbico requiere que la persona tenga un miedo irracional, o un odio hacia la persona con conducta homosexual.

Los cristianos no estamos llamados a odiar a nadie, y en términos generales no hay por qué temer a ninguna persona, sea homosexual o no, salvo la precaución inicial que se tiene ante cualquier desconocido, hasta que le conocemos. O cuando el individuo manifiesta alguna agresividad o maldad, entonces, causa temor, indistintamente si es o no homosexual.

El caso que describimos anteriormente, de cómo un paciente desarrolló fobia a su propio sexo convirtiéndose en homosexual, nos debe mover a más misericordia para tratar con ellos. Hay esperanza para salir de esa condición. En el plano personal tengo amistades y familiares muy queridos de conducta homosexual. Muchos homosexuales están conscientes que sus preferencias son un asunto privado, y tampoco comulgan con la infiltración socialista radical que maneja la propaganda *gayola*, ni con dicha agenda. Por lo que tenemos que distinguir entre combatir las ideas, y no a las personas.

Ahora analicemos nuestras reacciones ante la agenda *gayola*. La imposición de la conducta homosexual como un sistema ideológico y de educación para nuestros niños, así como sus planes manifiestos de abolir la familia, no son un miedo irracional, sino una amenaza real. No es imaginaria. Es expresa, manifiesta y en desarrollo avanzado, si no es detenida.

Es un sistema donde son coartados la libertad de expresión, de culto, el derecho de los padres a educar sanamente a sus hijos, el derecho de todo niño a la integridad de su cuerpo y mente. Esto está ocurriendo ya en otros países, y apenas les hemos mencionando algunos sucesos. No son historias inventadas. Las pueden constatar. El adoctrinamiento homosexual actualmente es la pesadilla de millones de niños y familias en el sistema escolar de Massachusetts, Canadá, España, etc. Los menores hay que protegerlos, no porque se tenga un miedo irracional, sino porque la homosexualidad o adicción a su propio sexo es un daño real, tanto al cuerpo como a la mente. Es un daño a la sociedad en general, como lo es cualquier otro tipo de adicción disfuncional. Por ejemplo, el fumar hace daño al que fuma y a los que están a su alrededor, a los llamados fumadores pasivos. ¿Se odia al que fuma? No. Pero no enseñamos a los menores a fumar, con el pretexto de sensibilizarlos o que sean comprensivos con los fumadores.

En una democracia se presume que existe un mercado libre de ideas, y es la manera más civilizada de defender nuestros respectivos puntos de vistas. Sin embargo, eso no son los estilos de la agenda *gayola*. Su meta es silenciar y coartar los derechos de los demás a disentir de ellos, mediante la imposición de las llamadas leyes de odio, los llamados currículos de "género" para "sensibilizar" a los niños a sus conductas, y la imposición del día de silencio en las escuelas donde los niños son obligados por el gobierno de manera abusiva y represora a recibir toda la propaganda homosexual, sin derecho a disentir ni los niños ni sus padres.

En opinión de un sector minoritario de sicólogos *gayolas*, los homosexuales no tienen ninguna condición psicológica, la homosexualidad es saludable y por el contrario las personas que tienen prejuicios contra las personas de conducta homosexual sufren de un estado mental irracional. Entonces, ¿qué es salud? Salud no es hacer con el cuerpo lo que nos venga en gana. No es saludable comer de manera descontrolada o sin una dieta balaceada, porque altera el buen funcionamiento del cuerpo, o sea su salud. Muchas veces el daño físico conlleva otros trastornos emocionales y mentales, y viceversa. Lo mismo pasa con el uso inadecuado del sexo.

Salud es el estado en que el ser orgánico ejerce normalmente todas sus funciones[255]. El problema es que la homosexualidad no es ninguna función del cuerpo, por lo tanto es la antítesis de salud. El sexo es un sistema de órganos del cuerpo, y usarlo descontroladamente, alterando o mutilando las formas de ese sexo, o sustituyéndolo por otros órganos excretores o digestivos, altera el buen funcionamiento del cuerpo, las emociones y la mente. Como parte de la función natural de los órganos sexuales, está la reproducción humana. Y la homosexualidad tampoco cumple esa función natural.

Veamos un problema de salud. Cuando a una mujer se le diagnostica que tiene cáncer del seno, su miedo y angustia a perder un seno es la reacción natural, que puede llevar a serios problemas emocionales en la paciente. Nadie en su sano juicio se deleita en perder parte de su cuerpo. Quizá por un instinto de conservación, o por el dolor y el riesgo de las cirugías. Cualquier paciente prudente y razonable que por alguna razón pierde o nace sin una parte de su cuerpo, busca la manera de usar alguna prótesis, o de reparar el área afectada para recuperar alguna forma o función. Sin embargo, algunas mujeres homosexuales, libre y voluntariamente, optan por cercenarse los dos senos (mastectomía) y se mutilan la vagina para confeccionarse alguna protuberancia que parezca pene y darse apariencia de varones. Por definición, esa opción no es salud. Más bien es quitarse las funciones normales del cuerpo y fabricarse un impedimento físico; que les conduce a depender toda la vida de medicamentos, hormonas y cirugías estéticas para someter una y otra vez el cuerpo a una apariencia ficticia.

Por ejemplo, el caso Tracy La Gondino, el supuesto "hombre embarazado" que fuera publicado en la revista *People*, en el programa de Oprah y por toda la red de internet. Tracy, una bella chica de esbelta figura, que solía competir en concursos de belleza, una vez fue finalista en el concurso Miss Hawái Adolescente USA, ahora se transformó en un hombre peludo, obeso y barrigón, y se llama Thomas Beatie. Tracy comenzó con relaciones homosexuales y luego se sometió a la mastectomía y las inyecciones de testosterona. Tracy/Thomas se dejó barba, cambió su identidad legal a la de un varón y "se casó" con otra mujer. Según ha sido publicado, al parecer sufre de Desorden de la Identidad Sexual, síndrome 302.85 del Manual Diagnóstico y Estadístico (DSM-IV) de la Asociación Americana de Psiquiatría. Es decir, una condición mental. O sea, tenía un cuerpo saludable, pero tiene problemas de salud mental. Para resolver su problema mental, mutiló su hermoso y saludable cuerpo.

El Dr. Paul McHugh, erudito en psiquiatría de la *John Hopkins University*, quien ha estudiado este fenómeno, concluyó que las cirugías para alterar el cuerpo en esos desafortunados pacientes que buscan cambiar su sexo, en vez de ser un tratamiento, es colaborar con un desorden mental ("*to provide a surgical alteration to the body of these unfortunate people was to collaborate with a mental disorder rather than to treat it*"[256]). Lo mismo asegura el Dr. Richard P. Fitzgibbons.

Tracy no nació ni varón ni con dos sexos, ni con indefinición de su estructura genital. Físicamente no tuvo ninguna anormalidad en su sexo femenino. Todavía no se ha cercenado los genitales. Sigue siendo una mujer, con los órganos reproductivos de una mujer, los genitales de una mujer y los cromosomas de una mujer. Por lo tanto no tuvo ningún problema en concebir a través de la inseminación artificial. El resultado es el espectáculo que ha atraído tanta atención: una mujer con barba, embarazada, llamada Thomas, que viste y se identifica como un hombre, y tiene otra mujer como "esposa". Fue Tracy/Thomas la que dio a conocer la historia de su embarazo, narrándola para *The Advocate*, una revista *online* gay.[257]

Casos como el de Tracy se inducen a largos e interminables tratamientos hormonales y de cirugía para alterar un cuerpo, que estaba saludable. Estas prácticas estéticas innecesarias van encareciendo los servicios médicos y los medicamentos, y los planes médicos, lo que agrava la economía de los demás ciudadanos. Sin embargo, esto es lo que está bien para los psicólogos *gayolas*, y según ellos los que opinen lo contrario son los enfermos mentales.

La conducta homosexual se manifiesta de diversas maneras, y se les da diferentes nombres: gay, lesbiana, transexual, bisexual, transgénero, etc. Son distintas etiquetas pero al final todas procuran el mismo fin, es la conducta dirigida a tener relaciones sexuales con personas de su mismo sexo de nacimiento.

En conclusión, la homofobia es un término inventado que se usa para atacar y suprimir derechos a quienes no estén de acuerdo con que se imponga la homosexualidad como un régimen político. La semántica de la palabra es incorrecta. En todo caso el término correcto sería homosexual-fobia, para referirse a aquellas personas que comenten asesinatos o agresiones contra homosexuales. La libertad de expresión, la protección de los niños, y la sociedad en general frente a esas conductas no son un crimen. Podemos y debemos disentir, sin agredir o quitarle la vida o bienes a ningún ser humano.

GÉNERO / *GENDER*

Hay una idea generalizada y equivocada de que la palabra "género", "teoría del género" o "perspectiva de género" son creaciones del movimiento feminista. Eso es falso. No fue así. El creador de dicha teoría no fue una mujer, sino un sicólogo varón que sostenía relaciones sexuales con otros hombres y abogaba por la legalización de la pedofilia y la pornografía, el Dr. John Money[258]. Esa es la verdadera mentalidad detrás de la teoría de perspectiva de género. Si bien las feministas del siglo pasado supieron explotar esta palabra para adelantar la causa contra el prejuicio hacia la mujer, no es menos cierto que la perspectiva de género es un atentado contra la mujer. La verdadera intención de la teoría del género ya ha sacado sus garras y ha comenzado a desplazar a la mujer en la lucha por sus derechos, para manifestar la verdadera y subyacente intención del "género". Por lo que debemos ir a la raíz de donde salió esta zorrita.

Hay miles de definiciones de "género" que no bastaría este tópico para incluirlas a todas. Es un término tan ambiguo que ni aun quienes invierten su tiempo estudiando "género" han logrado ponerse de acuerdo sobre su significado. Peor aún, los distintos conceptos de género tampoco armonizan de una forma coherente[259]. Katheleen Staudt advierte que la dificultad del término género es tal que aún se debate entre la lingüística y la sociología, y lejos de ser beneficioso para la causa contra el discrimen hacia la mujer, se ha tornado en un peligro. Staudt enfatiza, y coincidimos con ella, que género es un término del idioma inglés que no significa lo mismo en otros idiomas. Por el contrario, la palabra mujer está debidamente traducida en otros idiomas, y si de luchar por los derechos de la mujer se trata, vayamos de frente y usemos mujer, y no "género". Lo correcto es que hablemos de discrimen contra la mujer, discrimen por sexo, en lugar de discrimen por género. De lo contrario, la verdadera causa, que es la situación de la mujer, queda invisible[260].

El Dr. John Money, el creador de esta ideología, también abogaba porque se legalizara el incesto y la pedofilia[261]. El Dr. John Money era un psicólogo y prominente intelectual de la academia. Aprovechaba toda ocasión para predicar su evangelio de la emancipación sexual[262] y defender la pornografía[263]. Money utilizó el prestigio de una de las universidades más cotizadas para diseminar su ideología muy personal sobre la sexualidad y educar a miles de profesionales. Se desempeñó como profesor en el Departamento de Pediatría y Sicología Clínica de la *Johns Hopkins University.* Fue también profesor de Pediatría. Money buscó en su filosofía de vida y en la lingüística[264] para darle una nueva imagen a la homosexualidad, jugando con el término género. La filosofía detrás de "género" es que el ser humano es una cosa genérica, amorfa, y por consiguiente su sexualidad es cualquier variante. Puede escoger ser hombre, mujer, tener sexo con niños, con sus propios hijos, con animales, etc.

Es lamentable que la lucha por los derechos de la mujer sea tomada de rehén dentro de la llamada teoría de género. Ser mujer y tener conducta homosexual son dos asuntos distintos. La homosexualidad no es un problema inherente y exclusivo de la mujer. También hay hombres homosexuales.

Tratar de aglutinar la identidad de nosotras las mujeres con la conducta de hombres y mujeres homosexuales es "sumar chinas con botellas". Dicho de otra manera, no mezclan. Al agrupar los asuntos de la mujer con los asuntos de los homosexuales ocasiona que la causa de la mujer se desvanezca en aras de la agenda *gayola*. Los varones *gayolas* buscan desplazar la mujer para "quitarles sus hombres"[265], mientras que las mujeres homosexuales desechan su feminidad para convertirse en una parodia del hombre.

Al presente apenas se habla de los problemas de la mujer; lo que acapara la política pública es si dos hombres se casan entre sí, o dos mujeres, el mes del orgullo *gayola*, los *gayolas* en el ejército y los beneficios para *gayolas* sin ser una clase en desventaja socioeconómica como sí lo son las mujeres. Cuando Money crea la teoría del género, nunca tuvo en mente las desventajas en que las mujeres nos hemos desarrollado por el hecho de ser mujeres.

Money definió el sexo como nace la persona, varón o hembra ["What you are born with"[266]]; mientras que género son los roles o papeles sociales que la persona adquiere de la función social ["from the social script"[267]]. Según Money, el sexo biológico no es determinante para que una persona sea varón o mujer.

Sobre esta teoría, Money comienza a practicar sus "terapias" con niños que padecían de malformaciones genéticas en sus genitales. En aquellos casos donde sus pacientes no tenían definidos sus genitales o no era claro precisar su sexo debido a defectos genéticos, como no los podía describir varón o hembra, optó por llamar "género" a esos pacientes. Y él determinaba cómo se criaría la criatura. Los padres lo criarían como varón o hembra, según la apreciación de aquel científico. Se les sometía a las hormonas y las cirugías correspondientes. Un día recibe el mejor conejillo de indias que un experimento pueda tener para validar su teoría. Era el caso de un infante que nació sin ninguna anormalidad. Su sexo estaba perfectamente definido cuando nació. No obstante, por causa de una mala práctica médica durante el proceso quirúrgico de una circuncisión su pene fue quemado. En lugar de reparar el daño parcial que la criatura había sufrido, Money, en su perversa obsesión egoísta, vio la gran oportunidad de validar su grandiosa teoría de género[268]. Así fue que David (Bruce) Reimer se convirtió en el paciente estrella de Money.

Money se volvió famoso escribiendo y dando conferencias científicas, haciendo alardes de su "exitoso experimento". De cómo pudo cambiar un varón a niña. Lo que nunca contó fueron las atrocidades a que sometía a aquel inocente niño y la trágica consecuencia final de su experimento.

A la luz de la teoría de Money, los *gayolas* vienen impulsando que se les enseñe a los niños que nacen sanos "perspectiva de género". Permítame hacer una sencilla comparación para que podamos entender la "ciencia" de la perspectiva de género. Imagínese que el gobierno en las escuelas ordene que todo niño y toda niña en perfecta salud sean sometidos a tratamientos de quimioterapia para cáncer para concientizarlos de que hay niños que nacen con cáncer. Así, como todos están bajo la misma quimioterapia, se elimina el discrimen. O que el gobierno en las escuelas obligue a los padres a amputar las piernas sanas a sus hijos, porque hay niños que nacen sin extremidades. No hay que ser un genio en medicina para saber que esto es una locura.

Traer una teoría médica como un estilo de vida para todos los seres humanos, eso es perspectiva de género. Dicho en palabras sencillas, que el gobierno enseñe de manera compulsoria a los niños que ellos pueden escoger ser nene o nena y activarse sexualmente a temprana edad como parte de experimentar de cuál sexo pueden ser, porque haya individuos con problemas de identidad sexual. Los gobiernos que ya han adoptado esa práctica de enseñanza no están conscientes que están exponiendo a toda una generación de inocentes niños que no nacieron con defectos a una destrucción masiva de la identidad de sus personas y, en consecuencia, se generan más problemas sociales que las economías en crisis de los hogares y los gobiernos no podrán absorber. Los gobiernos están creando una epidemia de tratamientos hormonales, de cirugías plásticas, de consumo de medicamentos para los graves efectos emocionales; proliferación de enfermedades de transmisión sexual, reparaciones masivas de rectos, etc. Todos sabemos que el sostenimiento económico de los sistemas de salud va de mal en peor, para atender enfermedades catastróficas y condiciones involuntarias.

El experimento cumbre de la teoría de género o perspectiva de género en el paciente estrella del Dr. John Money lo dice todo. David (Bruce) Reimer fue sometido a años de tratamiento físico, hormonal y terapias psicológicas desde que era un bebé. Ese caso tuvo supuestamente todos los controles de laboratorio para que fuera exitoso. De haber tenido el éxito esperado, sería ampliado a la sociedad en general, como pretenden hacerlo los gobiernos a pesar de que el experimento fracasó. Aquel brutal experimento llevó al suicidio a su paciente estrella y produjo la devastación irreparable de toda su familia.

Money indujo a los jóvenes y humildes padres del niñito Bruce Reimer a que lo criaran como la niña Brenda Reimer. En lugar de repararlo, ordenó la castración radical. Le removieron los testículos a un varón que pudo ser un padre fértil, para que eventualmente fuera una mujer estéril. Money les aseguró que un niño se podía criar como nena, y la única diferencia sería que llegaría a ser una mujer estéril. Como parte de la tortura mental por casi doce años, Money se encerraba con "Brenda" y el hermanito gemelo Brian para que se desnudaran y Brenda hiciera el rol de mujer y el otro niño se le subiera encima[269]. A su corta edad, Money les exponía a ver material pornográfico y utilizaba transexuales para ir "sensibilizando" o preparando a Brenda para la cirugía de construcción de una vagina cuando llegara a su pubertad. En unas de esas supuestas terapias, Brenda se revela y trata de escapar del hospital e intenta suicidarse.

En contra de la voluntad de Money, los padres optaron por cambiar de psicólogos y eventualmente aquella pobre criatura conoce su verdad y es reconstruido como la naturaleza lo hizo: Varón. Se cambió el nombre de Brenda a David. Pues él se consideraba un pequeño David peleando con las consecuencias del experimento de la teoría de perspectiva de género sobre su identidad sexual destrozada y su niñez perdida. Aunque logró casarse como varón con una joven que tenía hijos, él no pudo procrear. Tampoco pudo seguir afrontando sus problemas conyugales y presiones económicas. Finalmente no resistió el suicidio de su hermano gemelo, Brian. Poco después David también se suicidó.[270]

La prensa *gayola* que no conoció las intimidades de David trata de esquivar las funestas consecuencias de la teoría de género en David, imputando la causa de su suicidio a las presiones económicas y a la depresión por la pérdida del hermano. Colapinto, con quien David abrió su corazón, sabe que David era una bomba de tiempo:

"Just shy of a month ago, I got a call from David Reimer's father telling me that David had taken his own life. I was shocked, but I cannot say I was surprised. Anyone familiar with David's life—as a baby, after a botched circumcision, he underwent an operation to change him from boy to girl—would have understood that the real mystery was how he managed to stay alive for 38 years, given the physical and mental torments he suffered in childhood and that haunted him the rest of his life. I'd argue that a less courageous person than David would have put an end to things long ago."[271]

Brian, el gemelo de David, se suicidó con una sobre dosis de antidepresivos[272]. Aunque Brian no fue sometido a las cirugías, también fue víctima de las aberraciones sexuales de la teoría de género del Dr. Money. Él lo utilizó en los juegos sexuales contra su hermanito Bruce/ Brenda/David, y fue expuesto a pornografía e información de transexualismo. Brian y David, dos niños que nacieron sin defecto, fueron expuestos a la teoría de género creada por un ideólogo *gayola* cuya meta era seguir propagando su propia conducta sexual y reproduciendo su amargada niñez.

Colapinto reseña datos reveladores de la mente traumatizada de Money, quien perdió a su padre a una temprana edad. Los recuerdos del carácter violento de su padre le hicieron aborrecer la figura paterna. Durante su crianza solo estuvo rodeado de mujeres: su madre y unas tías, quienes hacían comentarios despectivos sobre los varones, al punto que Money le confesó a Colapinto que llegó a sentirse culpable por ser varón: *"I suffered from the guilt of being male"....I wore the mark of man's vile sexuality"- that is the penis and testicles.*[273]" Vean cómo él transfirió esa nefasta experiencia de su niñez a su "ciencia". Según las propias palabras de Money, "género es sexo sin la parte sucia y carnal que pertenece a los genitales y la reproducción"[274]. En otras palabras (y no tan groseras), género es una construcción ideológica cargada de prejuicios, de resentimientos y amarguras, que fue creada para interpretar erróneamente un problema médico. Esa visión distorsionada de la realidad Money la logró plasmar en la castración radical del pobre David, así como en los demás pacientes que él manejó en los cambios de sexo. Money fue pionero en crear la clínica de operaciones transexuales en Estados Unidos. Se lucró con la mutilación física y emocional de inocentes niños.

Ese mismo tono de amargura y melancolía que Money destiló sobre su niñez, se encuentra en el Manifiesto Homosexual. Son expresiones de un profundo dolor o resentimiento en su entorno familiar:

"*The family unit-spawning ground of lies, betrayals, mediocrity, and hypocrisy and violence--will be abolished. The family unit, which only dampens imagination and curbs free will, must be eliminated*".

No todas las personas de conducta homosexual desarrollaron su niñez en hogares tan disfuncionales como la experiencia de Money. Otros han sufrido traumas fuera del hogar, abusos sexuales y violaciones por terceros, influencias equivocadas y otros por pura lascivia. Mucho de nuestros jóvenes están siendo bombardeados por internet y por los medios masivos de comunicación con una subcultura de sexualidad desenfrenada. Y los *gayolas* lo están llevando a niveles masivos, apropiándose del sistema educativo.

Sin duda, Money era un hombre brillante, pero su inteligencia emocional y espiritual quedó prisionera de los traumas de su niñez. Esto no solo le afectó su visión de la vida, sino que reprodujo su propio daño en sus llamadas teorías científicas. De esto se trata la agenda *gayola*, reproducir sus mentes prisioneras de traumas vividos en sus vidas, marcando la niñez de otros seres inocentes, en lugar de los *gayolas* salir del verdadero "closet" o de la *gayola* que les aprisiona. Si David Reimer hubiera sido tratado por un profesional con otro tipo de trasfondo sicosocial y teórico, con toda probabilidad aún estuviera con vida. O si el Dr. Money hubiera atendido su propia situación emocional a tiempo, con la visión de una sana psicología, no estuviéramos confrontando este oscuro panorama de la perspectiva de género. Money era de los sicólogos que dicen que la homosexualidad no es un problema de salud mental, que el problema de salud lo tienen los demás.

Anticipo que la comunidad *gayola* tildará este libro con su palabra incorrecta de "homofobia" y de discurso de odio. Nada de eso, porque yo no estoy expresando un miedo irracional. Les estoy ofreciendo la descripción de datos que todos pueden constatar. A todas luces fue Money quien manifestó un miedo irracional, una patente fobia hacia su propio sexo, una fobia llena de las pasiones horribles que sufrió en su niñez, y de ese miedo creó esa teoría de género para justificar su fobia y su propia conducta sexual, en lugar de buscar ayuda para su trauma.

Por lo cual invitamos a toda persona sensata a retomar la verdad intelectual y combatir con la verdad toda la gama de mentiras que se han elaborado con etiquetas de ciencia, de falso liberalismo académico y de crasas distorsiones en las ciencias de la conducta humana. Estoy invitando a toda persona que sufre de esta conducta homosexual, porque hay esperanza, a buscar ayuda con médicos responsables. Estoy invitando a los médicos, psicólogos, psiquiatrías, maestros, trabajadores sociales y consejeros a despertar de este letargo intelectual de la teoría de género de Money y la de orientación sexual de Kinsey. Que se expresen masivamente y no callen la verdad.

En Estados Unidos, la *American Psychological Association* (APA) es la principal causante de esta desinformación "pericial". Primero porque ha sido controlada por la presión de profesionales *gayolas*; y segundo porque tiene intereses creados. Mientras más problemas emocionales se produzcan en la sociedad, más negocios tendrán los psicólogos. Así que esta subcultura de psicólogos tiene grandes intereses creados para aumentar las ganancias del negocio en sus prácticas. El emporio de la industria de la pornografía tiene una fuerte inversión en los "expertos" en conducta humana, psicólogos, psiquiatras y sexólogos, para que se pronuncien a favor de la propaganda homosexual y de liberación sexual.

En la práctica responsable de la salud pública, cuando un medicamento o un procedimiento tienen efectos mortales, son retirados del mercado. En el caso de Estados Unidos las regulaciones federales son bien estrictas para favorecer la salud y vida del pueblo. Es una práctica irresponsable del gobierno federal en el caso de Estados Unidos, de Puerto Rico y de cada gobierno de otros países hacer proliferar la teoría de perspectiva de género. Sin dudar deben de prohibirla. John Colapinto en su libro *As Nature Raise Him The Boy Who Was Raised As A Girl*[275] describe con lujo de detalles la brutal perversidad educativa, fisiológica y psicológica a la cual el niño Bruce fue sometido. Describe el mortal fracaso del experimento científico de la teoría de género.

La misma situación se nos presenta con las teorías de orientación sexual, de las cuales Money fue participe con el Dr. Alfred Kinsey. Según la Dra. Judith A. Reisman, las supuestas investigaciones científicas, entiéndase los abusos sexuales y crímenes contra menores de Kinsey, fueron sostenidas financieramente por la Fundación Rockefeller[276], por *Playboy*, *Penthouse* y *Hustler*. El publicador de *Playboy* Hugh Heftner fue uno de los principales benefactores de Kinsey[277]. El Instituto Kinsey a su vez promueve la petición de donativos en "honor" de John Money: "*The John Money Sexology Scholars Library Fund*".[278]

El doctor en Psicología John Money también fue un consultor de *Penthouse Forum*, como parte de una cruzada organizada con el propósito de eliminar la edad para consentir en las relaciones sexuales. Money y Kinsey son los promotores de legalizar la pedofilia o el abuso sexual contra menores.[279] Money fue contratado también como perito de defensa del cine pornográfico.[280] El fin de la propaganda de la teoría de género por parte de los intereses capitalistas es un *Money*[281] *Making Market* [Un mercado para producir dinero].

Por un lado la homosexualidad, la pedofilia, la promiscuidad sexual es fomentada con un lindo caballito de Troya, o sea, "la libertad sexual" por parte de las fuerzas socialistas radicales, para demoler los fundamentos de nuestros sistemas de gobiernos, incluyendo la familia como ente que retiene propiedad privada. Por otro lado, las altas esferas de inversionistas de la industria porno financian a "los científicos de la conducta humana", para crearse un incremento de consumidores donde se lucran los psicólogos, psiquiatras, los cirujanos de cambio de sexo, las farmacéuticas que producen hormonas y los inversionistas de la industria pornográfica. ¿A quién le importa realmente las prisiones emocionales que sufren los homosexuales y el daño que se multiplica en nuestros menores, expuestos a currículos *gayolas*? Bien lo dice la Palabra, "la raíz de todos los males es el amor al dinero"[282]. ¿En qué beneficia la perspectiva de género a los derechos de la mujer? En nada. Por ejemplo, en Puerto Rico los *gayolas* vienen presionando para que el gobierno imponga la perspectiva de género como una filosofía educativa en el sistema escolar. Como excusa esgrimen que enseñar perspectiva de género es la manera de erradicar la violencia doméstica contra la mujer. En España, se llama violencia de género, para incluir a los *gayolas*, y tampoco han podido erradicar la violencia.

Sólo un tonto puede creer que la homosexualidad es una conducta que genera paz. De hecho, los actos homosexuales son uno de los tipos de agresión más comunes con los que personas del mismo sexo someten a sus compañeros o compañeras en las cárceles.[283] Así que homosexualizar los niños como parte del currículo escolar no los hace menos violentos. Por el contrario, la conducta misógina (odio hacia las mujeres, que lleva a una persona a maltratar o destruir la figura de la mujer) la exhiben tanto hombres como mujeres que tienen problemas para relacionarse efectivamente con el sexo opuesto, y aun con su propio sexo; por consiguiente, tienen un problema con su identidad sexual. Un ejemplo de esto es el caso de de Robert Kosilek, ahora conocido como Michelle. El señor Kosilek asesinó a su esposa y cumple condena en la prisión de MCI-Norfolk, en Massachusetts. Mató a su mujer para ocupar su imagen de mujer. ¿Es ésto salud mental?

> *"Robert Kosilek – who sued for the right to change his name to Michelle in 1993, the year that he began his expensive court battle to force taxpayers to foot the bill for a sex change operation – has been receiving hormone injections and electrolysis hair removal as an inmate... "This is a killer who wants to be a girl, a man who murdered his wife, who has access to better health care than citizens who are paying for his incarceration...not only for his*

incarceration but mammograms and hair removal," Bristol County Sheriff Tom Hodgson said. "This is exactly what is wrong with our government". http://www.myfoxboston.com/dpp/news/local/transgender-inmate-gets-taxpayer-funded-mammogram-20100415 (FOX 25 / MyFoxBoston.com)

O el caso de la mujer homosexual Engeline de Nysschen[284], que viciosamente molió a golpes al hijo de su dama pareja hasta causarle la muerte al niño de cuatro años Jandré Botha, por negarse a llamarla "Daddy" (papito). La madre protegió a su corpulenta mujer, quien usurpaba el rol de "marido" en aquella relación, y no a su hijo. ¿Es eso salud mental? Es de conocimiento general que la tasa de incidencia de violencia en las relaciones homosexuales es más alta que en las relaciones entre un hombre y una mujer; especialmente entre las mujeres homosexuales.[285]

Y repreguntamos, ¿qué es género? Género es una palabra "suave" y ambigua, que no se sabe qué es, pero sirve para imponer la homosexualidad como un régimen político y por consiguiente para homosexualizar a los niños (las próximas generaciones). Esta son las palabras de la dama homosexual y Asistente Profesora de Trabajo Social Barb Burdge[286]. Esta profesora urge a los trabajadores sociales a desestabilizar el alegado constructo social de la dicotomía o clasificación de los seres humanos en mujer y hombre. Ser hombre y mujer es una clasificación opresiva, por lo que ella cree que la teoría construccionista y la teoría "queer" (extraña, rara, homosexual) es el método adecuado. Etiquetar con "varón" y "mujer" en el momento del nacimiento a los niños tiene una implicación monumental dañina para el resto de la vida del niño y es una presión inhumana, según Burdge.

Barb Burdge cree que todo el mundo es transgénero, que incluye a "bigéneros", "géneros radicales", "buchas-lesbianas", hombres casados que se visten de mujer, travestis, intersexos, hermafroditas, transexuales, "*drag kings and queens*" o las loconas, "*gender-blenders*", homosexuales, "*genderqueers*" o una persona con "doble ser él-ella" o "de dos espíritus". ¿Desde cuándo la ciencia cree en espíritus? ¿Acaso esto no es un concepto religioso? Y son los *gayolas* precisamente los que gritan "separación de iglesia y estado" para acallar el evangelio. Desde ese otro punto de vista, entonces género no es otra cosa que una creencia esotérica, ocultista, que el Estado está impedido de imponer como creencia oficial.

Dice Burdge que el uso del lenguaje es el blanco primario para lograr el cambio social. Ella propone que para subvertir el orden debe inyectarse intencionalmente palabras (zorritas) como género, diversidad, inclusivo, etc. "*In all our communications, we can intentionally inject the language of diversity and inclusivity into a gendered world. In doing so, we can begin changing the broader gender discourse, lessening its oppressive power.*"

Hacemos un llamado a las Naciones Unidas, a las universidades, a los jueces, a los gobernantes y legisladores, a las oficinas de procuradoras de asunto de las mujeres, a los sacerdotes, pastores, madres y padres para que protejan a los niños de estos experimentos sociales de las teorías del género. Hay que eliminar esa teoría de género desde su raíz. Hay que erradicar la perspectiva de género como política pública.

Eliminar género no implica un menoscabo de los derechos que tenemos las mujeres de alcanzar la igualdad socioeconómica y política. De hecho la voz de las feministas que combatían la explotación sexual de la mujer y de los niños ha sido suprimida y sustituida por los grupos extremistas sexuales que impulsan la perspectiva de género. La lucha de la mujer es erradicar el discrimen por sexo contra la mujer. Nos compete concientizar sobre la perspectiva de la mujer y elevar la dignidad de la mujer en todas las esferas de la vida. Luchamos por los derechos de la mujer, porque somos mujeres. ¡No somos un género!

Si aplicamos la ideología del género a las legisladoras que promueven la perspectiva de género en el caso de Puerto Rico, para complacerlas tendríamos que sustituir sus identidades de dama o señoras por el de "*genderless*", o sea, sin género, sin sexo. Diríamos algo así para las damas:

"género Albit_ Rivera" (hay que eliminarle la "a" para que no sea un ente marcado como fémina); el género Liz_ Fernández, casad_ con género Pérez; el género Jennif_ González. Y para no discriminar por "género", tendríamos que referirnos a los políticos así: la género Hect_ Ferrer, la género Alejandr_ García Padilla, la género Kennet_ Mclinctock, la género Lui_ Fortuño, la género Tom@ Rivera Schatz, la género, B@ Obama, etc.

Bajo estas teorías de género, el distinguir la identidad de ser hombre o mujer es algo impropio, y lo importante es ser género. Por lo tanto, la Comisión de la Mujer debería ser eliminada o dirigida por un hombre, ya que si los hombres son iguales a las mujeres, da lo mismo que los géneros con pene nos representen a todas los géneros sin pene, porque después de todo la biología no es determinante. No hay diferencia alguna, todos son género, como propuso el Dr. Money y como propone el "*genderless*" Burdge. Realmente estamos ante una ideología absurda. Mas Jesús dijo: "Este género sale con oración y ayuno".

Cuarta Parte

Una cita con la historia

Capítulo 12

Los 40 años

"Y no hay cosa creada que no sea manifiesta en su presencia; antes bien todas las cosas están desnudas y abiertas a los ojos de aquel a quien tenemos que dar cuenta" (He. 4:13).

Cada lector debe evaluar la situación particular en sus países, de cómo esta plaga ideológica del género arribó al estado de derecho y a la educación. Aquí les presento cómo incursionó la ideología de género en el derecho de Puerto Rico, tal como Dios me lo fue revelando en nivel de conocimiento humano y en el nivel espiritual. No hay nada que Dios no conozca. Él es omnisciente. Los seres humanos tenemos un conocimiento limitado, sin embargo Él nos ha dado la capacidad de aprender y de escudriñar. También nos imparte revelación cuando lo buscamos profundamente.[287] El engendro de género hizo su entrada en el derecho escrito mediante el Informe de Discrimen por Género, en la Rama Judicial de 1995. En 2007 Dios nos reveló cómo fue que entró a nivel espiritual hace cuarenta años este descalabro moral que lucha por imponerse como derecho en Puerto Rico y que hoy agobia a nuestro pueblo. En qué persona con poder, o en qué mentalidad de valores se incubó el germen de las tinieblas llamado "género"; y cómo fue introducido a nivel espiritual primero. Dios nos remontó al 1967.

Como les contara anteriormente, al comienzo de mi carrera legal Dios me llevó a trabajar con la jueza Jeannette Ramos de una manera providencial, misteriosa e inesperada. Luego terminé mis años de servicio público trabajando con el Secretario de Justicia Roberto Sánchez Ramos, hijo de Jeannette y el ex gobernador Roberto Sánchez Vilella.

¿Casualidad? No. ¡Causalidad! Dios quería exponerme a varias experiencias con esta familia. Dios me iba armando las piezas del rompecabezas, de manera que pudiera entender en el nivel espiritual cuál era la raíz más profunda del borrador del Código Civil. Al presente, en el país ya hay varias leyes y jurisprudencia en las cuales se usa el concepto ambiguo de género. Mas Dios me llevó a buscar la raíz; cómo se infiltró por primera vez en el gobierno de Puerto Rico.

El 14 de abril de 2007 nos encontrábamos en el aeropuerto de San José, Costa Rica, esperando abordar el avión de regreso a Puerto Rico. La Lcda. Ivette Montes y no cesábamos de hablar de la asombrosa experiencia que acabábamos de compartir en el retiro- encuentro de Transforma Latinoamérica de aquel año. Seguíamos cuestionándonos qué sería lo que nos quiso mostrar Dios en ese retiro. Nos faltaba entender algo. Qué nos quería decir Dios con aquellas extraordinarias exposiciones sobre "Cómo la cosmovisión del gobernante trae maldición o bendición a la nación". Ese fue el tema de aquel encuentro internacional, y cómo orar por nuestras naciones.

Escuchamos disertar a varios hombres y mujeres de Dios de distintos países sobre sus experiencias de cómo Dios sana la tierra, su productividad, su economía y los problemas sociales. Cuando el pueblo se humilla, Dios nos desata las cargas espirituales que afectan las condiciones de vida de un pueblo a causa del pecado de sus gobernantes. Una de las disertaciones que más nos impactó fue la del conferenciante de Brasil. En las conferencias no se habló nada de la homosexualidad, ni de leyes, ni de derecho de familia.

Todas aquellas ideas eran un rompecabezas para nosotras y no lo sabíamos armar. Sentíamos la presencia de Dios de una manera hermosa e intensa, pero no encontrábamos cómo aplicaba todo aquello a los asuntos que veníamos trabajando como abogadas en Puerto Rico en la defensa de la familia frente a la agenda *gayola*. ¿Qué tenía que ver con aquel borrador del Código Civil que se estaba debatiendo en Puerto Rico? Mientras hablábamos de nuestras dudas, llegó a la sala de espera del aeropuerto el conferenciante de Brasil. Justo el que más nos había impresionado con su disertación. Así que aprovechamos a hacerle más y más preguntas. Por casualidad o causalidad abordamos el mismo avión. Aquel pastor quedó asignado en uno de los asientos del medio del avión. A la Lcda. Montes y a mí nos tocaron asientos casi al final del pasillo, en una fila de tres asientos. El avión se elevó y quedó un asiento disponible en nuestra fila.

Tan pronto se estabilizó el avión, fui a buscar al pastor conferenciante y le invité a que siguiera ayudándonos a entender aquel mensaje glorioso. Allí, entre las nubes, Dios nos continúo aclarando las ideas de lo que Él quería mostrarnos. Fue como si Dios nos enviara un tutor personal para nosotras. ¡Aquel bendito pastor!

La Lcda. Montes le dijo: "Nosotras somos abogadas y no entendemos qué tiene que ver lo que hacemos con ese aspecto de la maldición que traen los gobernantes. Y menos aún que tenga eso que ver con toda esta agenda homosexual".

Él le contestó: "Tienen que buscar lo que hay detrás de esas leyes, de sus teorías, de su lenguaje, teniendo en mente que *nuestra lucha no es contra sangre ni carne, sino contra principados, contra potestades, contra los gobernadores de las tinieblas de este siglo, contra huestes espirituales de maldad en las regiones celestes*".[288]

Le contamos cómo Dios nos llevó a rehacer toda la investigación sobre los fundamentos ideológicos del Código y cómo pudimos descubrir cosas de las cuales no nos habíamos percatado, hasta que dejamos que Dios nos dirigiera. El pastor nos dijo que espiritualmente había algo todavía más profundo. Con paciencia nos explicó el pasaje de cuando el ángel le dijo a Daniel sobre la interferencia espiritual que impedía que llegara la respuesta a sus oraciones[289]. De cómo el ángel luchó con el príncipe de Persia y luego con el de Grecia.

Nos decía el pastor: "Existe una potestad demoniaca, el principado de Grecia[290]. Ustedes tienen que identificar contra qué están peleando en el nivel espiritual[291]. La homosexualidad es un principado, ustedes están peleando contra el príncipe de Grecia. De alta inteligencia. Aquel pastor tenía un vasto conocimiento de la cultura griega; y nos dio muchos detalles de la historia griega en torno a la homosexualidad. De la antigua Grecia salen todos esos mitos de la isla de Lesbos, lesbianas, narcisismo, hermafrodita; así también las prácticas de pedofilia, las cuales era algo común en la educación de los menores.

De pronto entendí que siempre tuve en frente esos datos y no me había percatado de esa dimensión espiritual de la ideología homosexual. Fue como si abriera mis ojos. Hasta ese momento yo miraba pero no veía. Por ejemplo, uno de los libros que había estado leyendo para investigar estas doctrinas del género *Afrodita, Apolo y Esculapio: diferencias de género en salud y enfermedad*[292], alude a figuras y temas de la mitología griega. Ese libro presenta una compilación de supuestos trabajos "científicos". Son escritos de siquiatría, neurología, de medicina y psicología clínica; impartiéndole una apariencia de cientificidad al concepto género, para justificar la alteración de la sexualidad humana como si fuera algo seriamente científico. La pregunta salta a la vista. ¿Qué hace un libro que supone ser "ciencia" invocando de manera solapada deidades de la mitología griega?

Otro ejemplo es el discurso de David Thorstad, "*Pederasty and Homosexuality*" que tantas veces había leído. Thorstad, un ideólogo *gayola*, también se fundamenta en las costumbres pederastas de la antigua Grecia para defender las prácticas homosexuales de varones adultos con niños, y cito:

"La pederastia es la forma principal de la homosexualidad entre varones, que se ha adquirido en la civilización occidental, y no tan solo en el este. La pederastia es inseparable de los niveles más altos de la cultura occidental en la antigua Grecia y el renacimiento... Especialmente en la antigua Grecia, muchos de los líderes militares, artistas y pensadores pudieron haber tenido una psiquis hermafrodita..."[293]

Es decir, los intelectuales del siglo 21 están de devuelta a la mitología griega. La Palabra de Dios tiene hoy más relevancia que nunca. Dice: "Porque vendrán tiempos en que no sufrirán la sana doctrina, sino que teniendo comezón de oír, se amontonarán maestros conforme a sus concupiscencias, y apartarán de la verdad el oído y se volverán a las fábulas" (2 Tim. 4:22). ¿Por qué el conocimiento humano va en regresión hacia los cuentos mitológicos? No son ideas modernas, sino un retroceso a fábulas, a ídolos, a dioses paganos que ya el conocimiento humano había superado. Retornar a la estupidez, a la ignorancia, enceguece el verdadero entendimiento. Todo este desatino intelectual sólo se puede dar cuando ignoramos la advertencia más básica: "No andaréis en pos de dioses ajenos, de los dioses de los pueblos que están en vuestros contornos" (Deut. 6:14).

Cuando llegamos al aeropuerto de Panamá, nos despedimos de aquel paciente y brillante conferenciante, que nos brindó una extraordinaria cátedra, con lo cual Dios nos mostró nuevas estrategias de lucha. Durante el viaje hacia Puerto Rico seguíamos debatiendo cuál era la conexión de toda esa teoría homosexual bajo el velo de la potestad de "género". Ideología que ha sido acogida en distintos países como si fuera la quintaesencia de la sabiduría. ¿Por dónde se le abrió la puerta a esa ideología en Puerto Rico? ¿Por cuál gobernante?

Seguíamos hilando ideas, hasta que de pronto, sin pensarlo, cayeron todas las piezas en su lugar. Como ya les expliqué, Dios nos había dicho que fuéramos a la raíz, a los fundamentos del borrador de aquel Código Civil. Allí habíamos encontrado, citado una y otra vez con frenesí el Informe de Discrimen por Género de la Rama Judicial de 1995. Como abogadas, casi convulsábamos de ver cómo los redactores le dieron más relevancia a ese informe que a la propia Constitución. Como ya les demostré, la redactora se atrevió a llamarle "derecho intruso"[294] al derecho constitucional. Ella citaba con vehemencia una y otra vez aquel informe, como si se tratara de una joya jurídica.

Aquel Informe de discrimen por género lo presidió la jueza Jeannette Ramos de Sánchez Vilella. ¿Quién era esa dama? Entre sus experiencias académicas, había tenido contacto con las universidades de Massachusetts, es decir, el vivero de la filosofía *gayola*. Pero eso de por sí no era suficiente razón para el efecto espiritual tan marcado y estas ataduras a la feroz ideología del género en nuestra isla. De pronto comprendí. ¡Claro!, exclamé. Esta dama llegó a ser la segunda Primera Dama del gobernador Roberto Sánchez Vilella, en unas circunstancias muy dañinas para la moral y el orden público que entonces imperaba en Puerto Rico, casi al final de la década de los años 60.

La Lcda. Ivette Montes, por ser de una generación mucho más joven, no estaba al tanto de aquella triste historia. Realmente la licenciada se mostraba escéptica a lo que yo le estaba contando, como es natural en una abogada. Debido a que en el discurso oficialista del Gobierno las autoridades taparon todo aquel escándalo, las próximas generaciones de puertorriqueños no conocen aquella historia. Los libros de historia "maquillaron" los sucesos. Los escritores de historia, como simpatizantes al fin de la clase gobernante, omitieron la verdad sociopolítica a las siguientes generaciones, de cómo el PPD perdió su hegemonía histórica en Puerto Rico. Los libros escolares y universitarios se limitan a decir que el gobernador Sánchez Vilella tenía varias facciones de opositores dentro de su partido. Y ello trajo una división tal que permitió su caída frente al recién creado Partido Nuevo Progresista en aquel entonces. Todo ese recuento oficialista es tan sólo una media verdad.

Otros escritores privados de poca fama, tal vez por encargo, se han atrevido a narrar aquella tragedia para el pueblo como si se tratara de un romántico e inocente cuento de hadas sobre una hermosa doncella que llegó a palacio y halló a su príncipe azul. Autores obviamente simpatizantes con la protagonista nada más cubrieron la perspectiva subjetiva de Jeannette y omitieron información sobre las partes afectadas, que son parte esencial de una narración cuando se pretende redactar un libro de historia. El dolor de toda una familia, de una esposa, la primera dama Doña Concepción (Conchita) Da Pena, las hijas que ella y Don Roberto procrearon, sus nietos y otros parientes, eso no fue importante para los historiadores. Pues no realzaba la imagen de la segunda Primera Dama. Tal vez en los escritores pesó más el hecho de que Doña Jeannette se mantuvo en posiciones de poder, mientras que Doña Conchita y su familia pasaron al anonimato de la vida privada. Pero la verdad hay que sacarla a la luz, para sanar a nuestro pueblo. "La verdad nos hará libres" (Juan 8:32).

Las generaciones jóvenes no tienen idea de lo que realmente marcó un cambio drástico en la política del país, y en la vida espiritual y moral de todo un pueblo. Si bien existían unas diferencias políticas entre líderes del PPD, el agente catalítico que derrumbó la hegemonía del partido más fuerte[295] que Puerto Rico haya tenido fue el adulterio en La Fortaleza del gobernante Don Roberto con una de las empleadas del servicio público, la Lcda. Jeannette Ramos del Toro, entonces casada con un segundo marido de apellido del Toro. Su primer marido fue un holandés; ella dominaba muy bien el idioma holandés. Como sabemos, Holanda es de una cultura pionera en la homosexualidad y la prostitución legalizada.

La revista de Estados Unidos *Times*, del 31 de marzo de 1967, tituló aquel escándalo como el "Peyton Place" de Puerto Rico[296]. Peyton Place, conocida también como La Caldera del Diablo, fue una serie de televisión cuya trama giraba en torno a problemas de relaciones sexuales y de infidelidad entre todos los protagonistas de un pequeño pueblo.

Mientras yo le contaba aquella lamentable página de nuestra historia a la Lcda. Montes, fue entonces cuando comprendí que en diferentes etapas de mi vida Dios me fue preparando para que ahora en el presente pudiera identificar este fundamento espiritual, en el momento preciso. Se trataba de la cosmovisión de la moral de los gobernantes que cuarenta años después, en 2007, buscaba perpetuarse en la ideología de "un nuevo código civil" para el siglo 21.

Como primer paso de esta oportunidad que Dios me ha dado, les comparto que entre los años 1965 y 66 el Departamento de Educación coordinó una reunión especial de estudiantes de escasos recursos[297] con altos promedios académicos, con el gobernador Sánchez Vilella. Yo fui una de las elegidas a aquel evento. Era una adolecente cuando por primera vez me llevaron a La Fortaleza (la mansión y oficinas del Gobernador). La Primera Dama Doña Conchita era una mujer de elegante sencillez y muy modesta para ser una Primera Dama. Tenía los rasgos de la mujer boricua de tez blanca, aceitunada con el toque del sol caribeño. De suave maquillaje. Cabello castaño oscuro, ondulado con el corte clásico de aquella época. Recuerdo de manera bien marcada aquella dama vestida de rojo, con una estola tejida color marfil que rodeaban sus hombros y un discreto collar de perlas. Luego que Don Roberto y ella entraron al salón, todos nos sentamos. Sin embargo, la Primera Dama se mantuvo de pie al fondo del salón, sonriente y en silencio, mirando con gran admiración y ternura tanto a su esposo como a los estudiantes. Aquella mujer destilaba cariño maternal. Aquella mujer callada, de mirada serena y de secundaria presencia, casi invisible. Era en cierto modo el reflejo de la posición absorbente del machismo cultural sobre la mujer que predominaba en la isla.

Los años pasaron, y siempre me preguntaba por qué aquella estampa sobre Doña Conchita quedó tan marcada en mis recuerdos. Nunca tuve ningún otro acercamiento con aquella dama. Ni antes ni después. Bueno, tal vez fue inolvidable porque era la primera vez que entraba a La Fortaleza. Sin embargo, la figura principal era el Gobernador y de él conservo un vago recuerdo de aquel día. Desde luego, años después tuve otras reuniones con él. No fue hasta el 2007, mientras yo le contaba la verdadera historia a la Lcda. Montes, que pude comprender por qué no debía olvidarme de la Primera Dama Conchita Dapena.

En 1967, cuando el pueblo se enteró del escándalo sexual en La Fortaleza, se corrían las murmuraciones y múltiples versiones sobre las largas horas que los dos protagonistas de aquel adulterio pasaban encerrados en la Oficina del Gobernador. De que el auto oficial del Gobernador estaba en la residencia de su ayudante Jeannette Ramos a altas horas de la noche; habladurías de cómo descubrieron a los amantes. Toda clase de chistes y chismes corrieron por el país. Unos sobre la aventura sexual y otros sobre la manera vil en que Doña Conchita fue despojada de su lugar como Primera Dama. En la percepción del pueblo se decía que "le pusieron las maletas en la calle". Ni siquiera le dieron tiempo a mudarse. Se acuñó un morboso estribillo: "Conchita, da pena".

Don Roberto y Doña Conchita se divorciaron en Humacao[298], en 1967. En cuestión de pocas horas, Doña Jeannette (quien se había divorciado meses antes de su segundo marido) se convirtió en la segunda primera dama Señora Sánchez Vilella[299]. La personalidad de Doña Jeannette era diametralmente opuesta a la de Doña Conchita. La Segunda Dama era extrovertida, de estampa dominante y le gustaba la exposición pública, el poder. Una elegante mulata que vestía y se maquillaba con mucho "glamor". De villana pasó a heroína. Una mujer que se ha promulgado como defensora de los derechos de las mujeres. De hecho era muy empática con nosotras las mujeres en el lugar de trabajo. Irónicamente, le destruyó el hogar a otra mujer, en su afán de alcanzar el poder. Hábilmente se impuso sobre un rechazo social que no duró mucho tiempo. Los relacionistas públicos del Gobierno hicieron un buen trabajo, tratando de borrar la desagradable conducta de la nueva primera familia del país. Tampoco duró mucho el cuento de hadas, pues a consecuencia de este escándalo, en las elecciones de 1968, Don Roberto y Doña Jeannette quedaron fuera de la contienda electoral. ¡Fuera de La Fortaleza! Pero Doña Jeannette se las ingenió para mantenerse a flote, siempre en posiciones de autoridad.

Casi doce años después volví a reunirme con Don Roberto Sánchez Vilella, cuando hice mi tesis[300] en 1978 para obtener el grado de maestría en Administración Pública. Como parte de mis estudios me reuní varias veces con el entonces ex gobernador Don Roberto. Don Roberto era un hombre sencillo y de fácil acceso. Realmente fue una lástima que alguien de su calidad humana, un hombre de familia, sumamente brillante y en el cargo que ocupaba para entonces, callera en tal tentación. Durante mis estudios en administración pública, pude valorar mejor parte de su trabajo en varias materias de administración de gobierno. Hay que reconocer que fue uno de los gobernantes más creativos. De no ser por su desliz, pudo haber sido una gran bendición para nuestro pueblo. Durante su incumbencia, la Oficina de Presupuesto y Gerencia fue una cátedra de organización y método gubernamental. Con su mentalidad de ingeniero plasmaba de manera práctica y organizada sus ideas. En su mandato no hubo corrupción fiscal, pero engendró la corrupción moral que abrió las puertas al descalabro moral que hoy agobia a nuestro pueblo. Nadie, ningún ser humano, está exento de caer, solo que Don Roberto no se supo levantar a tiempo, marcando con un irreparable daño a todo un pueblo y a su familia.

En otros tiempos la probidad moral de los jueces era un requisito vital. Una persona con los antecedentes de conducta de Doña Jeannette jamás hubiera sido nombrada en la judicatura, a no ser por la corrupta politiquería que se ha seguido proliferando después de la semilla de su conducta y la de Don Roberto. A pesar de su deficiencia moral, Doña Jeannette es una mujer brillante, sumamente analítica, muy organizada y fríamente calculadora. Doña Jeannette también fue una mujer muy lastimada por la vida y por su propio carácter. Lamentablemente su incumbencia como Segunda Dama marcó un resquebrajamiento en los valores de la nación.

De nuevo Dios me llevaba por sus sendas misteriosas. Catorce años después de reunirme con Don Roberto en 1992, en mis comienzos de la carrera de abogada, fui reclutada por la jueza Jeannette Ramos de Sánchez Vilella. Dios me llevó allí para que viera de cerca estas vidas, sus creencias espiritualistas y su carácter. Ella era una mujer muy temperamental con los hombres. No medía sus expresiones explosivas y en nuestra presencia trataba de manera déspota incluso a su hijo Robertito, como ella le llamaba, quien para entonces estaba estudiando Derecho. Aquel joven bajaba su cabeza y se retiraba humildemente, lo que nos hacía sentir incomodas. Luego ella se daba cuenta de sus descontroladas expresiones, y parecía una niña amorosa buscándonos la vuelta. Al día siguiente ella misma cocinaba y nos traía ricas comidas criollas. Arreglaba una mesa con manteles y regias servilletas de hilo. Usaba la escolta del ex gobernador para que le cargaran todos aquellos preparativos.

En aquel tiempo, Doña Jeannette se encontraba en un proceso de redefinir su vida sentimental otra vez. Por días se mostraba algo perturbada, a veces deprimida; pero por orgullo se ponía una coraza de prepotencia. A veces se protegía detrás de una muralla de autoritarismo y soberbia, con lo que trataba de llenar el vacío de su corazón. En el fondo era una mujer triste y lastimada. Para aquel entonces Don Roberto ya había envejecido. Se notaba la gran diferencia de edades. Ella se conservaba muy elegante y joven en su madurez. Se divorció de Don Roberto y luego se unió con otra persona.

Allí, trabajando con Doña Jeannette, sin proponérmelo, pude corroborar una de las historias que mi padre me contaba cuando yo era adolecente. Mi padre me contó sobre el discrimen racial contra uno de los hombres más brillantes de Puerto Rico, el Lcdo. Ernesto Ramos Antonini. Ramos Antonini fue el padre de Doña Jeannette. Por su capacidad y carisma entre la clase trabajadora, Ramos Antonini fue uno de los fundadores del PPD y llegó a ser Presidente de la Cámara.

Por muchos años el ex gobernador Luis Muñoz Marín mantuvo el control del PPD y estuvo más de veinte años en el poder. Un gran sector del pueblo trabajador esperaba que Don Ernesto fuera el sucesor natural y eventual Gobernador de la isla. Mi padre y mis tías paternas que eran populares "de clavo pasao"[301] contaban que Don Ernesto fue discriminado por ser negro y fue relegado por Muñoz Marín, suplantándolo por el joven ingeniero Sánchez Vilella quien era de tez blanca y ojos claros. Tenía una "pinta" más aceptable para lidiar con el gobierno de Estados Unidos, en una época en que el racismo callado era parte del ambiente político.

El racismo es un tema tabú que se niega en Puerto Rico, pero que siempre ha existido. En las altas esferas sociales se decía que para entrar a las fiestas de alta sociedad en la Casa de España, en el viejo San Juan, y en el casino de Puerto Rico, debían pasar la prueba del abanico. Esto era, si el cabello no se movía por ser "pelo malo" (así se le dice al cabello del negro africano), la persona no era admitida al círculo social. A pesar de que en Puerto Rico hubo destacados abogados negros, no fue hasta el 2009 en que por primera vez se nombró un negro como juez del Tribunal Supremo. Esto se logró por las presiones del pueblo cristiano.

Ramos Antonini y Sánchez Villela eran rivales y diplomáticamente enemigos. Tanto que Ramos Antonini expresó: "He sabido de buena tinta que Muñoz ha elegido a Roberto Sánchez para que sea su sucesor en La Fortaleza [...] ¡eso yo no lo puedo tolerar!"[302]. Esa raíz de amargura quedó sin resolver, y fue parte de nuestra historia. Ramos Antonini murió repentinamente en 1963, quedando el camino libre para Sánchez como candidato a la gobernación y sucesor de Muñoz Marín.

Sin lugar a dudas, Doña Jeannette ambicionaba poder y destilaba el resentimiento amánico[303] por el rechazo y humillaciones que le hicieron a su señor padre. Dentro de las esferas sociales en que pululaba a Doña

Jeannette le era un reto perseguir el poder que a su padre le fue vedado. Su padre no llegó a La Fortaleza como Gobernador. Ella no pudo entrar a La Fortaleza como hija de Gobernador, pero sí arrebató la figura de Primera Dama, precisamente con el gobernante que desplazó a su padre en el partido.

En 1995 fui nombrada Procuradora Especial de Relaciones de Familia. Por esa "causalidades" de la vida, el primer caso que me llevaron a observar como parte de mi adiestramiento fue un incidente de la incapacidad y tutela de Doña Conchita Dapena. Ella no se encontraba en sala, pues ya estaba encamada. Me dio mucha tristeza saber que aquella linda señora se encontraba en un estado avanzado de Alzheimer. No fue hasta ese momento que volví a escuchar de ella. Es como si Dios me estuviera diciendo, "no te olvides de esta historia", pero no sabía para qué.

Once años después, en 2006, terminé mi carrera en el servicio público como procuradora en el Departamento de Justicia, cuando el hijo de Doña Jeannette, Roberto (Robertito) Sánchez Ramos era el Secretario de Justicia. Él estudió también en la hoya *gayola* de Massachusetts, y dominado por una madre amánica, no cabe espacio para otra ideología que el de la vía materna. Aunque nunca puso por escrito su política *gayola*, como Secretario de Justicia autorizó las adopciones de huérfanos por personas de conducta homosexual, influenciado por los valores de su línea materna.

La vida moral de los políticos es vital para un pueblo. Su cosmovisión y modelaje pueden construir o destruir a un pueblo. Doña Jeannette y Don Roberto no fueron los únicos protagonistas de ese tipo de conducta a nivel de La Fortaleza. Antes de ellos, en el comienzo del ascenso al poder del primer Gobernador electo, Luis Muñoz Marín, aún estaba casado con la norteamericana Muna Lee y al mismo tiempo era el concubino de Doña Inés Mendoza, a quien la historia oficialista del gobierno la reconoció como la esposa, por su activismo en las campañas políticas del PPD.

En 2001 la primera mujer Gobernadora, Sila María Calderón, protagonizó otro escandaloso divorcio de su segundo esposo, en circunstancias no muy claras. Poco tiempo después se casó con uno de sus más cercanos colaboradores y miembro de su gabinete, el Secretario de Desarrollo Económico y Presidente del Fideicomiso de las Comunidades

Especiales. En medio de aquel escándalo, Doña Sila, una mujer de edad avanzada, celebró una fastuosa boda en los jardines de La Fortaleza, como si hubieran sido dos juveniles príncipes de la realeza. Bajo su gobernación, la agenda *gayola* avanzó terriblemente en varias agencias como el Departamento de Justicia y el Departamento de Educación.

Bajo su incumbencia se instituyó la enseñanza de educación sexual siguiendo los postulados del criminal Kinsey. Varios *gayolas* asumieron cargos claves en el Gobierno. Uno de ellos fue arrestado en una redada por prostitución masculina. De ambos partidos principales, PNP y PPD, varios políticos han sido procesados y cumplen penas de cárcel por corrupción económica, y otros campean por sus respetos porque no se les ha podido probar su corrupción; mas el pueblo lo sabe. A otro de los gobernantes se le vinculaba sentimentalmente con una tal Lourdes, y a otro con una famosa cantante del país. Los valores de la familia se han ido erosionando.

Luego del escándalo del gobernante Don Roberto con Doña Jeannette, la destrucción matrimonial y la infidelidad se han proliferado por muchas razones. Una de las causas, sin lugar a dudas, ha sido el modelaje de las figuras públicas, los llamados padres y madres de la patria. ¿Cuál fue la diferencia entre el caso de Sánchez-Ramos y el caso Muñoz-Mendoza y su efecto en el país?

Según cuenta Jonathan Cohen[304], Doña Muna y Don Luis vivieron muchas interrupciones en su matrimonio, debido a las diferencias de las agendas en sus respectivas luchas ideológicas, fuera del país y en diferentes jurisdicciones. Muna fue una mujer brillante, poeta y feminista en la lucha por la mujer trabajadora, e intelectual. Su obra se conoce en varias universidades de Estados Unidos y en distintos países, sin embargo apenas se conoce en Puerto Rico. Cohen señala que Doña Inés se encargó de ordenar que la obra profesional y la existencia de Muna en la vida de Don Luis fueran borradas del discurso oficialista. Poco se menciona de los hijos de Don Luis con Doña Muna. Pero lo cierto es que el adulterio de Don Luis y Doña Inés ocurrió desde antes de ser Gobernador. El divorcio de Don Luis y Doña Muna fue el 15 de noviembre de 1946. Al día siguiente se casaron[305], tal como los Sánchez Ramos.

Dos años después, en 1948, Don Luis sale electo Gobernador, y Doña Inés entró como Primera Dama a La Fortaleza. En el caso de

Sánchez, Doña Conchita fue expulsada y suplantada en su rol oficial y de esposa, en un vejamen público sin precedentes. Ya sea público o privado, como el caso de Muñoz, o que lo escondan en la historia el efecto espiritual es el mismo. El efecto en el conocimiento público de Muñoz fue distinto, debido a los pocos medios de comunicación masiva, en una época en que una mayoría del campesinado no sabía leer ni escribir, no había llegado la TV a Puerto Rico y la manipulación de la información oficialista era más fácil.

El efecto legal de ambos casos fue distinto, y las consecuencias sociales también. Bajo la administración de Don Luis se comenzó a legislar a favor de fortalecer la familia. Él aprueba la famosa política de que no puede haber hijos sin padres[306]. Así, él pudo reconocer a sus hijas nacidas fuera del matrimonio. Previo a ello, el derecho de familia se elevó a rango constitucional[307]. La cosmovisión de la mayoría de los Padres de la Constitución de 1952 contrarrestó en cierto modo la deficiencia moral de Don Luis y expresaban fundamentos como estos:

> *"Las uniones ilícitas pueden y deben estar prohibidas y esta disposición tendrá como una de sus consecuencias el desalentarlas".*[308]

> *"...Escribimos un estatuto constitucional, no lo escribimos para unos hombres, ni para la eventualidad, sino pensando en la permanencia de las instituciones cuya estructura debe ser motivo del más cuidadoso pensamiento."*[309]

Contrario a lo que es el PPD ahora, en sus tiempos de gloria, promovió una campaña para que las personas en concubinatos contrajeran matrimonio. Sin duda esa visión de familia fue una de las fortalezas del PPD. En la medida que el PPD fue perdiendo ese norte, también fue perdiendo poder, y los problemas en las relaciones de familia en el país fueron en aumento.

Según las estadísticas, en 1960 la política pública del gobierno de Muñoz Marín[310] en Puerto Rico había logrado reducir las relaciones extramaritales o concubinatos de un 14.4% a un 8.3%.[311] La vida en familia era un valor muy especial que contribuyó a sacar de la pobreza al país, y fue parte de las medidas socioeconómicas que la administración Muñoz implantó. En aquella época, Puerto Rico se convirtió en un modelo de progreso para todo Latinoamérica.

Mientras, Doña Inés cultivaba la honra a su marido y todo lo que él representaba como pasado gobernante; Doña Jeannette no venció su resentimiento, siguió destilando su amargura en público y le decía zángano[312] a su príncipe azul. Al hombre que perdió el poder por su amor. Así mismo trataba a su hijo Robertito; varias veces lo presencié, cuando iba al despacho de su mamá en el tribunal.

Don Luis y Doña Inés se mantuvieron unidos hasta el fin de sus días en su avanzada vejez. Nadie es perfecto, pero aquella primera familia fue ejemplo del ser humano que cae pero se levanta. Y su acto de contrición les llevó a producir programas y leyes cuidando la familia, lo cual cambió para bien el ambiente social de nuestro pueblo. E hizo la diferencia espiritual para la nación. Por el contrario el caso de Don Roberto y Doña Jeannette influyeron en el deterioro moral de la familia. El divorcio y el concubinato se propagaron, así como la falta de respeto hacia la mujer y hacia el hombre. La pobreza de las mujeres abandonadas ha ido en aumento. La violencia doméstica no cesa. Con los años, varias calles y carreteras llevan el nombre de Don Roberto, como presagios de los tristes caminos por donde la corrupción moral lleva a nuestro pueblo.

Don Roberto creó su propio partido político. Tanto él con su Partido del Pueblo y el PPD perdieron las elecciones. Don Roberto se retiró de la vida pública, pero Doña Jeannette se encargó de seguir siendo figura en el poder judicial. Lejos de hacer un acto de contrición en sus vidas, terminaron en divorcio, con el agravante de que la obra intelectual de Doña Jeannette seguía proliferando más descalabros con su visión de perspectiva de género.

En 2007, tan pronto regresé del viaje a Costa Rica, comencé a hablar en una conferencia para pastores sobre este efecto de la cosmovisión del gobernante y cómo el problema de la corrupción moral en Puerto Rico se remontaba a cuarenta años de la historia del país, en torno a esas figuras del drama de 1967. En un país terriblemente politizado como el nuestro, enseguida afloró la suspicacia político-partidista en algunos de los pastores. Sin embargo, no es cuestión de partidos, ni siquiera de las simpatías hacia la persona del gobernante, sino de cómo su visión, su creencia y su conducta abrieron una grieta por donde el poder de las tinieblas se adueña, no solo de sus mentes como mandatarios, sino que somete a todo un pueblo al deterioro espiritual y moral.

Algunos, de los pastores que estaban en aquella conferencia, que eran y son simpatizantes del PPD, ya no escucharon y pusieron en duda lo que les estaba tratando de plantear. Los pastores de Puerto Rico no acaban de entender que la lealtad político-partidista, venga del partido que venga, es una idolatría que le resta poder espiritual. Por otro lado, los pastores que son fundamentalistas (no como los define los *gayolas*, sino como lo dice Dios) también rechazaron la visión. Fundamentalistas son aquellos pastores para quienes la Biblia es un recuento histórico, enmarcado en su particular doctrina o denominación, y no comprenden que el Espíritu Santo habla HOY, nos redarguye y nos revela día a día en la vida cotidiana el camino de nuestras luchas.

A mí no me quisieron creer en el 2007. Sin embargo, casi un año después, el 22 de abril de 2008, la primera plana del periódico *El Vocero* decía: "La corrupción económica de Puerto Rico se remonta a 40 años". Para los que no me quisieron escuchar cuando Dios lo dijo un año antes, ahora se lo decía un periódico secular. No obstante, todavía los periodistas no han vinculado la corrupción económica con la corrupción moral.

La Palabra en el libro de Crónicas consistentemente narra que cuando el gobernante hace lo bueno ante los ojos de Dios, el pueblo prospera. Cuando el gobernante hace lo malo ante los ojos de Dios se deteriora la calidad de vida del pueblo. Saúl, Jezabeel y otros tantos se ensoberbecieron en sus pecados y perdieron el poder y la vida. Porque se trata de un principio tanto para los líderes como para cada individuo. Dice la Biblia "…no te apartes de ella (la Palabra) ni a diestra ni siniestra, para que seas prosperado en todas las cosas que emprendas[313], y todo te saldrá bien". Aun el rey David le falló a Dios, cayendo en adulterio y asesinato. Sin embargo, Dios le llamó el hombre conforme al corazón de Dios, porque David se arrepintió. Aunque sufrió siempre las consecuencias en su familia, Dios lo llevó a grandes alturas con su pueblo.

Cuando le estaba contando aquella historia a la Lcda. Montes, fue ella quien se percató que estábamos en el año cuarenta de aquel suceso (1967-2007), cuando se sembró aquella maldición para nuestro pueblo. Y este dato de los cuarenta años es bien relevante en la Biblia. Cuarenta años vagó por el desierto el pueblo de Israel. Cuarenta años cargaron los hijos las rebeldías e iniquidades de sus padres[314]. En cierto modo los gobernantes son los padres y madres de un pueblo. Su conducta modela para bien o para mal.

Desde que regresamos de Costa Rica en el 2007, hemos estado intercediendo en oración para que Dios desate el yugo espiritual que todo eso trajo a nuestro país. En el 2008 se estaba considerando nombrar como Juez Asociado en el Tribunal Supremo a la simiente de Doña Jeannette, el entonces secretario Roberto Sánchez Ramos. Esto hubiera sido la corona para perpetuar la ideología de Doña Jeannette en el más alto foro judicial. Ya hay tres jueces *gayolas* en el Tribunal Supremo. Mas Dios tuvo misericordia, y en el nombre de Jesús declaramos rota esa maldición sobre nuestro pueblo.

Cuando viajé en febrero de 2010 a Puerto Rico y le compartía este recuento histórico a los jóvenes del ministerio del Lcdo. Faro, me enteré por ellos que acababa de salir el libro de una de las hijas del ex gobernador, *El Affair de Sánchez Vilella*. Antes de regresar a Georgia le regalé una copia a la Lcda. Ivette Montes, para que corroborara lo que Dios puso en mi corazón durante aquel viaje a Costa Rica, tres años atrás, en 2007. La Lcda. Montes no salía de su asombro. El tiempo y ese libro me dieron la razón.

La cosmovisión de Doña Jeannette de un liberalismo sexual rampante fue clave en la infiltración del concepto de género en el derecho puertorriqueño. Cuarenta años después, en 2007, su cosmovisión destructiva de la vida familiar y el liberalismo sexual de la ideología del género lo habían convertido en el fundamento de derecho, con miras a perpetuarse en el borrador de aquel Código. ¡En el nombre de Jesús lo declaramos inoperante!

La Comisión Judicial para Investigar el Discrimen por Razón de Género en los Tribunales fue presidida por Doña Jeannette durante 1993-1995. Jueces, profesores, abogados y entre ellos varios activistas *gayolas* fueron parte de aquella comisión. Se suponía que aquella investigación iba dirigida a evaluar las prácticas discriminatorias contra la mujer dentro de la rama judicial. Tomaron como pretexto la noble causa de la desigualdad de derechos y oportunidades de la mujer, el discrimen por sexo, aduciendo tener interés de obtener una igualdad de oportunidades de empleo para la mujer en los tribunales[315], y fomentar un trato más justo hacia la mujer en los procedimientos judiciales. La preparación de ese estudio en Puerto Rico surgió en respuesta a la invitación que hizo la Conferencia Nacional de Jueces Presidentes de los Estados Unidos en 1988, donde se fermentó género en el sistema judicial norteamericano.

Es loable y necesario fomentar la igualdad de oportunidades en el empleo y erradicar el discrimen por sexo contra la mujer. Así como el trato hacia la mujer en los procesos judiciales, el hostigamiento sexual en el empleo contra la mujer, la violencia doméstica contra la mujer, etc. Como pueden ver, esos asuntos nada tienen que ver con la intención de establecer un sistema político centrado en los actos sexuales entre personas del mismo sexo. No debemos confundir una causa con la otra.

A continuación les ilustro unos de los ejemplos de cómo pasaron gato por liebre en dicho informe. Como sustituyeron el discrimen por sexo contra la mujer e intercalaron el vocabulario *gayola* de "género". Alteraron inclusive la interpretación de la Constitución y las citas de varias leyes. Si otro abogado hiciera una alteración de las citas, de seguro que lo sancionarían. Pero como se trata de la ganga *gayola*; esos son intocables. La ley no es igual para todos. Y eso también es corrupción en el más alto foro. La alteración de una cita legal es una violación a los cánones de ética de la profesión jurídica: "Es impropio variar o distorsionar las citas jurídicas, suprimir parte de ellas para transmitir una idea contraria a la que el verdadero contexto establece u ocultar alguna que le es conocida" (Canon 35)[316]. Esto es corrupción intelectual, con el agravante de que se trata de un documento administrativo del Tribunal Supremo del país. Por la seriedad que imparte esa institución, el lector le da una credibilidad casi sagrada. Y aunque no esté de acuerdo con lo que dicte un tribunal, lo respeta como dogma de justicia.

Dicho Informe cita como fundamento varias disposiciones de la Constitución del Estado Libre Asociado, entre ellas que en Puerto Rico se prohíbe el discrimen por razón de sexo[317]. Esa premisa es cierta. Sin embargo, alteraron sutilmente el estado de derecho cuando expresaron que: "En vista de la prohibición taxativa del discrimen por razón de sexo, el Tribunal Supremo ha calificado como sospechosas las clasificaciones basadas en género..."[318] Esto es falso. No hay una protección constitucional al "género". Lo que sí es una clasificación sospechosa es el discrimen por sexo. El propio informe reconoce y deja claro que sexo y género no son sinónimos,[319] pero jugaron arbitrariamente con ambas palabras como si fueran sinónimos.

Entre las cosas que los Padres de la Constitución querían corregir era la desigualdad contra la mujer, precisamente por ser mujer. En los ejemplos que mencionaron en el debate de la constituyente sobre el discrimen por sexo, los legisladores describieron que para entonces la mujer no podía ser jurada ni participar en la vida pública, en la educación en la economía o en la política del país. A eso lo llamaron discrimen por sexo. El invento de usar género en vez de sexo surge a raíz de las citas adulteradas que redactaron Doña Jeannette y sus colaboradores en el Informe de 1995. Y así se ha seguido proliferando en los trabajos de los tribunales de Puerto Rico. El injerto fatulo de "género" logró echar raíces en el más alto foro.

Por ejemplo, con motivo del retiro de la jueza presidenta Honorable Miriam Naveira de Rodón, primera mujer en llegar a ocupar un cargo de jueza asociada y luego de Jueza Presidenta, en la resolución del Tribunal Supremo se usa la palabra género varias veces. Al describir la labor de la jueza dice: "Defensora de los derechos humanos, del derecho a la intimidad, del debido proceso de ley y el derecho de la mujer al trato equitativo y a no ser discriminada por razón de su género".[320] No se habló más de discrimen por sexo.

De la totalidad de la lectura, que describe a esta primera mujer en llegar al más alto foro, queda en la mente del lector que sexo y género se trata de lo mismo. De primera intención no parece que existe un doble discurso. Y por lo tanto, "género" fue aceptado en la jerga jurídica. El 15 de noviembre de 1996, el Tribunal Supremo creó el Comité Asesor Permanente de Igualdad y Género, adscrito al Secretariado de la Conferencia Judicial, con el objetivo de erradicar o, por lo menos, disminuir significativamente el Discrimen por Razón de Género en la Rama Judicial. Luego en 2004 se designó a la Jueza Asociada del Tribunal Supremo, Honorable Liana Fiol Matta, Presidenta de dicho comité. Fiol fue una de las colaboradoras *gayolas* del informe de Doña Jeannette. Ya en el 2005 el Tribunal Supremo incluyó como un Canon de Ética para imponer a los jueces la prohibición de discriminar por "género" y "orientación sexual".

Obsérvese, que ya no se enfocan en el discrimen por sexo, del que habla la Constitución. La figura de mujer ya no importa, sino el género.

OTRO EJEMPLO DE CORRUPCIÓN INTELECTUAL

El informe de 1995, tan aplaudido por los intelectuales del derecho, ha sido el escrito más antiético en la administración de la justicia, por varias razones. Primero, por traer "género" como si fuera la quintaesencia de la sabiduría legal en pro de la mujer, cuando en realidad fue el producto del resentimiento irracional comprimido de un varón frustrado por sus padres (Dr. Money), y que luego desarrolló como una filosofía científica para aniquilar la identidad sexual en sus pacientes. Segundo, dicho informe también se construyó sobre crasas violaciones éticas. Como hemos mencionado, el Canon 35 de Ética Profesional le impone a todo abogado sinceridad y honradez al citar sus fuentes jurídicas; establece que es impropio variar o distorsionar las citas jurídicas, suprimir parte de ellas para transmitir una idea contraria a la que el verdadero texto establece. Como hemos dicho, la palabra género no existía en el derecho de Puerto Rico hasta 1995, cuando fue introducido por el informe de Doña Jeannette. Sin embargo, en dicho informe, cuando citan las leyes del país que prohíben el discrimen por sexo, distorsionaron las citas a mansalva, precisamente para transmitir una idea contraria a la que el texto establece verdaderamente.

La prueba patentemente y clara está en la página 5 de la introducción de dicho informe, en su cita número 12, donde induce al lector a creer que "género" estaba protegido por las leyes del país, y se lee:

"...la Comisión para el Mejoramiento de los Derechos de la Mujer coauspició con el Departamento del Trabajo... un estudio para identificar la legislación laboral que discriminaba contra las mujeres. (Se refiere a otro estudio preparado por Jeannette Ramos, titulado Estudio Sobre Igualdad de los Sexos en la Legislación laboral 1974.) El resultado fue la preparación de varios ante proyectos de ley y que fueron posteriormente aprobados por la Asamblea Legislativa en 1975."

Cuando pasamos a leer la cita en su nota al calce (12), se refiere a cuatro leyes que prohíben el discrimen por sexo de años 1959; 1947; 1958; 1919. Dichas leyes no usan la palabra género, sino sexo. Sin embargo, en el informe de 1995 con toda alevosía distorsionaron la cita sustituyendo sexo por género. Y lee así:

> *"12. Entre otras se enmendaron la Ley Núm.100 de 30 de junio del 1959, 29 L.P.R.A. sec. 146 et seq., para prohibir que los patronos y uniones obreras discriminen por razón de género; la Ley Núm. 417 de 14 de mayo del 1947, 29 L.P.R.A. sec 564 et seq., para prohibir que las agencias privadas de empleo discrimine por razón de género; la Ley Núm. 49 de 22 de mayo 1958. 29 L.P.R.A. ces 353 et seq., para eliminar diferencias basadas en el género en*

> *cuanto al máximo 1919, 29 L.P.R.A. sec 457-460, también para eliminar diferencias basadas en el género en cuanto a los horarios nocturnos de empleo. Para un examen de toda esta legislación, véase: Jeannette Ramos Buonomo,* La mujer y el derecho puertorriqueño *231- 237 (marzo, 1976). Estudio realizado para* The Fletcher School oF Law and Diplomacy *de la Universidad de Tufts en Massachusetts.)".*

La sustitución de "sexo" por "género" no fue un error inadvertido, sino una distorsión intencional y premeditada. Previo al informe de 1995, la propia Doña Jeannette había hecho un estudio profundo de dichas leyes. Y en el informe de 1995 ella se citó a sí misma como autoridad sobre el tema por su estudio *La mujer y el derecho puertorriqueño*. Según surge del informe de 1995, también había publicado un trabajo similar en 1974, titulado "Estudio Sobre Igualdad de los Sexos en la Legislación laboral". Dicho estudio analizaba la realidad de la igualdad de los sexos. Ahí Doña Jeannette usó correctamente "sexo". Por lo tanto, es forzoso concluir que con toda intención y a sabiendas, en el 1995 trastocaron las citas de todas esas mismas leyes, para crear la ilusión óptica de que dichas leyes protegen "el género", confundiendo y creando un resultado distinto a lo que tales leyes establecen.

En el propio informe de 1995 dejaron bien claro que sexo y género no es lo mismo[321]. Sin embargo, ellos lo intercambian, y usan indistintamente ambas palabras, dando la impresión que están hablando de lo mismo. Y si admiten que no es lo mismo, es forzoso concluir que a sabiendas alteraron las citas de leyes suprimiendo sexo y suplantado por género, con la obvia intención de transmitir una idea contraria a la que el texto establece. El texto de las leyes prohíbe el discrimen por sexo. No habla de género.

Así, bajo el sello del Tribunal Supremo de Puerto Rico, oficializaron la idea de que las leyes prohíben el discrimen por género. De manera que distorsionando el derecho de la mujer buscaron impartirle legalidad a la homosexualidad. La causa de la mujer ha sido brutalmente tomada de rehén para exaltar conductas ajenas a la mujer.

Esto es un vivo y claro ejemplo de lo que es torcer el derecho. Es lo que la Biblia hace miles de años ha descrito de la siguiente manera: "Y el derecho se retiró, y la justicia se puso lejos; porque la verdad tropezó en la plaza, y la equidad no pudo venir. Y la verdad fue detenida, y el que se apartó del mal fue puesto en prisión; y lo vio Dios y desagradó a sus ojos, porque pereció el derecho."[322]

Las personas redactoras junto con su presidenta Doña Jeannette expresaron en dicho informe que "decidieron" usan "sexo" para referirse únicamente a las características biológicas diferentes entre el hombre y la mujer. Mientras que "género" es la construcción histórico-social que se ha hecho de las características y comportamientos esperados en la sociedad para la mujer y el hombre.[323] Es decir, tomaron la teoría de género cuyo autor es Money, tal como él la concibió en el siglo pasado, desde 1955. Aunque tomaron la idea de Money, tampoco le dieron crédito al autor. Eso se llama plagio. Otro acto de corrupción intelectual.

Una de las situaciones más corruptas y que más desmoraliza a un pueblo es que haya dos varas para medir la justicia. O sea, no todos son iguales ante la ley. Si el que transgrede la ley pertenece a la claque privilegiada en el control de poder, la falta cometida pasa desapercibida o si acaso se toman decisiones lenientes. Mas si quien comete la falta no es de los privilegiados le aplican todo el rigor de la ley, hasta aplastarlo si es posible. ¿Qué sanción se les dará a esos letrados cuando es el propio Tribunal Supremo el involucrado?

Por último, estas actuaciones bajo el sello del Tribunal Supremo no solo usurparon el derecho de la mujer para otros fines, sino que la Rama Judicial se excedió en sus funciones usurpando el poder de la Rama Legislativa. Por sus fueros el Tribunal enmendó todas las leyes para suplantar sexo, por género. Y se excedió de su facultad de resolver casos y controversias. Porque su acto de insertar "genero" en la Constitución y en las leyes ni siquiera ocurrió durante la resolución de un caso. Si no que sin tener un caso ante sí se autonombró un comité que legislara a su antojo. Eventualmente emite cánones de ética prohibiendo el discrimen por género, copiando en parte los cánones modelos de la ABA, y comienza usar el "género" en resoluciones de asuntos internos, y luego en decisiones de casos, rigiéndose no por las leyes, sino por un mero informe interno de la Rama Judicial. Informe plagado de faltas éticas y legales. Ese es el mismo informe que usaron como fundamento para elaborar el borrador de Código Civil en el 2007.

Según el Tribunal Supremo, dicho informe de 1995 se convirtió en la piedra angular de los proyectos de casi todos los países de la América Latina y Centroamérica[324]. Cada lector debe buscar como esta plaga del género se fue insertando en sus respectivos países.

En Puerto Rico, a raíz de dicho informe, los ideólogos *gayolas*, usando el nombre del Tribunal Supremo, infiltraron en la jerga jurídica y legislativa la palabra género. Para los *gayolas*[325], como ya hemos mencionado, el uso del lenguaje es el blanco primario para subvertir el orden. Inyectan intencionalmente palabras como género, diversidad, inclusivo. "*In all our communications, we can intentionally inject the language of diversity and inclusivity into a gendered world.*"[326]

El Informe de 1995 injertó "género" estratégicamente para ir acostumbrando a la sociedad a usar género como sinónimo de sexo. Esta zorrita siguió corriendo en el lenguaje jurídico hasta llegar al Departamento de Educación. En la mente del legislador sexo y género es sinónimo. La legislatura aprobó la Ley 108 del 26 de mayo de 2006, facultando al Departamento de Educación, junto con la Procuradora de la Mujer, a coordinar una educación con miras a combatir la violencia doméstica que sufre la mujer por parte del hombre como resultado de discrimen por "género".

En años más recientes es que comienza a despuntar la verdadera agenda de la "teoría de género o perspectiva de género". Usan palabras ambiguas, suaves e impresionantes para evitar decir lo que en realidad se proponen hacer, un currículo para propagar la homosexualidad en nuestros niños, tal como lo anunció la Agenda Homosexual de Michael Swift. A la luz de la Ley 108, el Departamento de Educación promulgó entonces la filosofía educativa "perspectiva de género" para homosexualizar a los menores.[327] A pesar de que la homosexualidad no está en la Ley 108.

Si llegara la controversia al Tribunal Supremo para dirimir si la perspectiva de género de una circular administrativa podría prevalecer sobre el concepto de sexo como sinónimo de género, tal como lo contiene la Ley 108, sabemos que en estricto derecho la ley debe prevalecer sobre una carta circular. Sin embargo, los defensores del "género" esgrimirían el criterio viciado de la legislación interna del Tribunal Supremo. O sea, el Informe de 1995 y sus secuelas, saldrían como saetas venenosas para decir lo que no dice la ley. Recordemos que una de las juezas asociadas del presente Tribunal Supremo fue una de las colaboradoras redactoras en dicho informe. Por lo que el Tribunal Supremo sería juez, legislador y parte. Salvo que la nueva composición del Tribunal Supremo determine ponerle un freno a los efectos del informe de 1995 y erradicar "género". El Tribunal Supremo debe suspender la práctica antidemocrática de seguir legislando a través de su autoproclamada legislatura: "La Comisión de Género del Tribunal Supremo". Esto es un atentado contra nuestra forma republicana de gobierno.

El Informe de 1995 tiene asuntos meritorios y eso es lo que confunde a las personas. Dicho informe también describe el problema de discrimen por sexo contra la mujer. El problema está en que sus ideólogos *gayolas* pusieron de pantalla esos asuntos para fomentar la causa de la teoría de género. Por ejemplo:

1. que a la mujer se le considera inferior y el trato que se le da es discriminatorio. Eso es discrimen por su sexo. Pero el informe le llama género.
2. que el hombre ha dominado los espacios de poder y han estructurado el mundo según esa visión. En consecuencia a la mujer no tiene igual acceso al poder en la sociedad. Eso es darle supremacía al sexo del macho y poner en desventaja al sexo femenino. Eso es discrimen por sexo, pero el informe lo llama género.

El término género es ilógico, ambiguo e inconstitucional. Género sólo conduce a resultados ilógicos. Como ilustro aquí, usando las propias premisas del informe: Si le van a llamar discrimen por género al hecho de que un grupo A (hombres) haya dominado los espacios de poder y haya estructurado el mundo según esa visión y discriminen contra el grupo B (mujeres); entonces también sería discrimen por género cuando un grupo A (de la raza blanca) haya dominado los espacios de poder y haya estructurado el mundo según esa visión y discriminan contra el grupo B (los negros, los hispanos, etc.) Todos sabemos que raza y sexo son dos cualidades de la identidad humana totalmente diferentes, pero eso es lo que dice aquel informe, que cuando (a) domina a (b) es discrimen por género.

La Constitución de Puerto Rico es clara, especifica y categórica; donde dice raza, es toda la gama de razas, y donde dice sexo es mujer y hombre. Raza y sexo son dos categorías distintas. Y no existe género en nuestra Constitución.

Otra prueba de que en el Informe de 1995 atiende asuntos que no tienen que ver con el discrimen contra la mujer es que de pronto aparecen otras palabras del lenguaje *gayola* en el informe: "orientación sexual", "homosexualismo o lesbianismo". Esa era la verdadera agenda del informe.

Es claro que la violencia doméstica hacia la mujer no se resuelve imponiendo la homosexualidad como remedio. El discrimen por salarios contra la mujer nada tiene que ver con el coito entre dos o más varones, o entre dos o más mujeres. La doble carga de la mujer en las tareas domésticas y el trabajo mal remunerado no se resuelve con la preferencia sexual entre hombres o entre mujeres.

Cuando se habla de sexo todo el mundo entiende que se refiere a hombre y mujer, macho o hembra en los animales. No somos seres genéricos, amorfos, esperando que un sistema educativo nos altere el ser varón o mujer, según le parezca a un sistema de gobierno homosexualizado, para luego salir corriendo a hacernos cirugías para corregir un defecto que sólo existe en una mente distorsionada.

Somos hombres y mujeres por nacimiento. Y eso es lo que los niños deben descubrir cuando ven sus características físicas. Y eso es lo que la Constitución y el derecho protegen. La igual oportunidad entre el hombre y la mujer ante la ley. La igual oportunidad de la ley prohíbe la segregación y la exclusión de la mujer de toda esfera social. Por lo que el Estado no puede legitimar las uniones entre dos machos, ya que excluyen a la mujer; como tampoco a las uniones entre dos mujeres, porque excluyen al varón. El Estado no puede avalar el *apartheid* por sexo como parte de la licencia de matrimonio.

Cuando se habla de género se habla de conducta homosexual, *gayola*, lesbiana, pederasta, pedófilos, incestuosos[328], travestis, transexual, transgéneros, necrófilos y un sinnúmero de conductas sexuales distorsionadas. La ley protege al ser, al ente, a la persona, pero las conductas no están por encima de la ley, sino que las conductas han de ser reguladas para asegurar la sobrevivencia en armonía de todo el género humano. Pero el informe de Doña Jeannette y sus coautores han pretendido alterar hasta la Constitución, para que diga lo que no se dice en la Constitución: "género". Y eso es corrupción del pensamiento. Esto es cambiar la verdad del discrimen por sexo por la mentira llamada discrimen por "género".

Es interesante cómo la prensa y los gobiernos se escandalizan por el tema de la corrupción económica; y no es para menos. Sin embargo, debemos tener claro que la raíz de los males sociales no es la corrupción económica. Mas bien la corrupción económica es el resultado de la corrupción moral, que a su vez corrompe el pensamiento. Quizá es porque la corrupción económica es más fácil de cuantificar. Es tangible. Mientras que la corrupción moral es como el aire contaminado sin mal olor: Lo respiramos, lo asimilamos y nos damos cuenta de su efecto cuando ya estamos intoxicados o es demasiado tarde. Otras veces hiede, pero de tanto respirarlo el olfato se acostumbra y se deja de percibir el mal olor.

La corrupción moral sigue en aumento, pariendo más inmoralidad, y ya la gente ni lo percibe. En consecuencia, se entenebrece el pensamiento y se manifiesta en una diversidad de conductas, como lo es la lucha por legitimar la homosexualidad, el adulterio, el concubinato o relaciones extramaritales; la matanza de bebes con los abortos; la desfiguración de la identidad de los niños fabricados en laboratorios, y la comercialización de óvulos y semen; la pedofilia, la droga, la prostitución, la alta incidencia de criminalidad, etc.

Luego los gobiernos se están rompiendo la cabeza ante la decadencia socioeconómica de sus pueblos. ¿Cómo se pretende que nos vaya bien como pueblo si hemos desechado la justicia? La Palabra de Dios es sencilla y clara. Nos advierte que "tendremos justicia cuando cuidemos de poner por obra todos los mandamientos delante de Jehová nuestro Dios, como él nos ha mandado" (Deut. 6:25). Es obvio que nos está yendo muy mal como sociedad, porque es la consecuencia de haber excluido a Dios. No porque Él nos castiga, sino porque nosotros le hemos sacado de nuestras vidas como pueblo, como familia y como individuos.

Cada nación tiene sus propias causas. Sus héroes y sus antihéroes. Sus personajes influyentes. ¿Quienes abrieron las grietas al muro de sus fortalezas y como resultado el maligno usurpó el poder, sometiendo a sus gobiernos al caos social? En el caso de Puerto Rico, la decadencia moral y económica que hoy vive no la comenzaron los homosexuales. Comenzó con los efectos del adulterio entre Don Roberto y Doña Jeannette, hace cuarenta años, en 1967, contados hasta el 2007, cuando se logró frenar su metástasis en el borrador del Código Civil propuesto, pero sigue pujando por continuar.

Más allá de las personas envueltas en este tipo de tragedias nacionales, hay que identificar los principados y las potestades de los aires[329], que subyugan a los pueblos. La inmoralidad en las instituciones sociales no es un problema exclusivo de Puerto Rico. Cada lector debe orar y buscar cuáles son las ataduras espirituales en su nación.

Nadie está exento de caer en el pecado. Lo importante es saberse levantar. No es gloriándonos de nuestras maldades o convirtiendo nuestros desvaríos en leyes y torciendo el derecho para lavar nuestras conciencias como se resuelven estas ataduras. Si no arrepintiéndonos de todo corazón delante de Dios. Pedir perdón y perdonar. Dios nos garantiza que "si se humillare mi pueblo… oraren y se convirtieren de sus malos caminos… yo oiré… les perdonaré sus pecados y sanaré su tierra" (2 Cr. 7:14). Dios no persigue destruirnos, sino salvarnos de la muerte que trae el pecado.

Tal vez como un presagio a su propia descendencia, Don Ramos Antonini dejó el siguiente pensamiento: "Para saber a dónde se va hay que tener primero la voluntad y determinación de seguir siendo quien se es. De otro modo, el que llega es otro; si es que llega alguien. ¡Quien deja de ser no llega! Sin duda Jeannette tenía toda la capacidad intelectual y la personalidad de llegar a ser la primera mujer Gobernadora. Pudo ser una de las mujeres más sobresalientes de la política del país por propio derecho. Pudo reivindicar de manera elegante y digna los ideales de su padre, pero dejó de ser para lo que estaba llamada a ser, y no llegó. La amargura amanica y el descontrol en su vida sentimental y sexual mataron en ella lo que pudo y debió llegar a ser. Perdió un lugar de verdadera preeminencia y honra, para ser una segunda mujer en un adulterio público, en la primera familia del país.

El hijo biológico de Jeannette tampoco llegó a donde pudo estar en el Tribunal Supremo, como se mencionó en el 2008. En ese año Dios nos dio un leve respiro con el cambio de administración política. La nueva administración bajo el PNP jamás pondría a Roberto Sánchez Ramos en el alto foro. Mas digo un leve respiro, por dos razones.

Primero porque el PPD había incluido en su plataforma política que prohibiría por la vía legal y penal toda manifestación de los que no estemos a favor de la conducta homosexual. Al ser derrotado el PPD, esta agenda criminal contra la libertad de expresión y de culto y contra los derechos de los padres a proteger sus hijos, por lo pronto, ha sido pospuesta. Segundo, el PNP no es ninguna garantía para detener la corrupción moral. El PNP tiene una jauría de *gayolas* controlando con el chantaje a otros políticos que son corruptos en otras áreas de sus vidas.

El PNP también camina en dos aguas. Por un lado dice que es pro familia y por otro ha hecho lo indecible por evitar la enmienda constitucional en defensa del matrimonio. Tampoco se ha interesado en investigar y erradicar a los causantes de los gastos del Departamento de Educación en la compra del material para homosexualizar y pervertir a los estudiantes con material pornográfico. De hecho en estos momentos se vuelve a debatir el asunto de los libritos de cuentos de homosexuales para la escuela elemental. El Departamento de Educación acaba de "modificar" el lenguaje de varias cartas circulares, pero siguen disfrazando la agenda *gayola*.

Luego de la reciente visita de Obama a Puerto Rico, en el verano del 2011, el gobierno de Fortuño hizo una movida extraña. La derrotada candidata a la procuraduría de la mujer, que trabaja en la legislatura, fue asignada a una misión dentro del Departamento de Educación. Dicha dama es una ideóloga *gayola* que impulsa la teoría de género para pervertir a nuestra niñez.

El PNP ha tenido la oportunidad histórica que el PPD no tuvo. Ha podido nombrar hasta seis jueces del Supremo en un solo cuatrienio, con abogados de valores familiares de todos los partidos, y le ha negado una proporción más representativa al pueblo cristiano. A duras penas nombraron un solo juez negro y evangélico. Esto para acallar la fuerte presión pública ante el discrimen por religión y por raza que hasta ahora ha marcado a los negros y a los evangélicos en Puerto Rico. Nuestra mira no está en ningún partido. Dios es el quita y pone reyes, el que limpia su casa de manera sobrenatural, y no habrá político que lo detenga.

El gobernador Fortuño "Lentejas", quien ha vendido su primogenitura por un plato de lentejas, ha de reconocer que Dios hace su extraña obra. El decía que de llegar a la gobernación propondría elevar a rango constitucional el matrimonio, defendería la familia. ¿Qué lo hizo cambiar de opinión? O fue que Barak Obama ejerció sus poderes imperiales en la colonia para imponer la agenda *gayola* en la educación a cambio de fondos federales o entregarle al gobierno de Fortuño los terrenos de la base Roosevelt en Ceiba, y/o fue que el famoso sobre lacrado de Albita Rivera lo intimidó. O Fortuño no es un hombre de palabra.

Por su parte el cuerpo pastoral debe reevaluar el efecto espiritual de la inmoralidad de los gobernantes, y entender que Dios no va a medias. No pretenda el pueblo de Dios que se ha de erradicar la homosexualidad negociando una legalización de las uniones de hecho y continuando con la tolerancia selectiva que ofreció el monseñor Roberto González, de la Catedral de la Iglesia Católica de San Juan, en abierta contradicción con lo que ha declarado el Papa a nivel mundial. En 2007, González propuso que se le cambiara el nombre de uniones de hechos a "pactos de convivencia", con lo que daba su bendición a debilitar la figura del matrimonio, "tolerando" así todo tipo de relación, que incluye concubinatos, entre personas del mismo sexo y relaciones múltiples.

Algunos sacerdotes y pastores han sido capaces de postular algo así: "Homosexualidad no, fornicación sí". Apoyan la primera oración para la enmienda constitucional a favor del matrimonio, pero estaban dispuestos a negociar la segunda oración, que avala el adulterio, la fornicación y las relaciones homosexuales que provengan del exterior. Se les olvida que Dios es santo, santo y santo. Los principios no se negocian. Para Dios no hay pecado grande ni chiquito. De hecho, fue una sencilla desobediencia (comer del fruto prohibido) y una mentira razonable (la mujer que tú me diste tuvo la culpa) lo que bastó para apartar al ser humano de la hermosa relación que existía entre el ser humano y Dios.

Tenemos que retomar el pensamiento intelectual y tomar muy en serio el nivel espiritual del cual nos habla Efesios 6, si se quiere sanar a nuestro pueblo. Debemos trabajar para sanar la familia, detener la confección en laboratorios de niños huérfanos por diseño como si fueran mascotas, y erradicar el aborto. Esta matanza psicológica y física de niños es uno de las maldiciones que pesan sobre varias naciones. La decadencia de Estados Unidos, entre otras causas, tiene sus raíces en esta crueldad. Debo aclarar que la maldición no la envía Dios, sino los hombres y mujeres la producen con sus actos.

Hablamos de sanar nuestra familia, y no fue hasta que leí el libro *El affaire de Sánchez Vilella* que me di cuenta que como cristianos los puertorriqueños también hemos pasado desapercibido el dolor y el resentimiento que marcó a las hijas de Don Roberto. Evelyn Sánchez Dapena, en su libro, expresa con honestidad que no le fue fácil escribir esa página dolorosa de su familia. Como pueblo intercesor también nos debe doler su dolor.

Doña Jeannette le debe pedir perdón a estas hijas y a todas las generaciones de un pueblo afectado por sus actos. Ello sanaría grandemente a nuestro pueblo y la convertiría a ella en un hermoso ejemplo de madre para su nación. Si lo hace o no, eso tampoco nos exime a todos los cristianos de interceder y ponernos en la brecha por las generaciones de hijos lastimados a causa de la sexualidad impropia de sus ascendentes. Oremos también porque Dios sane el resentimiento que las madres y los padres les hemos causado a los hijos. Por el perdón mutuo entre hijos y padres. Por supuesto por los descendientes de Don Roberto, tanto los Dapena como los Ramos.

Su hijo Roberto no llegó al Tribunal Supremo, pero el hijo adoptado intelectualmente por Doña Jeannette si se coló en el Tribunal Supremo. Nos referimos al engendro de la ideología de género. Tenemos que denunciarlo y combatirle hasta arrancarlo de raíz. ¡Lo cancelamos en el nombre de Jesús!

Debemos reconstruir los valores familiares y el respeto y temor por las cosas de Dios.

Hace muchos años aun las personas que no asistían a alguna iglesia al menos observaban con algún respeto las solemnidades de la Semana Santa o Semana Mayor, en la que se conmemora la pasión y muerte de nuestro Señor Jesucristo. Los modelos torcidos de los gobernantes comenzaron a relajar la moral pública y han llegado a la desfachatez de usar la Semana Santa para que un *gayola* farandulero proclame a los cuatro vientos el culto a su persona, y celebrar con orgullo que le estira los intestinos a otro varón, o se los estiran a él. Por supuesto, la prensa *gayola* le dio el primado a su noticia en pleno Viernes Santo, pretendiendo opacar en nuestra cultura boricua la solemnidad de la santidad y el sacrificio de Jesús. Así que en la Semana Santa del 2010, en Puerto Rico, el centro de la prensa *gayola* fueron las loas a Ricky Martin saliendo del closet. Como premio, Fortuño y su staff fueron los asistentes de primera fila en el concierto de Martin en el 2011, y es el símbolo de turismo del gobierno.

Debemos retomar el respeto a Dios, no por temor, sino porque Él nos ama. Porque Él ha sido más que paciente y longánimo. Dios anhela y puede sanar la desesperante situación que hoy vive nuestro pueblo. Mas si prefieren "Livin' la vida loca", seguirá la opresión satánica arropando nuestra Isla del Encanto. No por castigo, sino porque el pueblo desechó a Dios y eligió soltar a Barrabás.

Capítulo 13

La niña secuestrada

Sarita

Cuando comencé a trabajar de Procuradora estaba aprendiendo sobre todos los asuntos que se atiende en ese cargo. Tan pronto llegaba algún caso diferente, lo consultaba con las colegas de mayor experiencia. Un día llegó Claudia, una madre desesperada, porque su hija Sarita, de unos nueve años, había sido ilegalmente retenida por un tío materno de nombre Carlos, en Newark. La madre había autorizado a la menor a viajar con su abuela para mudarse a aquella ciudad, y residirían con Carlos. Los planes eran que eventualmente toda la familia se reuniría a vivir en Newark.

Inesperadamente, a los seis meses la abuelita de Sarita falleció, y ella quedó sola con su tío Carlos. Claudia trató en vano de que su hermano le devolviera a Sarita. Carlos le había amenazado que si hacia algo para recobrar su hija la entregaría al Gobierno y no iba a saber más de la niña. Él era un alcohólico, no trabajaba y tenía antecedentes criminales. Retener la menor para él representaba la oportunidad de recibir ayuda económica del Gobierno.

Consulté a mis colegas, y en aquel tiempo nadie había trabajado un caso de esa naturaleza. Los supervisores me dijeron que eso era un asunto privado y que el Departamento de Justicia no entraba en ese tipo de casos. Así que le dije a Claudia que tendría que contratar un abogado privado, o ir a Newark a presentar su caso allá. Aquella mujer comenzó a llorar desconsolada y me contó un sinnúmero de gestiones que había hecho con abogados de servicios legales para pobres, colegios de abogados, Departamento de la Familia, etc., etc. Abrió su modesta y desgastada monedera y me mostró que solo tenía veinticinco centavos para regresar a su casa. Ella vivía en uno de los proyectos más pobres de San Juan, junto a otros tres niños, y uno de ellos, Lusito, era impedido. Había nacido con un pie sin talón y cojeaba. El padre de sus hijos estaba preso.

Pensé con corazón de madre pobre, algo que me era muy familiar en mi pasado no tan lejano. Revisé la facultad de investigación de mi cargo. Le ofrecí al menos tratar de investigar en qué condiciones se encontraba la menor, para que estuviera más tranquila. Le pedí unos documentos y una foto de la niña. En la tarde me reuní por primera vez con el Director del Negociado de Investigaciones Especiales (NIE). Aunque ellos nunca habían atendido un caso de esa naturaleza, les pude persuadir que al menos por humanidad intentaran coordinar con sus colegas en Newark una investigación sobre la niña.

Así fue que, por primera vez, en 1995, yo supe que existía el programa federal *Missing and Exploited Children* en Estados Unidos. Con los datos que Claudia me proveyó y la foto de la menor, las autoridades en Newark confirmaron el paradero de la niña. El Departamento de Recursos Humanos de Newark le informó a la policía que Carlos tenía pendiente una vista ante el tribunal porque había reclamado una custodia sobre la menor, aduciendo falsamente que la madre era una adicta y estaba desaparecida, que él había criado a esa niña en Puerto Rico. Carlos había obligado a la niña a llamarlo papi, por lo que las autoridades creyeron que en efecto había sido su padre de crianza.

El Departamento de la Familia en Puerto Rico me rindió un informe social sobre el historial de la madre. Corroboramos que la historia de Claudia era tal cual ella nos había contado. Su único delito era ser una madre pobre, y había entregado temporeramente a Sarita a su madre, es decir la abuela. Presenté en oración aquel caso y Dios fue tan especial que las autoridades en Newark asignaron el caso a una trabajadora social colombiana, no sólo porque hablaba español, sino porque ella también había sido criada por su madre, en estrecha colaboración con su abuela, y también había emigrado con su abuela. Pudo comprender nuestros estilos culturales, donde las abuelas ayudan a criar a sus nietos, por lo que la acción de Claudia de dejar ir a Sarita con su abuela no constituía abandono. La trabajadora social indicó que así se lo aclararía al tribunal, pues en la cultura norteamericana esto se podía interpretar como abandono; la presencia de aquella trabajadora social realmente fue una estratégica bendición de Dios.

También el NIE me consiguió todo un historial criminal de Carlos. Según su record estuvo cumpliendo cárcel por varios años en California, justo para el mismo tiempo en que él alegaba que crió a la niña en Puerto Rico. A raíz de esos hallazgos, la trabajadora social visitó a la menor en su casa. Se descubrió que a su corta edad Sarita hacía casi todas las tareas domésticas, salvo cocinar. No había indicios de otros maltratos físicos o sexuales. La menor iba a su escuela. El Departamento de Recursos Humanos de Newark solicitó la aceleración de la vista de custodia que había solicitado previamente Carlos, y nos advirtieron que algún funcionario del Departamento de Justicia debería estar listo a viajar para buscar a la menor, si así el tribunal lo determinaba.

Por lo que discutimos el caso en la reunión mensual de procuradoras con el Secretario de Justicia. Yo estaba súper feliz con mi primer caso, además de que era novel para nuestra agencia. Mis supervisores y yo informamos al entonces secretario Pedro Pierluissi[330] de los avances del caso. Para nuestra sorpresa, nos amonestó porque, según él, ese tipo de caso no era de la incumbencia del Departamento de Justicia. Cuando se expresó despectivamente sobre las madres pobres, porque el Departamento no tendría recursos para recuperar a sus hijos en ese tipo de casos, se le formó un motín a bordo. Todas las procuradoras y procuradores salieron en mi defensa. No le quedó más remedio que aprobar el viaje para recobrar a la niña.

Llegó el día de la audiencia. Claudia estaba con Lucito en mi oficina, en espera de la decisión. Tan pronto Carlos salió del apartamento con Sarita, la policía de Newark nos llamó. Ellos fueron siguiéndolos sin que se percatara Carlos. Antes de entrar a sala, nos llamó la trabajadora social, informándonos que la jueza había requerido que estuviéramos en comunicación con la oficina de alguaciles. Así lo hicimos.

Luego de unos cuarenta y cinco minutos, que me parecieron interminables, la trabajadora social llamó emocionada, informando que la jueza firmó la orden de que Sarita fuera entregada a las autoridades de Puerto Rico. Y la orden establecía que solamente podría ser entregada a la procuradora Myrna Y. López-Peña. Claudia lloraba de emoción. Lucito brincaba de alegría con su piernita buena, porque vería otra vez a su hermanita. ¡Se formó un alegre corre-corre por toda la oficina!

Tenía hasta las 6:30 PM para aterrizar en el aeropuerto de Newark, donde recogería a Sarita. Minutos después el alguacil del tribunal llamó dándonos las últimas instrucciones. Me envió por fax copia de la resolución y la orden. La Directora de la Oficina junto a la jefa de trabajo social me gestionaron un vuelo de emergencia. Llamé a mi comadre Consuelo para que se asegurara de que mis hijas llegaran bien de la escuela. Me despedí por teléfono de mi mamita, quien se quedó orando por aquel viaje.

Me llevé un abrigo, los documentos del caso y mi Biblia. Un agente del NIE me llevó en tiempo record al aeropuerto y coordinó una escolta de la policía en el aeropuerto para el regreso. Yo regresaría con la menor esa misma noche a la isla, cerca de la una de la mañana. Así fue que estrené mi carnet oficial de procuradora con la línea aérea. Me dieron prioridad para abordar con la niña. Y también fue la presentación oficial con el alguacil del tribunal, quien me esperaba con la pequeña Sarita.

Cuando llegué al aeropuerto de Newark, justo en la salida para tomar los aviones se encontraba el alguacil junto a una mujer policía. La dama tenía sus manos hacia atrás, agarrando a Sarita. Solo le veía sus piernitas blancas y delgaditas detrás de las piernas de la mujer policía. Tan pronto presenté mis credenciales y la copia de la resolución y orden que me había enviado el alguacil vía fax a Puerto Rico, la mujer policía movió hacia el frente a Sarita. Estaba cabizbaja, llorosa y asustada. Le extendí mi mano a Sarita. El alguacil me entregó una humilde maleta con pocas pertenecías, y me doblé para estar al nivel de Sarita, la llamé por su nombre. Le dije que yo era Myrna, y que Lucito la esperaba bien contento en Puerto Rico. Eso la hizo alzar su rostro, con sus ojitos tristes, algo asustada. Caminamos hacia el área de espera. Le compré un peluchito, el que Sarita escogió, y unas golosinas. Mientras esperábamos para abordar, le pregunté por qué estaba triste, si pronto volvería a estar con su mamita y sus hermanitos. Me sorprendió con su respuesta llena de ira: "Mi mamá es mala". "Que pasó, cuéntame, yo vine a ayudarte", le dije. Hizo un silencio. "Dime cómo te puedo ayudar. ¿Por qué Claudia es mala?"

Sarita hizo un profundo suspiro, y me dijo: "Mi abuelita se murió porque ella nos abandonó. Yo no quiero que me haga lo que le hizo a Lucito".

"¿Qué fue lo que le hizo a Lucito?", le pregunté.

"Un día le dio con un gancho, y lo dejó cojito", me contestó.

Le pregunté: "¿Tú viste cuando le pegó?"

"No", me dijo.

Entonces le pregunté: "¿Y cómo lo sabes?"

Suspiró profundamente: "Papi Carlos me lo dijo. Y que por culpa de ella mi abuelita se murió". En ese momento abrió su carterita y sacó un frasquito de perfume casi vacío. Me dijo: "Mira, este era el olorcito de abuelita."

"¡Humm! Qué lindo olía tu abuelita", le dije yo.

Bajó su cabeza y guardó silencio. Yo también guardé silencio, pidiéndole dirección a Dios para ayudar a Sarita. Luego retomé el tema. "Sarita, yo conocí a Lucito y he visto su pie. Él nació sin el talón, eso no fue un golpe. No tiene cicatriz. Carlos te mintió para que no quisieras regresar con tu mamita. Mira, yo tengo una carta de abuelita que le escribió a tu mamita antes de morir. Allí decía que ya tú estabas en la escuela, y hablaba de los planes que tenía con Claudia para ahorrar y comprar los pasajes para Claudia y tus hermanitos. Tu mami está sin trabajo y no tenía dinero para viajar cuando murió tu abuelita. Tu mamita lloró mucho al no poder estar en el entierro inesperado de tu abuelita. Nadie tiene la culpa de la muerte de abuelita. Ella se murió de un fallo en su corazón. Fue rápido y no sufrió". Sarita estaba sollozando.

En eso nos llamaron para abordar el avión; Sarita y yo fuimos las primeras en acomodarnos. Nos tocó una fila de tres asientos. Yo le dejé la ventanilla a Sarita y me senté en el asiento del medio. Le acomodé una pequeña almohada y la arropé con una manta que me dio la azafata. Luego se sentó un caballero en el asiento que daba hacia el pasillo.

Sarita volvió a sacar el perfumito de la abuela, buscando seguridad ante aquella experiencia tan extraña. La última vez que viajó en un avión iba con su abuelita desde Puerto Rico a Newark. Iba con la alegría de los sueños que le impregnaron. Tendrían una nueva casa, un mejor futuro y vería un nuevo país y estaba abrazada a su perfumada abuelita. Ahora iba en un avión junto a una mujer extraña que la había desprendido de su papi Carlos. Y que sólo le estaba ofreciendo que la regresaría a su madre, de quien le habían inculcado un gran temor.

Así que aproveché para retomar el tema de su encuentro con su madre. "Sarita, además del olorcito que quedó en ese potecito, tienes otras cosas hermosas de tu abuelita".

"¿Qué?", me dijo resignada. "Tienes el recuerdo de todos los cuidados que tuvo contigo, y te dejó a alguien que ella quiso mucho". Con curiosidad me preguntó: "¿Quién?"

"Tu abuelita quería mucho a su hija Claudia. Tu abuela estaría muy feliz si supiera que vas a estar otra vez con tu mamita. Mira, yo tengo dos nenas, y las amo mucho; pero hoy las dejé con su abuelita para venir a buscarte a ti. Eso no quiere decir que yo las abandono, o que no las quiero. A veces tengo que viajar por mi trabajo. En Puerto Rico las abuelitas ayudan a las mamás a cuidar nuestros hijos". Entonces le conté cómo conocí a Claudia y todo lo que ella trató de hacer para conseguir a su hija de nuevo. Y cómo ha estado sufriendo. "Sarita, si tú no le importaras, tu mamita no hubiera buscado nuestra ayuda para buscarte. Tu mamá te ama. Comprendo que estás triste porque ya tu abuelita no está. Pero no debes sentir coraje con Claudia porque ni ella ni nadie tienen la culpa. Y sabes, Papá Dios quiere que los hijos amen a sus madres. Te voy a leer en la Biblia lo que desea Dios: 'Él hará volver el corazón de los padres hacia los hijos, y el de los hijos hacia los padres, no sea que yo venga y hiera la tierra con maldición'"[331].

Sarita comenzó a hacerme preguntas sobre el tema. Sobre la muerte, y dónde estaba su abuelita. "Los que no conocen a Dios o lo conocen pero lo rechazan, esos no entran a su gloria. Si tu abuelita reconoció a Jesús como su Salvador, está en la presencia de Dios. La gloria es hermosa. Las calles son de oro, el mar es de cristal, está adornada con piedras preciosas y Dios la ilumina con la luz de su presencia[332]. Sarita me dijo: "¡Qué lindo es el cielo!"

Así seguimos hablando de Jesús hasta que Sarita se quedó dormida agarrada de mi mano. El caballero que estaba a mi lado había escuchado nuestro diálogo. De pronto rompió el silencio. "Señora, ¿de qué usted trabaja?"

"Soy fiscal en asuntos de familia". Él entonces se presentó. Era puertorriqueño y me dijo que trabajaba de guardia en una penitenciaría de Newark, y añadió: "Nunca había visto una fiscal así. Le he estado escuchando y me he sorprendido. Primero pensé que la niña era su hija, pero luego comprendí por la conversación que ustedes no son familia".

Quise cambiarle el tema para no entrar en detalles sobre aquella niña, y le pregunté: "¿Va de vacaciones a la isla?"

Con la mirada perdida, me dio una extraña respuesta: "Pues, no sé, creo que sí".

"¿Cómo, no está seguro?"

"Bueno, la verdad es que no sé ni por qué tomé este avión; de pronto me dio un arrebato y compré hoy mismo el pasaje. Ni siquiera traigo equipaje. Llamé a un amigo a ver si me recoge en el aeropuerto. Todavía no sé por qué estoy aquí".

"¿Tiene familia en Puerto Rico?", le pregunté.

"Me quedan algunos primos, que hace años no veo". Hizo una pausa y me dijo: "Señora, venía oyendo lo que ustedes hablaban y creo que Dios quiso que tomara este avión para escucharlas".

Por la manera que se expresó, pensé que era creyente. Pero le pregunté: "¿Es usted cristiano?"

Hizo una mueca en su rostro. Tomó aliento y manifestó: "Estoy apartado. Yo nací y me crié en el evangelio. Desde niño iba a una iglesia pentecostal. Ya de adulto decidí venir aventurar a New York, me envolví con los panas[333]. Y dejé de ir a la iglesia. Los años han pasado y dejé de buscar de Dios. Ahora que me senté aquí, les escuchaba y pensaba que realmente este viaje no tiene ningún sentido. De pronto me dio con llegar hasta el aeropuerto, compré este pasaje y aquí voy. Creo que Dios me sentó aquí para escuchar sus palabras".

Aquel hombre tenía lágrimas en sus ojos. Le dije: "Bueno, digamos que usted sí estaba de vacaciones, pero se le acabaron. Este viaje es para que regrese a los caminos, antes que sea demasiado tarde. Jesús le ama y desea que usted torne al corazón del Padre celestial". Hicimos una oración de reconciliación.

Cuando fuimos llegando, desperté a Sarita para que viera las luces de Puerto Rico desde las alturas. Sarita miró por la ventanilla. "¡Es muy bonito!", exclamó. El avión aterrizó y Sarita se unió al consabido aplauso de los boricuas dentro del avión tan pronto llegamos a tierra.

Bajamos al área de carrusel, donde se recogen la maleta. La planta alta del área de carrusel era toda de cristales. Desde allí las personas podían mirar hacia abajo y ver a los pasajeros mientras recogían las maletas.

Escuché una algarabía. Cuando alcé mi vista, me llené de una gran emoción. "¡Sarita, mira, mira arriba!" Aquellos cristales estaban a punto de reventar con la gente del proyecto del vecindario de Claudia y Sarita, apretujándose con carteles de bienvenida para Sarita y saludándola.

En la planta baja se encontraba la escolta de la policía con Claudia y los hermanitos de Sarita. El pequeñito Lucito, saltando con su cojera, como un celaje, se le escapó a la escolta corriendo hacia la niña: "Sarita, Sarita".

"¡Lucito!", gritó la niña. Se dieron el abrazo más lindo e intenso, y que no alcanzo a describir. Siguieron gritos boricuas y aplausos de los vecinos y amigos. Lucito le arrancó lágrimas a los policías. Yo también lloré. Sarita estaba tan feliz que cuando la llevé hasta su madre ambas se confundieron en un intenso abrazo. Ya no era la niña atemorizada por las mentiras de aquel tío Carlos.

Aquel fue mi primer caso como procuradora en defensa de los niños.

CRYSTAL

Luego de haber estado alrededor de catorce años sola, criando a mis dos hijas, Dios me reencontró con Michael, el noviecito de mi juventud. Nos conocimos en 1968. Cada cual tomamos rumbos extraños y distantes. Él se había ido a la fuerza aérea, a algún lugar del mundo. Había trascurrido más de veinte años. Él también había enviudado. Nos casamos en mayo de 1997. Dentro de toda aquella felicidad, yo estaba de vacaciones, de luna de miel, cuando me llamaron del Departamento de Justicia para que me reportara por necesidad del servicio. Aunque me informaron que sería algo provisional, lo cierto fue que me trasladaron a la Procuraduría de Fajardo, un pueblo al noreste de Puerto Rico. Mi asignación original era en el Tribunal de Carolina, apenas unos quince minutos de mi residencia.

Ahora que estaba recién casada tendría que viajar todos los días alrededor de cuarenta y cinco minutos. Tenía que salir más temprano y llegaría más tarde. ¡Ay!, dejar mi esposito, que apenas había recuperado después de tantos años. Mi deseo era llegar temprano a casa, cocinar y estar con mi amado esposito y mis dos preciosas muñequitas. Aquel súbito traslado me resultaba bien inoportuno. Una madrugada me levanté a orar, le reclamaba a Dios por qué permitió ese traslado en un momento tan valioso de mi vida. Sentí en mi corazón su diplomático regaño. "No pienses en ti. Vas a ser de bendición a otros". Con todo y ello, le dije a Dios: "Pues, Papá, avanza y dime a quién deba bendecir. Quiero regresar temprano a mi casa".

Un día del mes de junio de 1997 me llegó un caso de protección de menores. En la sala del tribunal estaba una mujer solicitando que el Departamento de la Familia le devolviera a su niña, y yo era la defensora designada para la niña. La menor no estaba presente. Aquella mujer había sido recluida en un hospital de salud mental, como parte de un acuerdo de un caso de violencia doméstica, donde ella fue la agresora de su entonces marido. Él no quiso hacerse cargo de la menor de ocho años porque no era su padre. El Estado, como medida protectora, se hizo cargo de la menor. Una vez fue dada de alta la mujer y habiendo sido estabilizada su situación emocional, lo que procedía era devolverle la niña.

Durante aquella vista para devolver la menor a Nilsa Gierlbolini, la trabajadora social del Departamento de la Familia trajo a mi atención su preocupación de que la mujer le había entregado una fotocopia de un certificado de nacimiento de la niña y se mostraba evasiva a producir una copia certificada del acta de nacimiento. De aquella fotocopia surgía que la menor se llamaba Sonia Gierbolini, y no había sido reconocida por el padre. Tampoco Nilsa les presentó el record de las vacunas de la menor, según es requerido por ley para todo niño en Puerto Rico.

Según la versión ofrecida por Nilsa, la niña aunque era hija de su anterior matrimonio, el padre se había negado a reconocerla. Ellos se habían divorciado en San Diego, California, y ella regresó con la niña a Puerto Rico. Al tiempo se casó con el hombre contra el cual ella había cometido los actos de violencia doméstica.

En un caso común y corriente de una menor cuidada por el Estado mientras la madre esté hospitalizada, tan pronto es dada de alta, lo que el tribunal suele hacer es ordenar la devolución de la niña. Se cierra el caso judicial y se deja abierto administrativamente en el Departamento de Familia, para dar seguimiento a las vacunas y para la entrega de cualquier documento que aún faltase; y a través de los programas de Child Support (pensiones alimentarias) se localizan los padres evasores y se gestionan las filiaciones paternas. Por lo que las procuradoras no hacíamos mayores reparos a la entrega del menor en tales situaciones.

Sin embargo, cuando me tocó el turno como defensora de la menor, Dios cambió en mi boca lo que estaba pensando decir. Yo misma me sorprendí cuando dije que para el mejor bienestar de la niña me oponía a que se le entregara la menor a Nilsa, hasta que ésta produjera el acta de nacimiento debidamente certificado, para yo asumir las gestiones de dar con el paradero del alegado padre. Aquello resultó poco persuasivo al tribunal. La jueza me inquirió cuál era mi fundamento para un reclamo tan drástico (En segundos, pensé, por qué dije esto. ¿Y ahora qué digo? Pero seguí hablando como Dios dispuso.). "Esta señora dijo que vino de San Diego, California; no tiene empleo, se puede ir de la jurisdicción y no tenemos confianza que haya de cumplir con lo aquí requerido. No sabemos si realmente la niña ha sido vacunada, y pone en riesgo su salud. Por lo que le solicité al tribunal que se retuviera la custodia de la menor, y que también le ordenara a la mujer entregarle al propio tribunal, so pena de desacato, una copia oficial del certificado de nacimiento y la prueba de las vacunas". Dios tocó también el corazón de la jueza, porque aquel argumento no era tan sólido. El tribunal concedió mi petición y le ordenó a la que decía ser la madre de Sonia cumplir con lo solicitado por el Ministerio Público.

Al terminar la vista, el Espíritu Santo me movió a pedirle a la compañera abogada del Departamento de Familia que en la siguiente semana me hiciera llegar unas fotos de Sonia, mostrando cada lado de su rostro y su orejitas. Una foto de frente seria y otra sonriendo. Eso no estaba en el protocolo de manejo de casos. Era la primera vez que alguna procuradora requería fotos de un menor en un caso de maltrato. De hecho en la mayoría de los casos los procuradores manejan los casos estrictamente por los documentos sometidos y casi nunca se conocía por fotos ni personalmente al menor, a menos que el tribunal ordenara alguna comparecencia especial del menor. Sólo en los casos altamente controversiales los procuradores entran a relacionarse con el menor. Al menos esa era la práctica establecida para aquel tiempo. Después de la experiencia de este caso, la Procuraduría de Familia del Departamento de Justicia tomó más conciencia de lo importante que es la relación personal de la procuradora con los menores.

Ese día tan pronto llegué a la oficina rendí un informe escrito a nivel central sugiriendo que podía tratarse de una niña secuestrada; y les solicité que refirieran el caso al Negociado de Investigaciones Especiales (NIE) para que se gestionara ayuda con algún Estado colaborador que tuviera el programa *Missing and Exploited Children*. En aquel tiempo Puerto Rico no tenía ese programa de servicios. Me denegaron la petición. Yo estaba consciente que ante los hechos que tenía ciertamente no se justificaba mover toda aquella maquinaria investigativa, pero fue lo que Dios puso en mi corazón. La única persona que siempre creyó mis sospechas fue la Supervisora de los Trabajadores Sociales del Departamento de Justicia, Eneida Alvarado.

Días después recibí las fotos de la niña. Por primera vez vi a aquel ángel hermoso, con una sonrisa llena de inocente alegría. Ver su foto me dio fuerzas para seguir insistiendo que se investigara su caso a través del NIE, sin saber que aquella hermosa sonrisa se convertiría en la clave para descubrir su verdadera identidad. El NIE finalmente aceptó el caso, como una ayuda humanitaria sólo para localizar al supuesto padre de la niña.

En las semanas siguientes Dios me mostraba cosas extrañas en sueños, que yo no entendía. Veía un grupo de gente montada en motoras, vestidas de negro, con símbolos satánicos y alguien corriendo con un bebé para ser sacrificado en un culto satánico; veía el rostro de una mujer y la de un hombre blanco caucásico; aunque vi aquellas caras con toda claridad, no los conocía. Aquellas pesadillas me hacían sufrir, y me levantaba a orar.

Un día el Departamento de Familia me notificó que la presunta madre estaba solicitando ver a la menor, y que le habían visto rondar la escuela de la niña. Autoricé que le permitieran ver a la menor con supervisión de la agencia y coordiné con los agentes del NIE para que entrevistaran a la señora para ampliar los datos de la búsqueda del alegado padre. Luego de la entrevista, uno de los agentes me llamó preocupado y me dijo: "Procuradora, yo creo que usted tiene razón, hay algo raro en aquella mujer". El agente Ismael Cintrón me dijo que observó que la menor no tenía parecido alguno con los rasgos de la mujer, y durante la conversación con los agentes ella cambiaba las versiones ofrecidas sobre su relación con el alegado padre y en torno a su llegada a Puerto Rico con la menor. En la tarde recibí una confidencia de un ciudadano, que unos amigos de la mujer se proponían ayudarla a salir del país con la menor. Como medida preventiva, ordené sacar a la niña de la jurisdicción de Fajardo esa misma tarde.

Se cumplió el término que el tribunal le dio a la presunta madre para que presentara los documentos al tribunal. El abogado de la mujer informó que había perdido contacto con su cliente, por lo que solicité al tribunal que la hallara incursa en desacato criminal, y se ordenó su búsqueda. La búsqueda tomó varios días, hasta que el alguacil Altieri logró arrestarla. Estando en prisión, la mujer insistía en ver a su hija. Le pusimos como condición que nos probara que era su hija mediante una prueba de ADN. Por medio de su abogado ella aceptó.

Días después me llamó el Inspector José Berrios para informarme que la codificación de la copia del certificado de nacimiento que Nilsa le había entregado al Departamento de Familia correspondía al certificado de la propia Nilsa, y no existía ninguna menor registrada oficialmente con los datos de dicho certificado. Entonces la INTELPOL del NIE asumió la investigación de aquel caso.

Semanas después me encontraba atendiendo unos casos en la sala del tribunal, cuando la jueza me llamó al estrado y me mostró el resultado del ADN. Nilsa no era la madre de Sonia. La inesperada noticia nos afectó y comenzamos a llorar. Aunque ambas estábamos acostumbradas a escenas duras, aquello nos tomó por sorpresa, pues la mendacidad de aquella mujer muchas veces me hizo sentir injusta. Sentía que estaba negándole a una mamá ver a su hijita. Y el hecho de que ella se sometiera a aquella prueba me hacía pensar que en efecto era la madre. Cientos de preguntas pasaron por mi mente en un segundo. ¿Quién era aquella niña? ¿Si se localizaría a sus padres? ¿Si estaban vivos? ¿Por qué arrebatar a una criatura de sus padres? ¿Cómo explicarle la verdad a la menor? Pues para Sonia aquella era su madre, y también nos pedía verla. Y eso sí nos partía el alma.

Los agentes del NIE siguieron investigando, localizaron al presunto padre y él dio información valiosa sobre aquella mujer y la niña. La niña estuvo en San Diego, California. Los agentes buscaron a través del sistema computarizado de *Missing Children*. Entre miles de tristes casos, limitaron la búsqueda a criaturas de raza blanca hasta las edades de siete años y del sexo femenino. (Vean cuán importante es la identidad sexual para la seguridad del propio menor, y así los *gayolas* pretenden suprimir la identidad del sexo de cada menor).

De pronto, la foto de una bebita de nombre Crystal, con una preciosa sonrisa, le llamó la atención al agente Ismael Cintrón. Comparó aquella sonrisa infantil con la de Sonia, y eran muy parecidas, y se lo comentó a su colega, el agente César Nieves. Nieves captó que los datos sobre el caso de la foto decían que el lugar de donde desapareció fue San Diego, California, allá por diciembre de 1990, cuando era una bebé de catorce meses. Misteriosamente fue extraída de su dormitorio, y cuando sus padres se levantaron en la mañana, no la encontraron en su cama. La pesquisa en California estuvo a cargo del sargento Jim Munsterman. Luego de una investigación infructuosa por varios años, las autoridades de California cerraron el caso como un posible asesinato sin esclarecer. Los agentes saltaron de alegría, cuando se percataron que la fecha de nacimiento junto a la foto de la bebé era la misma que se indicaba en el certificado falsificado. Lo que era indicativo de que Nilsa conocía su víctima desde antes de su secuestro.

El NIE se puso en contacto con las autoridades de San Diego, California. ¡Aquello les era increíble! ¡Era un milagro! El caso pasó a manos de la fiscalía criminal de Puerto Rico; y el FBI asumió la jurisdicción. Lo que parecía la locura de una procuradora cristiana, a quien Dios le revelaba datos, se convirtió en el caso del siglo en la isla. Dios es real y Dios nos usa cuando rendimos nuestros talentos a Él. Dios me había movido a Fajardo para que fuera su vaso, y poder recuperar una inocente niña de manos de una perversa mujer.

Al descubrirse la verdad de que ella no era la madre, Nilsa se inventó otra historia. Ella negaba conocer a los padres de la menor. La nueva historieta era que un día un hombre le dejó su hija para que se la cuidara un momentito, y jamás regresó. Con ese cuento triste ella y sus abogados lograron conmover a todo el país, aparentando que ella era una inocente y buena samaritana y que se le estaba juzgando injustamente. Manipularon tanto a la opinión pública que un día en mi iglesia alguien pidió oración por aquella inocente señora, que estaba siendo acusada injustamente y le querían quitar la niña que ella crió. Como los casos de menores eran sumamente confidenciales, nadie en mi iglesia sabía que era yo la "villana" que estaba detrás de aquel caso. Mi identidad todavía no había trascendido a la prensa. Yo guardaba silencio, solo les advertí que el Departamento de Justicia tenía pruebas de que esa mujer mentía.

Más impactada quedé cuando vi unas fotos durante la reunión con el FBI sobre las teorías del secuestro. La mujer que yo veía en sueños era el rostro de la verdadera madre de la menor. El rostro del hombre era el mismo que resultó ser un amante en común que tuvo Nilsa y la mamá biológica de la menor. Según la información que se ofreció, el hombre se llamaba Jeff Foster, un ex narcotraficante que tenía o era parte de una ganga de motociclistas, con los cuales Nilsa frecuentaba California. Nilsa alegaba que fue Foster quien le entregó la niña. Aquel hombre estaba en prisión por otros crímenes. Del organigrama del posible secuestro surgieron datos de que aquel hombre era parte de un grupo de motoristas que vestían de negro, con símbolos satánicos, y había la teoría de que hacían ritos de sacrificios humanos. Luego del secuestro de la bebé en 1997, los padres se divorciaron. La mamá de la menor perdió la custodia de su otra hija por alegadamente estar envuelta en asuntos de drogas. Tanto Foster como Nilsa frecuentaban la casa donde los padres de la menor tenían alquilada la habitación de donde la niña fue extraída. El FBI y el Gran Jurado asumieron jurisdicción del caso, por lo que aquella delincuente sólo pudo ser procesada en Puerto Rico bajo cargos relacionados con la falsificación de documentos.

Antes que llegaran los padres de la menor a Puerto Rico, trabajábamos con la niña para ayudarla a entender el trauma que estaba viviendo. Después que regresaba de Fajardo para atender a mi familia, salía de noche a visitar a la niña en el hogar sustituto. Estábamos preparando el camino para decirle cuál era su verdadera identidad. Aquella familia en el hogar sustituto fue una bendición para poder trabajar con la menor. La trabajadora social Alvarado hizo una labor magistral al contarle la verdad a la niña de la manera menos dolorosa posible, en medio de aquella traumática experiencia que la niña estaba viviendo. Llegó el día de la verdad. Mientras se daba esa crucial reunión de la niña y Alvarado, me mantuve en la oficina orando para que la niña no se afectara más, reclamando la Palabra de Dios: "Conoceréis la verdad y la verdad os hará libres"[334].

Primero se le hizo un cuento tipo cenicienta, sobre una princesita que fue secuestrada por una malvada mujer; no obstante, como la princesita era tan bonita le puso un nombre lindo. En el cuento se le dieron todos los detalles de su verdadera historia. Un día su hada madrina descubrió que la princesa tenía un nombre todavía más lindo. Se llamaba

Crystal y que tenía una hermanita que soñaba jugar con ella y que sus papás venían a rescatarla. Una vez la niña fue haciendo preguntas sobre el cuento, entonces la trabajadora social le reveló que la princesita del cuento era ella misma. Ella fue procesando poco a poco con buenas expectativas lo que sería su encuentro con su verdadera familia. Como transición, la llamábamos usando los dos nombres, Sonia Crystal.

Llegó la Navidad y el hogar sustituto estaba hermosamente decorado. Entre los adornos había una mesa con un precioso nacimiento del niñito Jesús en el pesebre. Esa noche la niña estaba algo triste. Había visto en la televisión un segmento donde llevaban presa a Nilsa. Después de todo, aquella mujer era la única familia que hasta entonces conocía. Nilsa había usurpado la figura de madre durante toda la primera niñez de Crystal. La nena pensaba que esa mujer estaba presa por su culpa, así que tuve que trabajar con esa idea de la niña. Le hablé del incidente de agresión que ella presenció cuando Nilsa atacaba al que había sido el esposo y de otras conductas de aquella delincuente que la ayudaran a descartar todo sentimiento de culpa. Luego le cambié el tema. Hablamos del árbol de Navidad y lo que ella quería de regalo.

Le pregunté qué era la Navidad. Me contestó lo único que le habían enseñado. Me dijo: "Santa Claus, hacer una carta y recibir regalos en la fiesta". Mientras me contestaba, Crystal estaba jugando con las figuritas del pesebre. Entonces, usando aquel pesebre, le conté la verdadera historia de la Navidad. De cómo Jesús vino al mundo para salvar a los perdidos, y que pudiéramos regresar un día a la casa del Padre Celestial. Jamás olvidaré su hermosa respuesta, acompañada de su distintiva alegre sonrisa. ¿Qué fue lo que le cambió su tristeza? Me dijo: "Entonces, ¿yo no soy la única niña perdida?" Aquella linda reacción de una criatura inocente es una gran verdad. "Sí", exclamé. "Todos de una manera u otra estábamos perdidos, y Jesús dio su vida para rescatarnos". Comenzamos a reírnos, y espontáneamente me abrazó. Confieso que me sorprendió.

La publicidad en la prensa a favor de Nilsa fue tan brutal que uno de los programas de mayor audiencia para aquel entonces, de una famosa periodista en la isla, Carmen Jovet, levantó fondos para prestar la elevada fianza que se le impuso a aquella delincuente. Le hicieron creer al público que era una inocente mujer caritativa que crió a la niña abandonada. La gente hasta le pedía autógrafos. Hubo compañías de comercio que le hicieron obsequios como si fuera una celebridad, al extremo que contrajo nupcias con un admirador y Carmen Jovet fue la madrina de bodas. Nilsa desfiló como una regia princesa de un cuento de hadas, ocupando primeras planas de la prensa, ¡cuál heroína que se proponía luchar por la custodia de la niña!

Los procesos continuaron. Yo continúe en la coordinación de traer a los padres al foro, y representé a la menor en la vista de entrega de custodia. El caso se complicó porque los padres se habían divorciado a raíz del secuestro de la niña. Ambos reclamaban la custodia, y para colmo el Departamento de Familia se opuso a que se llevaran de Puerto Rico a la menor. Michael me ayudaba con el inglés, y de noche yo llamaba a ambos padres a Oregón y California, hasta lograr un acuerdo entre ambos. La madre accedió a que la menor se fuera con el padre. El tribunal le entregó la custodia al papá. Reunimos a la familia completa dentro de la base militar de Buchanan, evadiendo así la intromisión de la prensa en un momento de gran intimidad. Poco tiempo después Nilsa agredió a su nuevo cónyuge, luego agredió a una mujer en sus relaciones de lesbiana, y se fue desinflando la imagen de la abnegada samaritana. Nilsa fue una de tantas niñas que perdieron la identidad de sus verdaderos padres desde pequeña. Luego fue adoptada. Aunque esto no justifica el daño que le causó a una inocente niña, sí nos debe urgir a defender y a cuidar de los huérfanos.

Cuatro meses después volvimos a ver a Crystal, muy feliz con su familia en Washington DC, cuando el Congreso de Estados Unidos le otorgó a Puerto Rico y a California la primera medalla de *Missing and Exploited Children* por la solución del caso. Señalando que la investigación en Puerto Rico se realizó en un tiempo récord. ¡Por supuesto, Dios estaba en el asunto! Gracias al Caso Crystal, el gobierno federal asignó fondos, y Puerto Rico tiene por fin su propio programa de *Missing and Exploited Children* bajo el NIE. ¡La gloria es toda para Dios!

Capítulo 14

No todo lo que brilla es oro

En la vida moderna se dan otros tipos de secuestros que atentan contra la verdadera identidad de los niños. Ahora tener un niño se ha convertido en algo similar a tener un *puddle* con las uñitas pintadas; a adquirir una mascota en el *pet store* (tienda de mascotas) o encargarlo a las casas de crías de perros con ciertas especificaciones sobre sus características.

Los adultos irresponsables y ególatras venden y compran óvulos o semen, alquilan vientres como perras o vacas de crías, para fabricar criaturas humanas, en claro menosprecio a la necesidad humana de que los bebés necesitan tener un padre y una madre. Los adultos pisotean el derecho fundamental de todo niño, su derecho humano a conocer su verdadera identidad, a tener el amor y el calor de su madre y de su padre.

El comercio de genética humana es sin duda otra modalidad de tráfico humano, tan brutal como el mismo secuestro. Todo por satisfacer los caprichos de los adultos que tienen capacidad económica para pagar y ejercer un prepotente dominio sobre otros seres inocentes; unos para explotación sexual, otros para explotación de fama, otros para propagar la conducta homosexual, otros para hacer dinero y un sinnúmero de oscuras intenciones. Otros por un amor enfermizo, como el que hizo a Crystal ser una niña arrancada de su verdadera familia. Este tráfico genético es totalmente ajeno al afecto natural que envuelve el amor entre un hombre y una mujer para procrear otro ser humano. Este comercio genético es sin duda otro de los objetivos expresados en la Agenda Homosexual de Michael Swift: "La familia será abolida por ser un semillero de hipocresía, etc., y en su lugar los niños serán procreados en laboratorios y educados por intelectuales homosexuales".

Por lo general las personas que practican este tipo de procreación, ya sea los donantes como los compradores, provienen de experiencias disfuncionales con sus figuras maternas y/o paternas. En particular la población *gayola* propone erradicar la figura de una madre o el padre porque guardan alguna herida contra esa figura. Se proponen ser padres solos o en parejas del mismo sexo, criando un hijo, emulando lo que desearon tener: la figura paterna que se alejó o perdieron. O una figura paterna debilitada por los comentarios cargados de la madre que tuvieron, como fue el caso de Dr. Money.

Algunas mujeres homosexuales erradican la figura de un padre o la madre, con quien no se pudieron relacionar adecuadamente, haciendo una réplica en sus hijos del vacío y la amargura que no han podido resolver. Sin importarles que estén afectando a otro ser que no tiene culpa de nada. Estos individuos están tan centrados en sus amarguras acumuladas y en su propia imagen que sólo buscan su mezquina complacencia. Piensan que dándole todo lo material a esa criatura ya lo hacen excelentes padres o madres. No les importa que hayan creado un huérfano de madre o padre por pura voluntad.

No señalo este problema por mera crítica. La figura de un padre y de una madre es algo más allá de nuestras preferencias, tristes experiencias o recursos. En mi trabajo como procuradora conocí el dolor de miles de niños huérfanos. Sé cuánto sufren. Vi casos de adultos que fueron hijos adoptados que todavía siguen buscando su verdadero origen. Yo crié sola a mis hijas y conozco la tristeza de ellas. Aunque ya son adultas, seguimos trabajando con esa realidad. Es algo que duele para toda la vida. Sólo el poder de Jesús puede trasformar ese dolor en fuente de bendición.

Los padres y madres que por circunstancias ajenas a nuestro control nos ha tocado consolar a nuestros hijos sabemos cuán difícil es esta experiencia para los niños. Es un crimen contra la humanidad que los científicos y los médicos, por dinero, produzcan intencionalmente huérfanos por diseño, al capricho de los compradores en ese tráfico humano.

Resulta irónico que el *gayola* Ricky Martin presuma de benefactor de los niños y sea uno de esos gestores de tráfico humano; se confeccionó dos criaturas y a su vez tiene la osadía de proclamarse un paladín internacional de la niñez contra el tráfico humano, el abuso y el maltrato. No hay mayor maltrato y abuso que negarle una madre o un padre a un niño.

Recién murió mi anciana suegra. Ya tenía ochenta y siete años. En su lastimera agonía, cuando ya apenas podía comunicarse y su vida se iba apagando, en su queja de dolor decía en español, *¡Ay, mamita! Ay, mamita*. Su médico era hindú, y como no entendía el español nos preguntó qué era lo que ella decía. Cuando mi esposo le tradujo aquellas expresiones, el doctor dijo algo que me hizo reflexionar sobre este último tópico de mi libro. Nos dijo asombrado: "¿Por qué será? Yo he visto eso mismo en mi cultura hindú; cómo la gente aún viejitos claman por su mamá en momentos de angustia". Es el nexo de nuestra primera relación humana, que va más allá de una mera cultura. Es nuestra naturaleza, es un lazo desde antes de nacer. Es nuestra humanidad. Es nuestro derecho humano. Por lo que tenemos que repudiar que gente cruel y pervertida les esté quitando ese derecho humano a una criatura. Ya sea mediante un secuestro, o cuando es abandonada por sus propios padres, o cuando es genéticamente comprada en ese tráfico humano inmoral. Privan a una criatura indefensa de su verdadera identidad.

Dios me dijo que buscara en internet la información sobre la tan cacareada[335] fundación, de Ricky. He estado orando para que Dios me revelara qué hay en esta aparente noble causa, qué hay detrás de tanto amor publicitario por los niños. Y esto es lo que Dios me ha revelado. Usted llegue a sus propias conclusiones:

El logo de la fundación se llama Tau[336] y parece ser la inofensiva silueta de un niño. Sin embargo, son dos símbolos integrados del vudú. La estructura del diseño consiste en una S invertida sobre un muñeco de vudú, cuyo rostro solo tiene las dos cuenquitas de los ojos.

La S invertida es parte del "veve" del demonio principal del vudú de Haití, llamado en francés Barón Samadi[337], señor del cementerio y de la muerte. Lo representan con el rostro de una calavera; solo se le ven las cuencas de los ojos. La S invertida en el logo queda sobrepuesta, dándole la forma al muñeco logo.

Dicho muñeco, aunque más estilizado, es análogo en rasgos y tamaño a un muñeco de vudú que se ilustra en el portal de internet http://www.voodoo-curse.com/. La silueta del logo Tau tiene sus alfileres, simulando ser las extremidades del cuerpito blanco, y una antenita en la cabeza. El logo es parte de una camiseta negra que distingue a la organización. En dicho portal sobre vudú, que Dios me llevó a descubrir, entre otras cosas dice: "*...there are people in this world who deserve as much bad luck as is humanly and spiritually possible. Child molesters, rapists, sadistic and cruel parents, partners, and ... those involved in the trafficking of women and children for prostitution*" (...hay personas que merecen todas las maldiciones espirituales posibles. Los que abusan de los menores, los violadores de niños, los sádicos, padres crueles... aquellos que se dedican al tráfico humano de mujeres y niños para prostitución...) En el portal de la fundación encontrarán un lenguaje análogo; no menciona el vudú, por supuesto, pero describe sus propósitos, aparentemente dirigidos a brindar ayuda a los niños abusados y maltratados y a concientizar sobre la violencia contra menores, el tráfico de niños para prostitución, pornografía[338], etc.

La fundación brindará a los niños una "educación con un enfoque holístico". Entre sus directores tiene al ex secretario de educación Dr. Cesar Rey, quien instituyó la educación sexual en el Departamento de Educación, siguiendo la ideología criminal de Alfred Kinsey[339], y la teoría de género de Money.

Tau es la letra 8 del alfabeto griego, y también se usaba en la Antigüedad como símbolo de muerte[340]. Tau en la mitología guaraní es un espíritu del mal, o demonio encarnado en un hombre atractivo que viola a una mujer y le hace otros siete hijos (demonios).[341]

Con el pretexto de levantar fondos "pro la niñez", Martin con su fundación está vendiendo una vela que a su vez tiene en su tapa otro diseño análogo a otros "veves" del vudú haitiano. El "veve" supone ser un símbolo o señal para que el espíritu o "loa" en particular que se esté invocando entre en el lugar donde esté el diseño y tomé posesión de las personas. La vela tiene un nombre en francés "Bois de Tau", y su precio es de 69 dólares, número que se usa para referirse a una posición sexual muy practicada por homosexuales. La descripción de los "encantos" de la vela dice: "Esta vela evoca un viaje emocional a través del aroma que remite a un lugar mágico en un viaje liberador, de amor y paz, cuyo destino final es un lugar de tranquilidad y placer".[342] Este lenguaje habla por sí mismo.

¿Qué significa Bois? Bois Cayman (Bwa Kayiman, en creole) es el lugar de ceremonia principal del vudú en Haití, donde se inició la revolución de Haití por el primer sacerdote de vudú. Bois significa bosque, patíbulo, leña[343]. La fundación es el bosque-patíbulo del Tau. Es el altar para Martin mantenerse en la fama, a cambio de poner las almas de los inocentes niños que ya han sido atacados por otros delincuentes también agentes del maligno; y de las almas de las personas que él cautiva con sus encantos satánicos. Ellos son la leña en el altar de sacrificio. Con el propósito aparente de una linda causa pro-niños, logra acceso a gobernantes y funcionarios de poder a nivel internacional. Se le ha llamado el ícono de los *gayolas*, porque es su embajador, para promover la homosexualidad como una conducta inofensiva para los niños. También Martin es la imagen de turismo del actual gobierno de la isla.

Como recordarán, una de las principales canciones que llevó a la fama a este cantante fue "Livin' la vida loca", y explícitamente comienza con un rezo a la diosa del vudú. Ricky se propone levantar su altar, (la fundación) en el pueblo de Loíza, un pueblo sumamente pobre y altamente conocido por prácticas de brujería, santería y toda clase de ocultismos, en los terrenos de la cueva del barrio María de la Cruz, antiguo cementerio taíno. La cueva en su tope tiene tres orificios que conforman una calavera. Esos terrenos tienen un valor arqueológico importante, y le han sido regalados a la organización del nombre del millonario cantante. Por si fuera poco colinda con una escuela pública. ¡Estratégico!

La Biblia nos indica que en los últimos tiempos los hombres serán si afecto natural, implacables, crueles, aborrecedores de lo bueno, infatuados, amadores de los deleites más que de Dios. Que tendrán apariencia de piedad, pero niegan la eficacia de la piedad.[344] Una generación perversa que no tiene piedad por los niños. El objetivo del enemigo es apoderarse de nuestra niñez, perturbar su identidad sexual con las doctrinas *gayolas*, bajo la perspectiva de género y la desorientación sexual. El enemigo sabe que si la persona no sabe quién es o deja de ser quien es, no llega, como le pasó al desafortunado David Reimer, primera víctima de la teoría de género.

La agenda del enemigo es que las almas se pierdan, y busca destruir al ser humano como creación de Dios. La cacareada fundación se propone dar una educación holística, o sea, que incluye todas las dimensiones del ser humano, incluso su espíritu. Ya vemos por dónde saca su cola. ¡No todo lo que brilla es oro!

Dios puso su arco sobre las nubes como señal de su pacto con Noé que no ha de volver a destruir con agua a la humanidad; pero la segunda venida de Cristo está a las puertas. Las mentes corrompidas de esta generación se han atrevido a apropiarse del símbolo del arcoíris y doblan sus rodillas a falsos dioses, pensando que no han de ser destruidos, desafiando la misericordia de Dios. Dios no busca destruir, sino salvar, retomar las vidas perdidas y abrazarles en el dulce nombre Jesús. Todavía hay oportunidad de salvación, incluso para Ricky Martin y toda persona cautiva como él. Martin también fue un niño lastimado y explotado, pero ha errado con lo que él entiende es la "copa de la vida". Mas su copa es camino de muerte, tanto para él como para los que él pretende "salvar" usando prácticas de las tinieblas.

Jesús dijo: "Dejad que los niños vengan a mí, y no se lo impidáis; porque de los tales es el reino de Dios" (Luc. 18:16). Retomemos el pensamiento intelectual y nuestras armas espirituales para arrebatar el botín. ¡Los niños! "...derribando argumentos y toda altivez que se levanta contra el conocimiento de Dios" (2 Cor. 10:5); sin temor alguno, porque con Dios ¡somos mayoría!

NOTAS

INTRODUCCIÓN

[1] *Ricky Martin gay icon makeover,* March 21 2011. Confession of Cybernegreess.

CAPÍTULO 1

[2] *Gayola* para referirse a la agenda "Gay". La palabra "Gay" no existe en español; es un anglicismo para referirse a homosexual y sus variantes de nomenclatura sobre la conducta de tener relaciones sexuales con personas del mismo sexo (lesbiana, transexual, bisexual, etc.). *Gayola* es una palabra en español que se define como jaula, cárcel, prisión (Diccionario Manual de Sinónimos y Antónimos de la Lengua Española Vox. © 2007 Larousse Editorial, S.L.). Describe el estado de mente cautiva, de presos o cautivos del enemigo. Los propios *gayolas* describen su encierro; lo llaman estar "encerrado en el closet". Sin duda desean ser liberados, ello le llaman "salir del closet". La palabra "Gay" se acuñó en la jerga de prisiones. La agenda *gayola*, resumida en el Manifiesto Homosexual de Michael Swift, es un arma de destrucción masiva. Esa ideología de destrucción masiva, esa ideología totalitaria, hay que denunciarla y combatirla en la enseñanza de la academia, en la palestra pública y en el mercado de ideas en una democracia. La etimología de la palabra *gay* significa alegre "*full of joy or mirth*", "*merry*"; bonita (cf. O.H.G. wahi "*pretty*"), radiante "*brilliant, showy*" vida promiscua. "*The word gay in the 1890s had an overall tinge of promiscuity - a gay house was a brothel. The suggestion of immorality in the word can be traced back to 1630s.*" En los años 1951 en la jerga del mundo bajo y prisiones se comienza a usar "gay" para referirse a homosexual. (*...gives 1951 as earliest date for slang meaning "homosexual" (adj.), but this is certainly too late; gay cat "homosexual boy" is attested in N. Erskine's 1933*

dictionary of "Underworld & Prison Slang;" vida promiscua Gay as a noun meaning "a (usually male) homosexual" is attested from 1971. http://www.etymonline.com/index.php?term=gay

La ideología *gayola* es promulgada por homosexuales activistas, por homosexuales encubiertos en posiciones de poder en espera de que esta conducta sea impuesta para "salir del closet" y otros que aunque no son homosexuales piensan que con ello están protegiendo a sus amigos o familiares homosexuales, o que ingenuamente están mal informados por la propaganda intensa y constante. A todas esas personas les llamo "*gayolas*".

[3] Michael Swift, *Manifiesto Homosexual*; Engels, Federico, *El origen de la familia, la propiedad privada y el Estado.*

[4] En Puerto Rico se le llama marquesina al garaje o extensión de la casa que se usa para guardar los autos. A las marquesinas se les da uso múltiples, para hacer reuniones, fiestas. Y muchas iglesias han nacido en "cultos de marquesinas".

Capítulo 3

[5] Conste que la Universidad Interamericana fue fundada por misioneros cristianos y con fundamentos cristianos.

[6] Expresión de los puertorriqueños para referirse a un desafío para confrontar un problema.

[7] Expresión de los puertorriqueños para referirse a "problema".

[8] "Quiz", una prueba corta.

[9] Festejar.

[10] Expresión puertorriqueña para decir, sin ningún temor, vergüenza o decoro; sin considerar seriamente lo que se expresa.

[11] www.telladf.org/UserDocs/BrookerComplaint.pdf. www.centerforacademicfreedom.org

[12] En algunos países el concepto Country Club se usa para sectores exclusivos de lujosas viviendas o zonas de complejos de recreación y viviendas. Mi Country Club no es nada de eso. Son casas de clase trabajadora.

[13] Los puertorriqueños decimos "nenas" para referirnos a las niñas.

[14] Nuestras ideas estaban confusas. No entendíamos aquellos conceptos de construcción sobre propiedad horizontal.

[15] Expresión boricua para expresar que se siente temor o pánico.

[16] Apariencia suprema.

[17] Calzado deportivo informal.

[18] Cabello alborotado y espeso.

[19] Asientos al aire libre en los parques de juego de pelota.

Capítulo 4

[20] Este tema lo desarrolla Myles Munroe de manera extraordinaria en su libro *Rediscovering The kingdom Ancient Hope For Our 21st Century World* (2004) www.DestinyImage.com

[21] …porque esta sabiduría no es la que desciende de lo alto, sino terrenal, animal y diabólica (Stgo. 3:15).

[22] Cuando era yo pequeña escuchaba decir que la bestia ordenaría marcar a toda persona en la frente o en la mano. Me reía pues me parecía una exageración "religiosa". Para entonces esa idea era inconcebible, pues nadie en mi país en su sano juicio se hacía marcas, que no fueran las prostitutas, los maleantes y los marineros de bajo rango. En nuestra historia solo los esclavos negros y taínos eran marcados como reses, como símbolo de propiedad de sus dueños. Ahora es "chic" tatuarse. La gente se irá acostumbrando a esta modalidad, de manera que cuando el gobierno de la bestia ordene la marca, será algo muy aceptable. Ya muchos cristianos se hacen tatuajes, sin considerar que sus cuerpos son templos del Espíritu Santo. Sobre tatuajes la Palabra en Levítico 18:28 dice: "Y no haréis rasguños en vuestro cuerpo por un muerto, ni imprimiréis en vosotros señal alguna. Yo Jehová".

[23] *Thank God? That's a penalty: American footballer punished player for celebrating touchdown with a prayer* By *Daily Mail Reporter*. Last updated at 5:10 PM on 3rd December 2010/ An American football referee has caused controversy after penalizing a high school player who thanked God after scoring a touchdown. Tumwater High's Ronnie Hastie got down on one knee and pointed to the sky as way of celebration for scoring in the game on Monday, as he has done all season without any sort of retribution before now. But the referee at the game in Washington immediately took offence at his actions and hit the young player with a 15-yard unsportsmanlike conduct penalty. *www.search.aol.com/aol/search?q=punished+for+pray+during+a+game&s_it=spelling&v_t=webmail-*

hawaii1-standardaol. Read more: *http://www.dailymail.co.uk/news/article-1335382/American-footballer-punished-player-celebrating-touchdown-prayer.html#ixzz18RC0fWB2*

[24] www.BPNews.net/bnews.asp?ID=20716.

[25] "The family unit, which only dampens imagination and curbs free will, must be eliminated. Perfect boys will be conceived and grown in the genetic laboratory. They will be bonded together in a communal setting, under the control and instruction of homosexual savants". Michael Swift. *Manifesto Homosexual.*

[26] Más adelante hablamos sobre el caso del Dr. David Parker.

[27] www.Dailymail.co.uk/pages/live.

[28] Dr John Money y Alfred Kinsey son los pensadores proponentes de la homosexualidad como normal y de igual manera proponentes de que se despenalice el incesto. Dra. Reisman, Judith, Kinsey: *Crime and Consequences*, 2 ed. (2000), pág. 79.

[29] Dr. John Money, profesor de Psicología, fundó la primera clínica de cambios de sexo en EU; y Kinsey, el llamado padre de la sexología humana, era tan sólo un zoólogo. Ambos fueron los creadores de la teoría de género y orientación sexual respectivamente.

[30] Pablo se anticipó para decir que "…la cruz es locura para los que se pierden…" 1 Co. 1:18- 24. El hombre natural no percibe las cosas que son del Espíritu de Dios, porque para él son locura, y no las puede entender…" 1 Co. 2:14.

[31] 1 Ts. 5:21; Lm. 3:40.

[32] Rom. 8:19

[33] Diccionario Real Academia Española, http//www.rae.es/rae.htm. 10 marzo 2010.

[34] ¿Con que Dios ha dicho que no comáis de todo árbol del huerto?... No moriréis, Dios sabe que el día que comáis… seriéis como Dios… Ge. 3:1,5.

[35] Tomado de *Puedes Cambiar El Mundo*, pág. 133 Ed. Peniel (ed. 2004).

[36] Tomado de *The Fifty States Reference God in their Constitutions-Truth!* http://www.truthorfiction.com/rumors/g/god-constitutions.htm: http://www.usconstitution.net/states_god.html/:;http://undergod.procon.org/view.resource.php?resourceI=000081

[37] http://www.hubpages.com/hub/barrack-obama-indonesia.

[38] http://www.thetruthwins.com/archives/10-quotes-by-barack-obama-about-islam-contrasted-with-10-quotes-by-barack-obama-about-christianity

[39] "Ciertamente el Dios vuestro es Dios de dioses, y Señor de los reyes". Daniel 2:47.

[40] Const. ELA, Art II Sec. 1.

[41] Id, Sec. 3.

[42] Id, Sec. 4.

[43] Digo egoístamente porque la actitud es: "como eso no nos va a pasar, qué me importa lo que les esté pasando a otros seres humanos en otros lugares".

[44] Ocultar e ignorar un asunto por razones "extrañas" al proceso.

CAPÍTULO 5

[45] En Puerto Rico la palabra "nena" se refiere a niña, chica, y se usa aun entre adultos.

[46] Versión criolla del FBI de EE.UU.

CAPÍTULO 6

[47] Fontana, M, Martínez, P. Romeu P., NO ES IGUAL, Informe sobre el Desarrollo Infantil En Parejas Del mismo Sexo (mayo 2005) www.HAZTEOIR.org. Paris Denis, *¿Qué dice la ciencia sobre la homosexualidad?* Ed. Julisa PR (2010).

[48] STEFANOWICHZ, DAWN, 'THE IMPACT OF HOMOSEXUAL PARENTING' 2010; JUN 14, 2010 ... BUT HOMOSEXUAL PARENTING, LIKE HOMOSEXUAL "MARRIAGE," IS NOT A GOOD THING ... DAWN STEFANOWICZ'S WEBSITE IS WWW.DAWNSTEFANOWICZ.ORG. WWW.RENEWAMERICA.COM/COLUMNS/ABBOTT/100614

[49] Edwards Jakii, and Kurrak, *Like Mother Like Daughter? The effects of growing in a homosexual **home*** (2001).

[50] Periódico *The Star* "Lesbian Couple Guilty of Gruesome murder". www.int.iol.co.za/index.php? 2/22/2007

[51] North American Man/ boy Lover Association.

[52] www.NAMBLA; hhtm. 216220917. Hayonmanboy/love.htm

[53] La palabra heterosexual es parte de la jerga homosexual, para crear ficticiamente clasificaciones igualitarias entre conducta homosexual y la relación hombres y mujeres. Como estrategia de lucha debemos llamar las cosas como son y no usar tampoco la palabra heterosexual.

[54] http://www.thetruthwins.com/archives/10-quotes-by-barack-obama-about-islam-contrasted-with-10-quotes-by-barack-obama-about-christianity; Obama Making Fun of the Bible, www.youtube.com

[55] "We shall sodomize your sons, emblems of your feeble masculinity, of your shallow dreams and vulgar lies. We shall seduce them in your schools, in your dormitories, in your gymnasiums, in your locker rooms, in your sports arenas, in your seminaries, in your youth groups, in your movie theater bathrooms, in your army bunkhouses, in your truck stops, in your all male clubs, in your houses of Congress, wherever men are with men together. Your sons shall become our minions and do our bidding. They will be recast in our image. They will come to crave and adore us."

[56] Homophobic parents are their biggest problem. One solution: their newest project is to provide taxpayer-funded homosexual-friendly homes for "gay" kids to live at, and persuading them to leave their parents' homes. Mass. Commission on Gay Lesbian Bisexual and Transgender Youth declares "homophobic parents are the problem". More money needed, they say. Springfield, MA - Posted: March 27, 2008; http://www.massresistance.org/docs/gen/08a/gaycomm_030708/index.html

[57] www.massresistance.org

[58] Vincent y Pauline, véase pág. 68 de este libro.

[59] Perspectiva de género. Departamento de Educación de Puerto Rico, circular #3 del 23 de julio de 2008, Secretario Rafael Aragunde.

[60] www.massresistance.org

[61] Any man contaminated with heterosexual lust will be automatically barred from a position of influence. All males who insist on remaining stupidly heterosexual will be tried in homosexual courts of justice and will become invisible men.

[62] Véase pág. 67 de este libro.

[63] Véase pág. 67 de este libro.

[64] US ARMY NOW WARNING CHAPLAINS: *IF YOU DON'T LIKE THE HOMOSEXUAL AGENDA, GET OUT!*, AFTER "DON'T ASK DON'T TELL" REPEAL. POSTED: March 21, 2011. http://www.massresistance.org/docs/gen/11a/DADT_chaplains_0321/index.html " CMR has obtained copies of the "Tier One" training documents that the various services are already using to "re-educate" the troops. The training program for Army chaplains, in particular, makes it very clear that dissenters will have no option but to leave the service, if they are eligible and if they do not owe time to the Army."

[65] Caso Dr. Chris Kempling Against the Current: The Cost of Speaking Out For Orientation Change in Canada. www.NARTH.com

[66] "The family unit-spawning ground of lies, betrayals, mediocrity, hypocrisy and violence--will be abolished. The family unit, which only dampens imagination and curbs free will, must be eliminated. Perfect boys will be conceived and grown in the genetic laboratory. They will be bonded together in communal setting, under the control and instruction of homosexual savants."

[67] WorldNetDaily.com Nov. 13, 2005.

[68] Good News Employee v Hick, c-03-3542-VRW 07 (Cir 9no) EU.

[69] *El Vocero San Juan*, martes 18 de octubre 2005.

[70] APA Publishes a New Study: *Not All Pedophile Relationship is Harmful.* www.NARTH.com

[71] www.NARTH.com; Dr. Melanie Spritz, psiquiatra transexual. http://www.carlaantonelli.com/noticias_octubre2005.htm

[72] www.20minutos.es Noticias 125339 9/12/2006.

[73] www.NARTH.com

[74] Dra. Reisman, supra.

[75] Colapinto John. *As nature Made Him, The Boy who was raised As A Girl*, pág. 28 (2001).

[76] "Los ángeles no guardaron su dignidad, sino que abandonaron su propia morada..." Jud 6. La versión en inglés dice: "And the angels which kept not their first state, but left their own habitation..." Holy Bible King James (1960). Todos tenemos la misma dignidad, o el mismo lugar ante Dios, solo que algunos optan por abandonar su lugar. El cuerpo es parte del lugar que le corresponde. Por lo tanto un hombre que atropella su cuerpo en relaciones promiscuas, o para deformarlo y parecer mujer, u otra cosa, él mismo ha abandonado su dignidad. En su esencia sigue

siendo digno como hombre, mas está fuera de lugar, es decir, indignamente incursiona como mujer. Una mujer tiene dignidad en el cuerpo que tiene, por lo tanto si atropella su cuerpo en relaciones promiscuas, o para deformarlo para parecer un varón u otra cosa, ella misma ha abandonado su dignidad. En esencia sigue siendo digna como la mujer que Dios creo, pero ha dejado su lugar cuando incursiona como varón.

[77] Fuster, Jaime, *Derechos Fundamentales y Deberes Cívicos de las Personas*, Comisión Derechos Civiles de PR, (1992) http://www.ponce.inter.edu/cai/bv/derechos/derechos_fundamentales.pdf pág. 28. Fuster fue Juez Asociado del Tribunal Supremo de PR. Decano de la Facultad de Derecho Universidad de PR y autor de varios libros de derecho.

[78] Id. pág. 33.

[79] "...derribando argumentos y toda altivez que se levanta contra el conocimiento de Dios, y llevando cautivo todo pensamiento a la obediencia a Cristo"(2 Co. 10:5).

[80] Prov. 24:6.

[81] "Y había criado a Hadasa, es decir a Ester, hija de su tío, porque era huérfana" (Ester 2:7).

[82] The Coming conflict between same-sex marriage and religious liberty. www.afa.net/websites/weely-5-15-2006.htm

[83] Ester 10.

[84] Ester 9:29; 10.

[85] 1 Pedro 2:9.

[86] "Pues no habéis recibido el espíritu de esclavitud para estar otra vez en temor, sino que habéis recibido el espíritu de adopción, por el cual clamamos: ¡Abba Padre! (Rom. 8:15). (Gálatas 4:5-7).

[87] Fraternidad Pentecostal de PR.

[88] En la actual administración de gobierno (PNP) es el Secretario de Estado.

[89] Engels, F. *El origen de la familia*, cap. II pág. 33 www.marxists.org/espanol/m-e/1880s/origen/cap2.hm

[90] Supra.

[91] Fratichelli, M. Informe. Estudio Preparatorio sobre el Derecho de la Persona y la Familia, del 1999, pág. 160. Comisión Conjunta Permanente para la Redacción del Código Civil, Legislatura de Puerto Rico.

[92] Engels, Supra.

[93] Sin embargo, cuando Doña Hilaria Clinton corrió para Presidenta de EEUU, en las primarias de 2008, ella expresó que se proponía defender las relaciones homosexuales a nivel federal, obviando sus propias palabras de que la familia, el matrimonio, es un asunto doméstico del poder de cada Estado. Así es la hipocresía de muchos políticos.

[94] "... y había ya preparado todo para edificar. Mas Dios me dijo: "Tu no me edificarás casa".

[95] Hechos 9.

[96] Colson, Charles, *La fe*, pág. 131 (Ed., Vida) 2008.

[97] Daniel 12:1-3.

[98] Expresión para referirse a los primeros pasos que da un bebé cuando comienza a caminar solo.

[99] Salmo 24.

[100] Rom. 8:19-23.

[101] Partido Nuevo Progresista.

[102] Partido Popular Democrático

[103] El libro sobre el derecho de familia aún estaba en una etapa confidencial, pero Dios se encargó de que yo tuviera acceso a una copia de manera providencial.

[104] Como estrategia de lucha no debemos promover el uso del vocablo heterosexualidad, bisexualidad. Esas palabras fueron acuñadas por Kinsey, pedófilo homosexual.

[105] Departamento de Educación de Puerto Rico, circular #3 de agosto de 1994. Bajo la administración de la gobernadora Sila María Calderón.

[106] En el borrador del libro sobre Derecho de la familia, el art. 3 decía que el derecho a la intimidad de cualquier miembro de la familia va por encima del interés del grupo familiar. Los art. 352 y 353 establecían que los progenitores no tenían autoridad sobre sus hijos en asuntos sobre el desarrollo de su personalidad. Y en el art 3 del libro sobre La Persona, le daba capacidad jurídica plena a toda persona, incluyendo menores desde su nacimiento. Ello por la sola ocurrencia de su nacimiento.

[107] "El ser humano adquiere... capacidad jurídica plena como sujeto de derechos y obligaciones, por la mera ocurrencia del nacimiento", Art. 3 del borrador del libro de la Persona.

[108] HOMOPHOBIC PARENTS ARE THEIR BIGGEST PROBLEM. ONE SOLUTION: THEIR NEWEST PROJECT IS TO PROVIDE TAXPAYER-FUNDED HOMOSEXUAL-FRIENDLY HOMES FOR "GAY" KIDS TO LIVE AT, AND PERSUADING THEM TO LEAVE THEIR PARENTS' HOMES MASS. COMMISSION ON GAY LESBIAN BISEXUAL AND TRANSGENDER YOUTH DECLARES "HOMOPHOBIC PARENTS ARE THE PROBLEM". MORE MONEY NEEDED, THEY SAY. / LATEST PROJECT: TAXPAYER-FUNDED "GAY-FRIENDLY" GROUP HOMES FOR TEENAGERS.SPRINGFIELD, MA - POSTED: MARCH 27, 2008 "AT ITS MARCH 17 MEETING AT SPRINGFIELD CENTRAL HIGH SCHOOL, THE TAXPAYER-FUNDED MASSACHUSETTS COMMISSION ON GAY, LESBIAN, BISEXUAL, AND TRANSGENDER YOUTH". HTTP://WWW.MASSRESISTANCE.ORG/DOCS/GEN/08A/GAYCOMM_030708/INDEX.HTML

[109] Reisman, Judith, Dra., supra.

[110] Borrador del libro *Derecho de familia*, Art 3RF. (llamado por ellos "Instituciones familiares")

[111] Art. 25 M19.

[112] Posteriormente, el pueblo de California votó a favor de la Proposición 8, elevando el matrimonio a rango constitucional. Aún está en litigio una impugnación que los *gayolas* le han hecho al derecho de un pueblo a votar sobre ese tipo de enmienda.

[113] The author of the forward to the disturbing book Queering Elementary, which argues for the teaching of sexual "identity" (what you could easily call "indoctrination," "initiation" or "brainwashing") to the children in the elementary education stage of life, Jennings has spoken publicly telling the religious right to "Drop Dead." http://familyleader.info/petitions/petition_7.php

[114] Significa disimular el asunto y liberar de responsabilidad a otro.

[115] Tenney, Tommy, *En busca del favor del Rey*, pág. 57 (2005).

[116] A Puerto Rico también se le conoce como la Isla del Cordero, porque su escudo oficial tiene un cordero blanco sentado sobre la Biblia.

[117] R de la S 99. Proyecto de enmienda para elevar a rango constitucional el matrimonio entre un hombre y una mujer.

Capítulo 7

[118] www.massresistance.org/docs/parker/main.html

[119] 2 Timoteo 2:3: "…en los postreros días … habrá hombres amadores de sí mismos … sin afecto natural, implacables … aborrecedores de lo bueno … infatuados, amadores de los deleites más que de Dios".

[120] Otras de las metas del Manifiesto Homosexual: "abolir la familia".

[121] Centros de Rehabilitación para adictos a sustancias.

[122] A diferencia de otras jurisdicciones, en Puerto Rico los ciudadanos no inician las peticiones para los proyectos de enmienda constitucional. Es una prerrogativa de la legislatura exclusivamente. Por lo que procede convencer a algún legislador para que tome la iniciativa. Ciertamente recoger firmas en apoyo tiene un efecto político importante. Además, nos sirvió como medio para ir educando al pueblo sobre el problema de la agenda gayola.

[123] Barca que se usa de remolque para entrar o sacar grandes embarcaciones de un puerto.

[124] Saúl vendió su primogenitura por un plato de lentejas. Gén. 25:29-34.

[125] Ahola y Aholiba, ante su idolatría, no escatimaron sacrificar los hijos que dieron a luz. Pasaron a ser ejemplo del escarmiento de Dios para muchas otras personas. Ez. 23.

[126] Publicar o delatar un asunto.

[127] "No tuerzas el derecho; no hagas acepción de personas, ni tomes soborno; porque el soborno ciega los ojos de los sabios y pervierte las palabras de los justos" (Deut. 16:19).

[128] Rom. 3:10.

[129] Rom. 3:9.

[130] Lesbianas Feministas radicales de SCUM promueven que el sexo masculino debe ser destruido. "SCUM Manifiesto". (*Society for Cutting Up Men*) Sociedad para erradicar a los hombres. SCUM matará a todo hombre que no sea un militante de SCUM, "Men Auxlliary" de SCUM. Y los "Men auxlliary" los define como aquellos que están trabajando diligentemente para eliminarse ellos mismos. Patai, Daphne, *Heterophobia sexual Harassment and the Future of Feminism* Pág. 138. (2000).

[131] http://www.larioja.com/20080821/gente/ricky-martin-padre-gemelos-vientre-alquiler-200808210922.html

[132] Agregados; los obreros y obreras que vivían en las tierras del hacendado. Servían a los colonos de la caña.

[133] Diario de Sesiones de la Convención Constituyente de Puerto Rico. T.4 (1951-1952) pág. 2562.

[134] Moisés también luchó por una segunda oración. Faraón accedía a la primera parte de la petición. O sea que los varones adultos se fueran. Pero no a la segunda parte "y a vuestros niños". Esos no. Ex. 10:8-11.

[135] Expresión boricua para referirse a "buscarse problemas".

[136] En otras regiones se dice "babosadas".

[137] Frase de los boricuas para expresar que se está justificando para que no lo impliquen en algún asunto o problema.

[138] Diccionario Lengua Española 2005 Esa-Calpe; WordReference.com

[139] Id.

[140] http://www.es.Thefreedictionary.com/corrupción.

[141] Frase que se usa para decir que se tienen faltas, delitos o una vida licenciosa oculta.

[142] El PNP como institución no tenía una política "abiertamente" *gayola*. Sin embargo, esta legisladora junto a otros de su mismo partido han sido enemigo acérrimos de la ciudadanía pro familia. Por otro lado, el PPD aunque como institución se ha declarado *gayola*, tiene varios líderes seriamente comprometidos en defender la institución de la familia y el matrimonio frente a la agenda *gayola* que propone abolir la familia y el matrimonio entre un hombre y una mujer.

[143] Id.

[144] Supra.Thefreedictionary.com/corrupción.

[145] En Puerto Rico también se dice "como perrito regañado", para expresar timidez o temor a ser atacado.

[146] www.vocero.com/noticias-es (27 de febrero 2011).

[147] En Puerto Rico se le dice a los concubinos "chillos" y "chillas", de ahí que decimos *chillato* en vez de concubinato.

CAPÍTULO 8

[148] Excesivamente serio.

[149] Frase que en Puerto Rico se usa para expresar que no le dan apoyo, critican o murmuran y sabotean las gestiones o actos de una persona.

[150] 1 Samuel 15.

[151] Daniel Cap. 5.

[152] Daniel Cap. 6.

[153] Éxodo 10:9-11.

Capítulo 9

[154] Socio principal o fundador de una firma de abogados.

[155] Memorial Explicativo para el Borrador del *Libro de la Familia*, Tomo II pág. 644.

[156] Gaydemographics.org; www.glosas.net/eng/aboutme.

[157] El distinguido profesor en Psiquiatría de *Hopkins University*, Dr. Paul McHugh, consiente de este mal intelectual de la academia, dijo: "Estamos desperdiciando recursos científicos y tecnológicos y dañando nuestra credibilidad profesional al colaborar con este mal en vez de tratar de estudiar, cuidar y finalmente prevenir las cirugías para cambio de sexo. Soy testigo de cómo sufren estos pacientes, el grave daño que ocasiona el cambio de sexo, prolongando sus ansiedades y miserias". *John Hopkins Psyquiatrist Urge to End Sexual Reassignment Surgery.* NARTH.COM/DOCS/JOHNHOPKINS.HTML 8/14/06

[158] http://www.rainbowallianceopenfaith.homestead.com/GayAgendaSwiftText.html

[159] La palabra heterosexual es otro invento *gayola* para corromper lo que realmente es. Se debe decir: relación entre un hombre y una mujer.

[160] Fratichelli, Infra. Pág. 245.

[161] Engels, F. *El origen de la familia, la propiedad privada y el Estado.* Cap. II www.marxsists.org/español/m.e/1880sorigen/ cap2htmI

[162] Fratchelli, M, Estudio Preparatorio Presentado a la Comisión Conjunta Permanente para la Revisión del Código Civil del 1999, Pág. 159.

[163] Nuestra postura nunca ha sido que no se revisen las leyes, por el contrario. Hay frases obsoletas en nuestras leyes. Como por ejemplo, "hijo natural". Hay desigualdades en la herencia de la viuda, etc. Pero esto no implica que aceptemos que el estado deforme la esencia humana, en virtud de actualizar unas leyes.

[164] http://www.marx.eserver.org

[165] www.nambla.org/hayonmanboylove.htm / HARRY HAY was a leading figure in the dawn of gay liberation, and as a Communist Party organizer in America – and like the early gay activist Edward Carpenter before him – he connected homosexual freedom with a possible Utopia; freedom from the rest of the capitalist hegemony. http://www.independent.co.uk/news/obituaries/harry-hay-615196.html Harry Hay was also co founder of a pedophile organization, NAMBLA. NAMBLA's goal is to end the oppression of men and boys who have mutually consensual relationships. NAMBLA's membership is open to everyone sympathetic to http://www.nambla.org.

[166] *Harry Hay on Man/Boy Love* by David Thorstad. THE REAL HARRY HAY BY MICHAEL BRONSKI HTTP://WWW.RADFAE.ORG/HARRY.HTM

[167] Fratichelli, M, *Hacia un nuevo Derecho de familia*, Rev. CAPR vol. 59 (1998) 3-4, pág. 229-269; p245.

[168] Id.

[169] Id pág. 245; Engels, F, *El origen de la familia, la propiedad privada y el Estado* 18-20 (Madrid, Ed. Fundamentos, 1982).

[170] Id, pág. 269.

[171] Id, pág.246.

[172] Id, pág. 245.

[173] http://www.primerahora.com/expulsanarodrigueztraverzodelacamara-452074.html

[174] Diccionario Lengua Española 2005 Esa-Calpe; Word Reference.com

[175] Id, pág. 246.

[176] Art. 16, http://www.cinu.org.mx/onu/documentos/dudh.htm

[177] Vocablo acuñado por Centro Internacional para el Estudio del Aberrosexualismo [*International Center for the Study of Aberrosexualism*].

[178] "Existen otras primeras manifestaciones parecidas a lo que hoy llamamos derechos fundamentales. Éstas se encuentran en los importantes conceptos propuestos por el cristianismo desde sus primeros días. La religión hebrea había predicado por siglos que la persona humana se había concebido a la imagen y semejanza de Dios. Cristo añadió a este concepto la idea de que los hombres y las mujeres son hijos de Dios. Los primeros escritores y pensadores cristianos hicieron uso de estas dos ideas desde el tercer

siglo después de Cristo. Estas ideas les sirvieron de base para desarrollar unas nociones sobre la libertad e igualdad de todos los seres humanos. Cristianos como Lactancio y Gregorio de Nysá reconocieron que las personas son libres e iguales. Este reconocimiento tuvo su base en la idea de que la dignidad humana era el resultado de la relación entre Dios y la humanidad", Fuster Jaime, *Los derechos fundamentales de las personas en Puerto Rico*, pág. 28-29, http://ponce.inter.edu/cai/bv/derechos/derechos_fundamentales.pdf

179 Colson, Charles. *La fe*, (Ed. Vida 2008), págs. 253-257.

180 Colson, Charles, Id, págs. 200-205.

181 Id, Pág. 259.

182 Id, Pág. 261.

183 Fratichelli, supra.

184 Patai Daphne, *Heterophobia*, Pág. 138 (2000).

185 MR GAY UK CANNIBAL SHOWS OFF HOW NATURAL HIS SEXALITY IS YOUTUBE HTTP://WWW.YOUTUBE.COM/WATCH?V=PK4L_A_3LNE; ARMIN MEIWES, THE HOMOSEXUAL INTERNET SEX CANNIBAL, DONDE LA VICTIMA VOLUNTARIAMENTE SE SOMETIO Y PARTICIPO DE COMER PARTE DE SI MISMO CON SU VICTIMARIO, COMO PARTE DE SU PLACER HOMOSEXUAL HTTP://WWW.ASSOCIATEDCONTENT.COM/ARTICLE/753143/ARMIN_MEIWES_THE_HOMOSEXUAL_INTERNET.HTML

186 http://www.dyxploitation.nu/issue7/iss7welcome.html ; 2/25.2007

187 La carta de Derecho del Niño de la ONU. Art. 7.

188 Mottesi, Alberto H. Latinoamérica Nueva: *Hacia un nuevo liderazgo en el siglo XXI*, Ed Kerygma, 2008.

189 Renzetti C; Curran D, Women, *Men and Society*, 5ta. ed. 1989 (Pearson Education, Inc.) Págs. 67-68.

190 Este tema lo desarrolla con todos los detalles Sear A. y Osten C., *The ACLUE vs America*. (Ed B. & Holman, 2005)

191 Fratichelli, supra pág. 229.

192 Engels, Federico, Supra.

193 http://www.rainbowallianceopenfaith.homestead.com/GayAgendaSwiftText.html

[194] Fratichelli Torres M, *Estudio preparatorio…* del 1999, pág. 161.

[195] Fratichelli Torres Migdalia, *Hacia un nuevo derecho de familia*, p4 versión www.microjuris2007

[196] Diccionario Real Academia Española, 22da. Ed. Internet en el 6/1/2010

[197] Const. ELA, Art. II Sec. 1.

[198] Debido a la situación política de la Isla, la constitución federal y muchas **leyes de Estados** Unidos que sean aplicables a Puerto Rico prevalecen sobre las normas mandatorias antes enumeradas.

[199] Debo aclarar que estoy señalando estos errores; sin embargo los intelectuales detrás de estos errores no son profesionales incompetentes. Ellos saben que es contra derecho lo que están haciendo. Sus errores son intencionales. Son mentes muy brillantes y maquinadoras. Ellos saben que si hacen el análisis de derecho como corresponde, jamás podrían torcer el derecho. Se esconden detrás de la pantalla de sus renombres y prestigios en la academia, para que los políticos y los estudiantes admitan sin cuestionar (con fe absoluta) en sus planteamientos como "la verdad del conocimiento del siglo 21".

[200] Fratichelli, M. Supra pág. 159.

[201] LA CAGE AUX FOLLES.

[202] http://www.rainbowallianceopenfaith.homestead.com/GayAgendaSwiftText.html

[203] http://www.oyez.org/justices/ruth_bader_ginsburg

[204] http://www.massresistance.org/docs/gen/10b/kagan/index.html

[205] Sear A. and Osten Craig, supra, págs. 146-147.

[206] Sear A. and Osten Craig, supra, pág.7.

[207] WHEN ACTIVISM MASQUERADES AS SCIENCE: POTENTIAL CONSEQUENCES OF RECENT APA RESOLUTIONS, BY A. DEAN BYRD, PH. D., MBA, MPH "THERE IS A GAY ACTIVIST GROUP THAT'S VERY STRONG AND VERY VOCAL AND RECOGNIZED BY THE AMERICAN PSYCHIATRIC ASSOCIATION...THERE'S NOBODY TO GIVE THE OTHER VIEWPOINT...THERE MAY BE A FEW PEOPLE...BUT THEY DON'T TALK" (SPITZER, 2004).

[208] Jorge Agustín Nicolás Ruiz de Santayana.

209 By Neil Irwin *Washington Post* Staff Writer, Saturday, January 2, 2010. http://www.washingtonpost.com/wp-dyn/content/article/2010/01/01/AR2010010101196.html

CAPÍTULO 10

210 *Mercer University* todavía se anuncia como una institución de "base de fe". Fue fundada en el siglo 19 por bautistas. Aunque luego fue formalmente desafiliada de la denominación bautista, continúa con la visión de ofrecer un ambiente educativo que incluye la libertad intelectual y la libertad religiosa, mientras que a su vez proclama los valores de la cosmovisión judeocristiana. http//www.mercer.edu/about/. Oremos porque Dios retome su lugar allí.

211 http://www.mercer.edu/about/

212 Quest 3, 2 ed. (2007) Mc Graw Hill.

213 http://www.nndb.com/people/436/000178899/

214 Grupos ateos y agnósticos en Estados Unidos promulgan que: *"Christianism or Christian Nationalism is analogous to Islamism. Just as Islamists seek to reform society along Islamic lines and force society to conform to conservative Islamic values, Christianists seek to reform society along Christian lines and force society to conform to their conservative Christian values. They are Christian Nationalists because they have combined conservative, evangelical Christian theology with extreme American nationalism"*. http://atheism.about.com/od/christianismnationalism/Christianism_Christian_Nationalism_Christian_Extremism_Patriotism.htm

215 Expresión boricua para referirse a los ateos.

216 El Seminario Evangélico les invita a la defensa de la propuesta de tesis doctoral: "Niveles de homofobia en una muestra del protestantismo puertorriqueño", del Rev. Joaquín Rabell Ramírez, la cual se llevará a cabo el próximo viernes, 10 de diciembre de 2010 a las 10:00 am en el salón 1-A. http://www.se-pr.edu/portal/sobre-nosotros.html

217 Esta definición se la reveló Dios a la evangelista Rosa Pérez.

218 Efesios 6:12.

219 Como regla general los nombres no se traducen. Pero me resultó interesante ofrecerles la traducción literal de Underwood. Sería: "Por debajo o por detrás de la madera". Bill se usa para referirse a proyectos de leyes, dinero, etc. ¿Qué hay en el proyecto debajo de esa madera?

[220] BILL UNDERWOOD, A CHRISTIAN NATION: BUT WHICH CHRISTIANITY?, ADDRESS TO THE RELIGIOUS LIBERTY COUNCIL LUNCHEON CHARLOTTE, NORTH CAROLINA, JUNE 25, 2010 HTTP://WWW.MERCER.EDU/PRESIDENT/NATION.SHTM

[221] "Others, however, including many of today's most visible Baptist voices, are quite certain of the answer. As an Alabama Supreme Court justice, Baptist Roy Moore Supreme Court justice, Baptist Roy Moore placed• a monument to the Ten Commandments in the lobby of the Alabama Judicial Building. When asked about his refusal to accommodate similar displays representing other faiths, Moore responded that when the founders talked about 'free exercise of religion' they meant Christianity…, the Family Research Council …. These folks could be dismissed as extremists with little influence on mainstream attitudes, but for the fact that it wouldn't be true. The way politics works today, when extremists in either party say jump, many politicians tend to say 'how high.' One of the nominees for Vice President of the United States last election jumped pretty high, agreeing that the Constitution established America as a Christian nation. She added that we should keep this clean, keep it simple, go back to what our founders and our founding documents meant. They're quite clear that we would create law based on the God of the Bible and the 10 commandments. It's pretty simple." Bill Underwood, Id.

[222] *Thank God? That's a penalty: American footballer punished player for celebrating touchdown with a prayer* By Daily Mail Reporter. Last updated at 5:10 PM on 3rd December 2010/ An American football referee has caused controversy after penalizing a high school player who thanked God after scoring a touchdown. Tumwater High's Ronnie Hastie got down on one knee and pointed to the sky as way of celebration for scoring in the game on Monday, as he has done all season without any sort of retribution before now. But the referee at the game in Washington immediately took offence at his actions and hit the young player with a 15-yard unsportsmanlike conduct penalty. http://www.search.aol.com/aol/search?q=punished+for+pray+during+a+game&s_it=spelling&v_t=webmail-hawaii1-standardaol. Read more: http://www.dailymail.co.uk/news/article-1335382/American-footballer-punished-player-celebrating-touchdown-prayer.html#ixzz18RC0fWB2

[223] Consideramos incorrecto el término de lesbiana por los siguientes fundamentos. EL término homosexual fue acuñado para significar atracción de una persona por su mismo sexo. Por lo que una mujer atraída por su mismo sexo es homosexual. Lesbiana es un derivado de Lesbos, solo los residentes de dicha isla son lesbianos.

[224] S Mt. 23:37.

[225] BILL UNDERWOOD, A CHRISTIAN NATION: BUT WHICH CHRISTIANITY?, ADDRESS TO THE RELIGIOUS LIBERTY COUNCIL LUNCHEON CHARLOTTE, NORTH CAROLINA, JUNE 25, 2010 HTTP://WWW.MERCER.EDU/PRESIDENT/NATION.SHTM

[226] http://www.talk2action.org/story/2006/5/11/151212/239

[227] S Mt 5:14.

[228] Traducción nuestra y paráfrasis de la cita del discurso de John F. Kennedy, citado por Sara Palin, America by Heart, pág. 70 (2010).

[229] Éxodo 20:3.

[230] En nuestra cultura decimos que los boricuas tenemos una mancha de plátanos para referirnos a nuestra identidad étnica.

[231] Aunque todos los puertorriqueños somos ciudadanos americanos, Puerto Rico es la única jurisdicción de Estados Unidos cuyo lenguaje principal y oficial es el español.

[232] Nací en el pueblo de Humacao, al este de Puerto Rico.

[233] Hechos 9:11-18.

[234] Quest #3, supra pág. 23-25.

[235] Id pág. 25.

[236] Id pág. 24.

[237] La profesora dijo ser presbiteriana, hija de misioneros.

[238] Appley, GA Diversity, *Opression and Social functioning*... Pág. 26.

[239] Id, pág. 146.

[240] Id, pág. 149.

[241] Id.

CAPÍTULO 11

[242] Money, J. Gay, *Straight and In-Between: The sexology of Erotic Orientation* (Oxford Univ. Press 1988).

[243] Velázquez, Spanish and English Dictionary. Pág. 890 (2003).

[244] Salvo muchos de los políticos, quienes tienen una falta de integridad cognitiva. Los tales dicen una cosa pero están pensando en otra.

[245] Diccionario Lengua Español 2005 Esa-Calpe; Word Reference.

[246] Id.

[247] 31 L.P.R.A. Sec. 221 (Art 68).

[248] Sal. 119:105.

[249] 2 Timoteo 1:13.

[250] Diccionario Manual de la Lengua Española, Vox. 2007, Larousse Editorial, S.L. http://www.es.thefreedictionary.com/fobia

[251] Diccionario Enciclopédico Vox 1. © 2009 Larousse Editorial, S.L. http://www.es.thefreedictionary.com/fobia

[252] Patai, Supra. Pág. 136- et seq.

[253] Patai, Id. Pág. 136.

[254] Fitzgibbons, Richard P. M.D. *The Desire For A Sex Change*, Psychiatrist says sex-change surgery is a collaboration with a mental disorder, not a treatment. NARTH http://www.narth.com/docs/desiresch.html

[255] DICCIONARIO DE LA LENGUA ESPAÑOLA - Vigésima segunda edición http://www.buscon.rae.es/draeI/Srvlt

[256] Fitzgibbons, M.D., Supra.

[257] Jeff Jacoby, columnista del *Boston Globe*. http://www.jeffjacoby.com/1284/embarazado-si-esta-pero-no-es-un-hombre

[258] Colapinto John, *As Nature Nade Him: The Boy who was Raised as a Girl*, Pág 28 (*NY Times Bestseller*, 2001).

[259] Randall, Vicky, *Waylen, Gender Politics and the State*, pág. 19 (1998).

[260] Staudt Katheleen, *Policy, Politics & Gender*, women ganing ground. Pág. 4 (1998).

[261] Reisman, J Supra pág. 79.

[262] Colapinto, J. Supra.

[263] Id.

[264] Money J. Supra, pág. 53.

[265] "Women, you cry for freedom. You say you are no longer satisfied with men; they make you unhappy. We, connoisseurs of the masculine face, the masculine physique, shall take your men from you then. We will amuse them; we will instruct them; we will embrace them when they weep. Women, you say you wish to live with each other instead of with men. Then go and be with each other. We shall give your men pleasures they have never known because we are foremost men too, and only one man knows how to truly please another man; only one man can understand the depth and feeling, the mind and body of another man." http://rainbowallianceopenfaith.homestead.com/GayAgendaSwiftText.html

[266] Money, supra, pág. 52.

[267] Money, Id.

[268] For Dr. Money, David was the ultimate experiment to prove that nurture, not nature, determines gender identity and sexual orientation—an experiment all the more irresistible because David was an identical twin. His brother, Brian, would provide the perfect matched control, a genetic clone raised as a boy. http://www.slate.com/id/2101678/

[269] Colapinto Supra, pág. 87.

[270] GENDER GAP WHAT WERE THE REAL REASONS BEHIND DAVID REIMER'S SUICIDE?, BY JOHN COLAPINTOPOSTED THURSDAY, JUNE 3, 2004, AT 3:58 PM HTTP://WWW.SLATE.COM/ID/2101678/

[271] John Colapinto, *Gender Gap What were the real reasons behind David Reimer's suicide?* Posted Thursday, June 3, 2004, at 3:58 PM ET Just shy of a month ago, I got a call from boy to girl—would have understood that the real mystery. http://www.slate.com/id/2101678/

[272] http://www.slate.com/id/2101678/

[273] Colapinto, Supra 26.

[274] Money, J. *Gay Straight and In between*, pág. 52 (1988).

[275] Recomendamos que todo funcionario de gobierno, legislador, jueces, lean la estremecedora investigación de Colapinto, así como los trabajos de investigación de la Dra. Judith Reisman.

[276] Reisman, Supra págs. 28, 29; 202-204.

[277] Id, 102.

[278] http://www.kinseyinstitute.org/library/jmscholarsfund.html

[279] IMPLICATIONS OF THE KINSEY REPORTS ON CHILD CUSTODY CASES, AUGUST 15, 2005 HTTP://WWW.DRJUDITHREISMAN.COM/ARCHIVES/2005/08/IMPLICATIONS_OF.HTML

[280] Colapinto, J., supra, pág. 28.

[281] Por casualidad o causalidad el concepto "Money Making" coincide con el apellido de John Money; pero nos referimos a la producción de capital para los inversionistas de la industria pornográfica, entre otros.

[282] 1 T 6:10.

[283] http://www.elpais.com/articulo/internacional/preso/graba/violaciones/movil/Brasil/elpepuint/20071114elpepuint_3/Tes; http://www.lib.jjay.cuny.edu/reserve/crj722/u722_13.pdf; Estelle B. Freedman The prison lesbian: race, class, and the construction of the aggressive female homosexual, 1915-1965. http://www.lib.jjay.cuny.edu/reserve/crj722/u722_13.pdf Violados, 60 mil reos al año en cárceles de EU, Un informe reveló que las razones dependen del centro de reclusión, la edad, el género y el delito, *El Universal* Washington, EU. Martes 23 de junio de 2009, http://www.eluniversal.com.mx/notas/606667.html

[284] http://www.news24.com/SouthAfrica/News/Four-year-old-beaten-to-death-20030829; Slain because he refused to call his mother's lesbian lover `Daddy', March 23, 2006, By Baldwin Ndaba From – *The Star*. Co. Z http://www.forums.superherohype.com/archive/index.php/t-235363.html;

[285] Dr. Paul Cameron, *Same Sex Marriage*. http://www.biblebelievers.com/Cameron1. The National Criminal Victimization Survey for 1993 to 1999 reported that 0.24% of married women and 0.035% of married men were victims of domestic violence annually versus 4.6% of the men and 5.8% of the women reporting same-sex partnerships. Domestic violence appears to be more frequently reported in same-sex partnerships than among the married. http://www.ncbi.nlm.nih.gov/pubmed/14650663;Roy Waller Major Scientific Study Examines Domestic Violence Among Gay Men http://www.narth.com/docs/domestic.htm

[286] LESBIAN PROFESSOR URGES DECONSTRUCTION OF GENDER. HTTP://www.NARTH.COM/DOCS/DECONSTRUCTION.HTML

CAPÍTULO 12

[287] La ideología de género en el derecho de Puerto Rico trató de meter su cola en 1983 a través del caso federal Agromayor vs Colberg, 573 F supp. 939 (983), pero luego fue revocado. En dicho caso se citaba un caso de discrimen contra la mujer sustituyendo la frase discrimen por sexo, por género. Davis vs Passeman, 544 F2d 865 (5th Cir, 1977.)

[288] Efesios 6:12.

[289] Daniel 10.

[290] Daniel 10:20.

[291] Efesios 6:12.

[292] Márquez López-Mato, Andrea, Vieitez Alejandra, Bordejo Daniela, *Afrodita, Apolo y Esculapio: diferencias de género en salud y enfermedad* (ed. Polemos 2004).

[293] Thorstad, David, *Pederasty and Homosexuality*, discurso en la Semana Cultural Lésbica-Gay, Ciudad México, 26 de junio 1998. David Thorstad es uno de los fundadores de NAMBLA, sociedad de pedófilos que luchan porque su desorientación sexual sea un derecho civil.

[294] "El impacto de la intromisión o intervención de la Constitución en el Derecho Civil…", Fratichelli Torres M, *Hacia un nuevo derecho de familia*, p4 versión www.microjuris.; pág. 161. Informe: "Estudio preparatorio presentado a la Comisión Conjunta Permanente para la Revisión del Código Civil de PR de 1999", Pág. 161.

[295] Aun el Partido Nuevo Progresista, que ha logrado prevalecer en diferentes elecciones, no ha logrado desarrollar una disciplina interna tan poderosa como el Partido Popular Democrático.

[296] http://www.time.com/time/magazine/article/0,9171,941068-1,00.html

[297] Ahora a las personas de escasos recursos se les llama indigentes, término que supedita la dignidad humana a tener o no tener bienes materiales. Los cristianos debemos corregir ese término en nuestro acervo.

[298] Pueblo del este de Puerto Rico, donde yo nací.

[299] A 44 horas después del divorcio Don Roberto se casó con Jeannette. Sánchez Evelyn, *El Affaire Sánchez Vilella*. Pág. 142 (2009).

[300] "Un sistema de rango para la carrera judicial".

[301] Frase puertorriqueña para decir que son personas incondicionales o fanáticas de un partido.

[302] Sánchez E. Supra. Pág. 63.

[303] Amán, descendiente de Agag, es el personaje que influencia al rey para exterminar al pueblo de Dios en el libro de Ester. Amán, ambicioso de poder, vivía lleno de amargura y odio contra los judíos porque su antecesor fue derrotado por los israelitas. Amalec es tipo de los placeres de la carne. El rey Saúl no venció la tentación que los bienes amalecitas representaban, por lo que Saúl desobedeció a Dios, condonándole la vida al rey amalecita Agag. El profeta Samuel le dio muerte a Agag (I Samuel 15).

[304] Cohen, Jonathan, *A Pan-American Life: Selected Poetry and Prose of Muna Lee Publication*. Date: December 20, 2004 - Foreword by Aurora Levins Morales - *The Americas Series of the University of Wisconsin Press*; http://www.umc.sunysb.edu/surgery/muna.html#house

[305] Cohen, Id.

[306] Código Civil, 31 L.P.R.A. Sec 441. Const. ELA Art II Sec. 1.

[307] Const. ELA Art. II, Sec 1; Sec 8.

[308] Diario De Sesiones de la Convención Constituyente de Puerto Rico, Tomo 4 (1951-1952).

[309] Id, Tomo I págs. 794-795.

[310] Las uniones ilícitas pueden y deben estar prohibidas, y esta disposición (la prohibición de discrimen por nacimiento en la Constitución) tendrá como una de sus consecuencias el desalentarlas. *Diario de Sesiones de la Convención Constituyente de PR.* Tomo 4 (1951-1952), pág. 2562; ley Núm. 17 del 20 de agosto de 1952, que promulgaba que no puede haber hijos sin padres.

[311] Hernández Álvarez, *Matrimonio en Puerto Rico* (estudio socio-económico) 1910-1968. En EDIL, Inc. 1971, pág. 45.

[312] "Zángano como siempre". Sánchez Dapena. Supra, pág. 195. En la cultura boricua esta es un insulto, para decir imbécil, estúpido.

[313] Josué 1:7; 8.

[314] Números 14:33,34.

[315] Estudio para determinar el alcance y ramificación de la discriminación por razón de color, sexo y origen nacional en la empresa privada en PR, comisionado por la Comisión Federal para la Igualdad de Oportunidades

en el Empleo de 1972; Informe de la Comisión Derechos Civiles de PR, 1972, Sobre la igualdad de derechos y oportunidades de la mujer puertorriqueña.

[316] TÍTULO 4AP - APENDICE IX CÓDIGO DE ÉTICA PROFESIONAL (1970).

[317] "El discrimen por razón de género en los tribunales". Resumen Ejecutivo, agosto 1995, Tribunal Supremo de PR.

[318] Id. pág. 10.

[319] Id pág. 4.

[320] 2004 TSPR 126, 162 DPR 598.

[321] Id pág. 4.

[322] Isaías 59:14,15.

[323] Informe, supra, pág. 4.

[324] 2004 TSPR 126, 162 DPR 598.

[325] Burdge, supra.

[326] Id.

[327] Departamento de Educación del ELA de Puerto Rico, circular #3, de Julio del 2008.

[328] Money promulgaba la liberación del incesto como parte de las orientaciones sexuales naturales.

[329] "Porque no tenemos lucha contra sangre y carne, sino contra los gobernadores de las tinieblas de este siglo, contra huestes espirituales de maldad en las regiones celestes" (Efesios 6:11,12). La respuesta a la oración de Daniel fue interferida en los lugares celestiales por la potestad demoniaca "Príncipe de Persia". Y también reconoce que hay una potestad demoniaca "Príncipe de Grecia" (Daniel 10:20).

CAPÍTULO 13

[330] Al presente, el Lcdo. Pedro Pierluissi es el Comisionado Residente de Puerto Rico en Washington DC, y tiene aspiraciones de escalar más poder en Puerto Rico. No tiene sensibilidad hacia el pueblo. Su logro como Comisionado ha sido apoyar abiertamente la agenda *gayola*. Esto luego de haber engañado a los votantes cristianos, dando sendos discursos pro familia y en contra de la agenda *gayola*.

[331] Malaquías 4:6.

[332] Apocalipsis 21.

[333] Frase común de los boricuas para referirse a los amigos.

[334] Juan 8:32.

Capítulo 14

[335] "Cacareada", palabra que se usa en Puerto Rico para referirse a un asunto que ha sido muy discutido o ventilado públicamente. Como la gallina, que cacarea anunciando que puso un huevo.

[336] TAU, el logo de la Fundación Ricky Martin adorna el vidrio en el que se asienta la vela. Esta colaboración tiene un solo objetivo: "ayudar a erradicar la trata de personas alrededor del mundo". http://rickymartin-foundation.org/enciendeunavela.html

[337] *Veve Designs used in Voodoo to summon the various Loa or spirit deities. Symbol for Baron Samadi, Lord of the graveyard and death.*

[338] Es contradictorio que Ricky "luche" contra la pornografía hacia los niños, mientras que muchos de sus videos y temas de conciertos apelan a ilustraciones gráficas de sexo y orgías.

[339] Departamento de Educación de Puerto Rico, circular #3, agosto de 2004. Rey también ordenó la compra del libro *Quiero Saber*, con material pornográfico para niños.

[340] *Tau-Symbol of the god Mathras of the Persians and the Aryans of India. To them, Mathras was an "angel of light" or the "heavenly light".http://www.exposingsatanism.org/signsymbols.htm*

[341] Diccionario.sensagent.com/Tau_(mythology)

[342] Ricky Martin, foundation.org bois de tau.

[343] http://www.larousse.com/en/dictionnaires/francais-espagnol/bois

[344] 2 Tim. 3:1-5.

DATOS DE LA AUTORA

Por su labor voluntaria de educar sobre Derecho y alertar a su pueblo en torno a la legislación antifamilia y antidemocrática del gobierno de Puerto Rico, la abogada Myrna Y. López-Peña fue reconocida con el premio *Good Samaritan* para Latinoamérica, por la organización internacional de abogados cristianos *Advocate International*, en su 5ta. Convocación Global, en Washington, DC, en 2008.

La Lcda. López-Peña inició en Puerto Rico la lucha por elevar a rango constitucional la defensa del matrimonio.

López-Peña es presidenta de la entidad sin fines de lucro Coalición Ciudadana en Defensa de la Familia (CCEDFA), fundada por personas comprometidas con los valores pro familia y el bienestar de los niños de Puerto Rico.

Fundó la Alianza de Juristas Cristianos (AJC).

Obtuvo el grado de "Juris Doctor" (J.D.) de la Facultad de Derecho de la Universidad Interamericana.

Hizo su Maestría en Derecho en la Pontificia Universidad Católica de Puerto Rico (L.L.M.) y la Maestría en Administración Pública en la Universidad de Puerto Rico.

Se desempeñó como Oficial Jurídico en el Primer Tribunal de Circuito de Apelaciones de Puerto Rico.

Fue Procuradora de la Familia del Departamento de Justicia de Puerto Rico, donde Dios la llevó a descubrir a una niña secuestrada por alrededor de siete años. En virtud de aquel caso, el Congreso de Estados Unidos de América le otorgó la Primera medalla *Missing Children* a la jurisdicción de Puerto Rico, en 1998. A esos efectos, el Negociado de Investigaciones Especiales (NIE) reconoció a López-Peña como miembro honorario de dicho cuerpo.

López-Peña ha impartido numerosas conferencias en Puerto Rico y en el extranjero sobre diversos temas a fines a su ministerio.

P.O. Box 7258
Warner Robins
GA 31095-7258
myrnalilo@aol.com

